Epicentrum

Bezoek onze internetsite www.awbruna.nl
voor informatie over al onze boeken en dvd's.

Andy McNab

Epicentrum

A.W. Bruna Uitgevers, Utrecht

Oorspronkelijke titel
Dead Centre
© 2011 Andy McNab
Vertaling
Hugo Kuipers
Omslagbeeld
© Stephen Mulcahey/Arcangel/Hollandse Hoogte
Omslagontwerp
Studio Jan de Boer
© 2012 A.W. Bruna Uitgevers, Utrecht

ISBN 978 94 005 0117 1
NUR 332

Met dank aan Luitenant-Kolonel (KL) Rob van Putten.

MIX
Papier van
verantwoorde herkomst
FSC
www.fsc.org
FSC® C013683

Dit boek is gedrukt op papier dat het keurmerk van de Forest Stewardship Council (FSC) mag dragen. Bij dit papier is het zeker dat de productie niet tot bosvernietiging heeft geleid. Een flink deel van de grondstof is afkomstig uit bossen en plantages die worden beheerd volgens de regels van FSC. Van het andere deel van de grondstof is vastgesteld dat hiervoor geen houtkap in de laatste resten waardevol bos heeft plaatsgevonden. Daarom mag dit papier het FSC Mixed Sourceslabel dragen. Voor dit boek is het FSC-gecertificeerde Munkenprint gebruikt. Dit papier is 100% chloor- en zwavelvrij gebleekt en wordt geleverd door Arctic Paper Munkedals AB, Zweden.

Deel I

1

Camp Hope
Provincie Atjeh, Sumatra

Zondag 2 januari 2005
15.39 uur

Shit...

Dit liep niet goed af.

Die twee waren weer bezig, en deze keer zou een van hen in de kreukels komen te liggen.

Mong torende boven BB uit en drukte zijn voorhoofd hard tegen de kruin van de andere man om te voorkomen dat die zich terugtrok om hem een kopstoot te geven. Mongs zweet droop in BB's gezicht en vervolgens in het zand. Hij haalde diep adem met zijn tanden op elkaar geklemd. Ik kon hem zelfs horen vanaf de plaats waar ik zat.

Ik kende Mong. Als hij ergens aan begon, maakte hij het af.

Ik sprong overeind en liep om een berg verpulverd, veelkleurig hardhout heen die ooit een vissersboot was geweest. Het was een week na de tsunami en Atjeh was nog steeds een rampgebied. Overal lagen wrakstukken. De kuststreek leek net Hiroshima na de bom. Het getij voerde met elke golf nieuwe wrakstukken en lijken aan.

'Mong, nou is het genoeg, jongen! We hebben werk te doen!'

Hij luisterde niet. Hij snoof als een stier.

'Kappen, jongen. Ophouden. Er zijn geen ziekenhuizen. Helemaal geen medische spullen.'

Maar Mong zat in zijn eigen kleine wereld. Deze jongens waren net twee opwindrobots. Ze gingen tegen elkaar in totdat hun raderen het begaven.

BB zou worden ingemaakt, en dat wist hij. Maar hij gaf geen krimp.

'Jongens, schop mekaar maar verrot als we thuis zijn.'

Het hield nog steeds niet op.

Mong bewoog zijn voorhoofd snel heen en weer en dreunde hard tegen BB's anders zo perfect gekapte kruin. BB zakte in elkaar, maar voordat zijn knieën het zand raakten, haalde Mong uit met een vuist die als een heipaal tegen zijn rechterslaap beukte.

BB kon niet veel anders doen dan de pijn over zich heen laten komen.

Nog niet bekomen van de dreun, sloeg hij zijn armen om Mongs middel om hem mee omlaag te trekken. Mong bleef waar hij was, maar zijn broek ging omlaag, zodat de getatoeëerde contouren van twee handen tevoorschijn kwamen, een op elke bil. Het leek net of iemand anders zijn achterste had vastgegrepen.

Mong probeerde los te komen, maar BB klampte zich aan hem vast. Hij hield zijn armen stevig om Mongs knieën en gooide zijn gewicht naar voren. Mong viel in het zand. Ze deden allebei een verwoede poging om een vuistslag uit te delen.

Ik trok een dunne balk los van de vissersboot.

Mong schreeuwde niet meer. Hij bewaarde zijn adem voor het gevecht. Hij hees zich op zijn knieën en haalde nog twee keer uit met zijn vuist, maar BB ontweek hem. Elk van die vuistslagen zou hem bewusteloos hebben gemaakt.

De derde vuistslag miste ook, maar de volgende trof BB tegen de zijkant van zijn hals. Nu was het met hem gedaan. Mong liet zich schrijlings op BB's borst zakken en sloeg met zijn vuisten in op het lichaam van de jongen.

BB probeerde zich op te rollen om zijn filmstergezicht te beschermen.

Ik had me bijna op hen gestort. 'Mong! Hou daarmee op! Niet vandaag!'

Er verzamelden zich blanke gezichten bij de rij NGO-tenten vijftig meter achter ons, hulpverleners die uit de hele wereld waren gekomen om te helpen. Duizenden Indonesiërs hadden hun toevlucht tot de heuvels genomen, en dagelijks kwamen velen van hen terug. Ze hadden gehoord dat er een opvangkamp was, maar de meesten durfden niet dicht bij de oceaan te komen. Ze waren doodsbang voor een nieuwe dodelijke golf.

'Mong, hoor je me?' Ik stond bij hen. 'Stoppen. Nu.'

Het was te laat. BB vocht terug. Het was allemaal zijn schuld; dat was het altijd. Hij had Mong de hele dag al lopen jennen. Toch had ik een zekere bewondering voor die klootzak. Weinigen zouden het zo lang tegen die kolos van een man hebben uitgehouden.

'Mong, dit is je laatste kans. Ik doe je wat als je nu niet ophoudt.'

BB dreigde lelijk in de vernieling te raken. Het was zijn verdiende loon, maar dit was er de dag niet voor.

Ik liet de balk op Mongs rug neerdalen en hield hem op zijn plaats terwijl hij over BB heen zakte, zodat hij wist dat ik daar nog was. BB duwde hem opzij, begreep hoe het zat en rolde weg. Hij kroop een meter of zo, zijn gezicht een masker van bloedkleurig zand.

'Rot op, BB, en ga jezelf opkalefateren.'

Ik drukte hard tussen de schouderbladen van Mong, die overeind probeerde te komen. 'Liggen blijven of ik sla je nog een keer. Het is een grote klootzak, maar dit is niet de tijd of de plaats. Regel het maar als het karwei erop zit. Oké?'

BB stond op en schuifelde naar onze tent. De menigte hulpverleners week als de Rode Zee uiteen om hem door te laten.

Ik ging op een olievat zitten dat in het zand stond, maar hield de balk nog tegen Mongs rug gedrukt. Het strand lag bezaaid met allerlei troep. De zeestraten waren het favoriete dumpterrein voor gevaarlijke afvalstoffen uit de hele wereld, en waarom ook niet? De enigen die het ooit zouden merken, waren een stel Indonesische vissers. De sluikstorters hadden er alleen niet op gerekend dat een tsunami hun vuile was in het zicht van honderd tentladingen internationale waarnemers op het strand zou gooien.

'En trek je broek omhoog, jezus nog aan toe. Ik krijg de kriebels van die handen.'

2

Ze hadden in andere squadrons gezeten, maar ik kende Mong en BB al sinds mijn SAS-tijd. Tegenwoordig waren we niet meer bij de SAS, maar trokken we over de wereld en verdienden we een paar pond waar we maar konden.

'BB' was een afkorting van '*Body Beautiful, Mind Full of Shit*' ('Mooi lijf, klotekarakter'). Hij was niet op de normale manier bij de SAS gekomen, dus niet uit het Britse, Australische of Nieuw-Zeelandse leger, maar hij was zo van de straat gekomen en had zich aangemeld nadat hij te veel SAS-onzin op tv had gezien. Jammer genoeg had hij de cultuur niet kunnen oppikken. Hij kon de taal niet eens spreken. Hij was gewoon een verkoper van mobiele telefoons die in zijn vrije tijd soldaatje speelde. De SAS was voor hem meer een droom die werkelijkheid werd dan werk dat gedaan moest worden. Hij had niet beseft dat je eerst in de leer moest gaan voordat je een vak kon uitoefenen.

BB had de pest aan zijn bijnaam. Hij wilde dat al zijn maten hem Justin noemden. Alleen had hij geen maten.

Eigenlijk viel hij wel mee, en hij deed zijn werk ook vrij goed. Alleen had hij het niet te pakken, wat dat 'het' ook mocht zijn. Hij kwam uit het noorden van Engeland, had een vlotte babbel en een hoge dunk van zichzelf. Hij deed alle gewichtstrainingen en slikte alle voedingssupplementen. Zijn T-shirts waren twee maten te klein. Hij smeerde een vochtinbrengende crème op zijn gezicht en werkte elke vrije seconde aan zijn bruine teint, voor als hij weer in Engeland was en ging cruisen in zijn rode Mazda 5.

Het ergste was nog wel dat hij Mongs vrouw wel zag zitten en dat ook steeds liet blijken. BB had weinig scrupules als het aankwam op horizontale gymnastiek. Hij was ruimschoots dom genoeg om te proberen haar te versieren. Dat had hij vroeger ook al geprobeerd, voordat Mong ten tonele was gekomen, maar Tracy had algauw begrepen dat hij haar niet zou kunnen geven wat ze nodig had.

Natuurlijk was BB niet de enige die op haar viel. We vielen allemaal op haar. Ze zag er goed uit en had het soort glimlach dat een kleuterleidster niet zou misstaan. Alles aan haar was nagenoeg volmaakt: zoals haar donkere haar over haar schouders viel, zoals ze zich kleedde. We noemden haar Racy Tracy, maar eigenlijk klopte dat niet.

Voor iedereen behalve BB was ze verboden terrein. Ze was de vrouw van iemand anders. En die iemand was een van onze maten.

Deze nieuwe vechtpartij had al een week in de lucht gehangen, vanaf het moment dat we in Engeland bij elkaar waren gekomen. BB had Mong een paar jaar niet gezien, maar hij was meteen weer met zijn flauwe opmerkingen begonnen: 'Als ze nog eens een echte man nodig heeft, mag je haar mijn nummer geven.' En daar was het niet mee opgehouden.

Ik gaf Mong een por. 'Gaat het een beetje?'

'Ja.' Hij tilde zijn hoofd op, hield een vinger op elk neusgat en blies een stroom zand en snot uit. Hij knikte naar de golven, die tien meter bij ons vandaan tegen het strand beukten. 'Ik ga me maar eens opknappen.'

Hij sprak met het accent van de West Country. Dat paste niet bij zijn uiterlijk. Mong was een groot gevaarte. Hij had de bouw van een worstelaar. Hij was lang en zwaargebouwd, met donkerblond krulhaar. Hij ging nooit naar de sportschool en deed niet aan gewichtheffen, maar evengoed was hij een en al spiermassa. Zo was hij nu eenmaal gebouwd.

Hij had ook een kolossale kont. Elke bil was met gemak groot genoeg voor die handen. Als hij zijn kleren uit had, leek hij aan de achterkant net een plaats delict. Als hij een paar biertjes ophad, wilde hij nog weleens zijn broek laten zakken en zijn spieren zo bewegen dat het net leek alsof de getatoeëerde handen kaarten aan het schudden waren. Als hij op de versiertoer was, had hij de tekst 'Nog een kaart?' Er zat nog steeds iets van de marinier in hem, hoe hij ook zijn best deed dat te verbergen. Als die kerels bezopen waren, hadden ze maar een kleine aanleiding nodig om uit de kleren te gaan.

BB was een heel ander verhaal. Om zijn lichaamsmassa in stand te houden moest hij voortdurend aan gewichtstraining doen en handenvol voedingssupplementen nemen. Zijn rugzak zat altijd vol met proteïnepoeder.

3

Mong hees zich overeind. Hij had nog geen schrammetje.

'Hij lult uit zijn nek, Mong. Dat weet je toch?'

Hij pakte een handvol zand en liet het door zijn vingers glijden. 'Het lukt hem nog steeds me op stang te jagen. Na al die jaren.'

'Wat zei hij deze keer?'

Mong keek een andere kant op. Hij knipperde met zijn ogen, alsof hij daar ook zand in had. 'Hij begon over de trouwfoto. De rotzak. Hij zei dat ik hem moest blijven controleren.'

Als BB het op een getrouwde vrouw had voorzien, ging het hem er niet om dat hij met haar naar bed ging, of zelfs dat hij op haar viel. Het ging erom dat hij haar veroverde, dat hij haar man een slag voor was. Toen hij een keer dronken was, zei hij tegen me dat hij in het huis van een nieuwe verovering altijd vroeg of hij de trouwfoto mocht zien. Zodra hij alleen was, haalde hij de foto uit de lijst, pakte een pen en schreef 'J was hier' halverwege de voorkant van de bruidsjurk. Als hij een beetje haast had, schreef hij het vlug op de achterkant, als een hond die zijn poot hief om zijn territorium af te bakenen. En wanneer het dan allemaal voorbij was, zei hij tegen de vrouw in kwestie: 'Ga maar eens naar je trouwfoto kijken.'

Dat was Tracy niet overkomen. Ze was een meisje uit Hereford dat al vanaf haar zeventiende met SAS-mannen omging. Zij en haar zus hadden jarenlang geprobeerd er eentje te strikken. Waarom ook niet? Het leverde ze een huis op, en een man met een goedbetaalde baan die het grootste deel van het jaar weg was. Voor meisjes als Tracy was het een heel gewoon leven, maar dan met geld en zekerheid. Ze was niet op geld belust, maar wel realistisch. En het betekende dat ze geen rare sprongen maakte toen ze Mong eenmaal had. Nog afgezien van het feit dat ze echt van hem hield.

'Laat hem de pleuris krijgen. Je weet dat Tracy hem nog niet met een tang zou aanraken. Hoe lang zijn jullie al bij elkaar?'

'Zes jaar.'

'Je moet het van de zonnige kant zien, jongen. Je had ook met Janet opgescheept kunnen zitten. Dat was een regelrechte nachtmerrie geworden. Dan had je de trouwfoto elke maand moeten verwisselen, alsof je handtekeningen verzamelde.'

Hij veegde het zand uit zijn ogen en lachte.

Janet was de nachtmerrieversie van haar zus. Tracy's enige gebrek was haar naïviteit. Terwijl Janet een hoofd vol onzin had, had dat van Tracy alleen ruimte voor sprookjes met een happy end. Voordat ze Mong leerde kennen, had ze telkens gedacht dat ze de ware liefde had ontmoet en dus uit de kleren moest gaan. Pas na een tijdje besefte ze dat ze zich alleen maar liet naaien en daarna aan haar lot werd overgelaten.

Janet was een beetje kouder, berekenender. Ze wist dat ze van tijd tot tijd aan de kant gezet zou worden, totdat ze op iemand stuitte die dom genoeg was om aan haar te blijven plakken. Tracy was Mong altijd trouw gebleven. Ze hoorde niet thuis op de vleesmarkt van Hereford. Janet daarentegen dacht dat ze het aankon; ze dacht dat ze zonder kleerscheuren van de ene op de andere man kon overstappen.

Ik keek naar de NGO-tenten, een zee van helderblauw en oranje zeildoek, verbonden met gloednieuwe generatoren.

BB was in die van ons verdwenen en de mensen van de witte Land Cruisers waren teruggegaan naar wat ze aan het doen waren geweest. Niet dat ze veel hadden kunnen uitrichten. Bij die NGO's ging het er altijd meer om dat je goed overkwam dan dat je echt iets goeds deed. BB was zijn roeping misgelopen.

4

Mong krabbelde overeind en liep naar de waterkant. Ik liet mijn balk vallen en kwam bij hem staan. 'Je bent een geluksvogel. Weet je dat?'

Hij aarzelde even en knikte me toen vlug toe. Hij nam zijn blik niet weg van het schuim dat voor ons over het zand rolde.

'Ik weet nog dat het halve B-squadron tegen je zei dat je bij Tracy uit de buurt moest blijven, alleen maar omdat ze zelf achter haar aan wilden. Ze zagen niet wat jij zag. Ze is verliefd, jongen. En op jou, niet op een ander. Alleen op jou.' Ik wees met mijn vinger naar hem alsof ik hem een standje gaf.

'Jullie hebben elkaar. Dat is het enige wat telt. Laat BB doodvallen, laat ze allemaal doodvallen. Ga maar eens na wat een puinhoop velen van ons ervan hebben gemaakt, BB is daarop geen uitzondering. Ze zijn jaloers op jullie twee. Dat zijn we allemaal.'

Hij knikte weer.

'Waarom gaan jullie niet gewoon uit Hereford weg? Waarom zouden jullie daar blijven?' In de filmversie van het leven van Mong en Tracy die door mijn hoofd ging, zouden ze meteen na zijn vertrek uit de SAS hun biezen hebben gepakt en ergens zijn gaan wonen waar niemand hen kende. Als Shrek, maar dan zonder het moeras.

Mong had heel wat van BB te verduren, maar achter zijn rug om werd nog veel meer gezegd. Hij was zo groot en sterk dat de anderen niets in zijn gezicht durfden te zeggen.

Hij haalde zijn schouders op. 'Tracy wil bij haar moeder en zus in de buurt blijven. Ze is gek op haar familie.'

Ik voelde dat mijn mondhoeken omhoogkwamen voor een glimlach. 'Geen wonder dat ze je allemaal een softie vinden.'

Dat was hij niet. Ze vergaten wat hij voor de kost deed. En ze zagen vriendelijkheid voor zwakheid aan. De sukkel stuurde nog steeds geld naar een vrouw die hij tegen het lijf was gelopen toen hij bij de marine zat. Op een zaterdag stond hij in de rij voor de kassa van de supermarkt met drie van zijn maten, elk met een kratje bier, klaar om naar een rugbywedstrijd te gaan kijken. Ze stond voor hen en klaagde dat ze geen geld had om luiers te kopen; een van de oudste trucjes van de wereld, maar Mong trapte erin. Hij betaalde voor al het bier en ook voor de Pampers, en was dat daarna altijd blijven doen. De baby moest inmiddels een jaar of twaalf zijn, en hij stuurde haar nog steeds geld.

Mong had altijd een zwak voor kinderen gehad. Hij was peetvader van genoeg kinderen om er een voetbalelftal van te maken. Tracy en hij hadden zelf nog geen kinderen, en ik was er vrij zeker van dat hij daar moeite mee had. Omdat hij er nooit over praatte, vroeg ik er ook niet naar.

Mong waadde door de plastic zakken en flessen de zee in. 'Nick?' riep hij boven het bulderen van de branding uit.

'Ik ga je rug niet wassen.'

'Als mij iets overkomt – als ik word neergeschoten – zul je toch wel voor haar zorgen?'

Om mij niet te hoeven aankijken maakte hij met veel vertoon zijn gezicht nat. Ik wist dat het moeilijk voor hem was om zo emotioneel te zijn. Maar ach, hij was de enige niet.

'Er gaat toch niets gebeuren? Tenzij je te lang blijft poedelen met dat stel daar...' Ongeveer twintig meter voor Mong dobberden drie opgezwollen lijken in de troep die met de golven meekwam. Ik knikte in hun richting. 'Behalve dat kan er deze keer niks misgaan, of die klootzak moet een overdosis proteïnepoeder nemen.'

Hij lachte niet. Daar was hij niet voor in de stemming. 'Thuis gaat alles goed. Echt waar. Maar als iets goed gaat, is dat bij mij nooit van lange duur. Weet je wat ik bedoel?'

Toen hij uit de branding kwam, werd hij aangestoten door een drijvend lijk. Hij stapte opzij met de behendigheid van een voetballer die een tackle ontwijkt. Zijn kleren plakten als een tweede huid aan hem vast. 'Wil je op haar passen?'

'Dat heb ik je al gezegd, jongen. Natuurlijk doe ik dat. Maar het zal niet nodig zijn.'

Terwijl we naar de tenten terugliepen, veegde hij nog eens over zijn ogen.

Ik keek hem even aan en werd beloond met een schaapachtige grijns. 'Dat verrekte zand.'

5

We hadden een vierpersoonstent waarin we rechtop konden staan, een oud geval van grauw zeildoek dat lelijk afstak tegen de dure gore-textenten met opblaasframes waarin de mensen van de NGO's zaten.

BB zat op een aluminium kist waar vers proviand en flessenwater in had gezeten. Die kist had er eenzaam uitgezien, zoals hij die ochtend doelloos voor iemands bivak had gestaan, en dus hadden we besloten hem een nieuw thuis te geven. We hadden iets nodig om op te zitten en om onze kleren in op te bergen.

BB keek niet op toen we de tent binnenkwamen. Hij was bezig watten in zijn neus te stoppen. Mong liep hem straal voorbij naar zijn hoek en trok zijn natte kleren uit. Het geroezemoes van Franse, Duitse, Amerikaanse en Spaanse stemmen op de achtergrond kwam zelfs boven het snorren van de generators uit. De NGO'ers deden een wedstrijdje: wie was het meest bij de slachtoffers betrokken?

Ik veegde de troep van mijn broek, trapte mijn kistjes uit en liet me op mijn veldbed vallen. Die twee kooivechters moesten zelf maar zien dat ze het oplosten. Over ongeveer drie uur zouden we vertrekken. We zouden ons werk doen en dan maken dat we weer thuis kwamen.

Tussen de tentflappen door keek ik naar de bedrijvigheid in het high-techkamp. Het leek net een combinatie van *Star Trek* en *Carry on Camping*. Hulpverleningskrijgers met een of andere badge liepen van hot naar her en praatten nadrukkelijk in radio's om tegen anderen te zeggen wat ze moesten doen.

Ik luisterde naar het dreunen van vliegtuigen in de lucht. Die brachten eten en water, al zou maar een deel daarvan terechtkomen op de plaats waar het nodig was. Er werd al geklaagd dat 30 procent van wat er aan voedsel, tenten en dergelijke op het vliegveld binnenkwam door het leger werd geconfisqueerd als invoerheffing. De vorige dag hadden we soldaten twintigkilozakken rijst – met VN in grote letters erop – aan de smekende plaatselijke bevolking zien verkopen. Zelfs de piraten die de zeestraten tussen Sumatra, Thailand en Maleisië onveilig hadden gemaakt, wilden hun deel hebben, nu er op zee niets meer viel te roven en verkrachten.

Camp Hope – ik wist niet wie het die naam had gegeven, maar het moest wel iemand met gevoel voor humor zijn – lag in het zuiden van Banda Atjeh, de grootste stad en hoofdstad van de provincie Atjeh. Het bevond zich in de noordwestelijke punt van Indonesië. Tot aan 26 december van het jaar daarvoor was – afgezien van de 250.000 inwoners – niemand anders in dat deel van het land geïnteresseerd geweest dan de oliemaatschappij en de strijders voor een onafhankelijk Atjeh.

Toen had de aardbeving in de Indische Oceaan toegeslagen, ongeveer 250 kilometer voor de kust. Dit deel van de wereld was letterlijk op zijn kop gezet. Geen enkele andere grote stad had zo dicht bij het epicentrum van de aardbeving gelegen als Banda Atjeh. Tot nu toe werd geschat dat er ongeveer 160.000 doden in de regio waren gevallen, en dat aantal zou toenemen in de komende weken, als het puin werd geruimd en er nog meer lijken aan land spoelden. Binnenkort zou de cholera zich als een inktvlek verspreiden, net als de besmetting door de gele en groene troep die uit de aangespoelde vaten lekte.

Tot overmaat van ramp verkeerde de regio al sinds het midden van de jaren negentig in staat van oorlog. Gerakan Atjeh Merdeka (GAM), de Beweging voor Vrij Atjeh, probeerde Indonesië te dwingen een onafhankelijke islamitische staat te accepteren. Atjeh had een hoger percentage moslims dan andere delen van het land en had in 2001 de sharia mogen invoeren, maar de GAM wilde veel meer dan religieuze rechtspraak. Ze wilden de inkomsten van de olie en het gas die in de provincie te vinden waren voor zichzelf houden, inkomsten die nu voor het merendeel regelrecht naar de schatkist gingen en waarbij natuurlijk ook de nodige roepia's werden afgeroomd.

Natuurramp of niet, het Indonesische leger vond het niet prettig dat we daar waren. Ze hielden toch al niet van buitenlanders, maar de afgelopen week, na de tsunami, hadden ze geen keus gehad. En nu begonnen ze hun gezag weer uit te oefenen. Ze beperkten onze bewegingsvrijheid, want ze waren bang dat onze voorraden naar de GAM zouden gaan. Ze wilden die strijders laten verhongeren en het kon ze niet schelen als de gewone bevolking ook hongerleed.

6

Buiten ontstond een woordenwisseling tussen een Amerikaan en een Duitser die klonk als Arnold Schwarzenegger met zijn ballen in het nauw. Het ging erom welke groep de militaire vergunning zou krijgen om hulp te gaan verlenen in een afgelegen dorp.

In de loop van de jaren had ik veel NGO's in bijvoorbeeld Afrika zien opereren en wat ik zag, vond ik nooit erg verheffend. Ik kreeg sterk de indruk dat die organisaties in feite ondernemingen waren, en deze twee mannen klonken alsof ze druk aan het concurreren waren om een stukje van de ramptaart. De plaatselijke bevolking had niet alleen voedsel en onderdak nodig, maar ook bescherming tegen dat stel.

De MONGO's – My Own NGO – waren soms nog erger. Dat waren de kerels die dachten dat ze de dingen goedkoper en beter konden doen dan de echte hulpverleners. De meesten kwamen op eigen houtje. Met een toeristenvisum in de hand – als er mensen waren om zo'n visum te verstrekken – huurden ze een auto, plakten er een sticker op, en, hoppa, ze konden zakendoen.

Kort voor ons vertrek had ik 'tsunami' en 'donatie' gegoogeld en ik had meer dan zestigduizend verwijzingen naar allemaal gloednieuwe MONGO-websites gevonden. In sommige gevallen waren het natuurlijk alleen maar trucs om geld binnen te halen.

Individuele hulpverlening was trendy in Groot-Brittannië, Scandinavië en Australië. En in de Verenigde Staten verleenden de belastingautoriteiten vrijstelling aan gemiddeld 83 nieuwe liefdadigheidsinstellingen per dag. Tot nu toe waren er meer dan 150.000 geregistreerd en dat waren dan alleen nog de jongens die de moeite namen het via het officiële systeem te spelen. Dit alles wist ik alleen omdat Mong, BB en ik die weg ook hadden gevolgd.

Aid 4 Tsunami. Dat waren wij. We hadden accreditatiepapieren om het te bewijzen; die hadden we zelf gedrukt. Het was niet de origineelste naam voor een charitatieve instelling, maar hij was goed genoeg. Er waren organisaties met veel slechtere namen. En we beschikten over evenveel financiering als alle andere MONGO's.

7

In ons deel van de tentenstad wemelde het van het westers medisch personeel dat een eigen MONGO had opgericht en alles had laten vallen om te komen helpen. In de meeste gevallen betekende dat dat ze in hun eentje in een huurauto op pad gingen, met een EHBO-kistje op de passagiersstoel. Sommige inwoners waren al drie of vier keer onderzocht en hadden geen flauw idee van wat de dokters tegen hen zeiden, welke geneesmiddelen ze hadden gekregen en waar en waarom ze die moesten innemen.

De artsen draafden rond alsof ze George Clooney waren en legden alles op video vast om hun sponsors thuis ertoe te bewegen meer geld te sturen. Velen van hen deden natuurlijk heel goed werk, maar anderen stelden onjuiste diagnoses, omdat ze te haastig waren en niets van de plaatselijke omstandigheden wisten. Zelfs BB had nog meer kijk op de plaatselijke parasieten en ziekten, en hij was alleen maar SAS-medic geweest.

De MONGO's van de categorie God waren het ergst. Ik was in Afrika eens op een stel christelijke hippies gestuit. Ze waren daar om patiënten te verzamelen voor wat ze hun 'schip van barmhartigheid' noemden. Dat bleek een oud cruiseschip te zijn dat tot drijvend ziekenhuis was verbouwd om 'hoop en genezing' naar de arme heidenen te brengen.

Dat was allemaal heel mooi, maar omdat het ding daar maar een week lag, konden ze alleen operaties doen waarbij niet veel nazorg nodig was. Het was daar vergeven van de mensen die aan schotwonden en macheteamputaties lagen te sterven, en op het schip van barmhartigheid konden ze alleen maar iets aan staar en hazenlippen doen, gevolgd door films over Jezus.

Er waren al ongeveer vier groepen hallelujaroepers in het kamp en er was een ziekenhuisschip onderweg. De Scientologists liepen er ook al rond. Die hadden misschien geen gitaren, maar wel veel technieken om de geest boven de materie te verheffen. Gezien het logo van een vulkaan op hun knalgele T-shirts waren ze gespeend van elke ironie.

Die eenentwintigste-eeuwse missionarissen schenen niet te beseffen dat hun boodschap aan dovemansoren was gericht. Met één klik op de Google-knop hadden ze kunnen weten dat de islam hier vanuit het Midden-

Oosten al wortel had geschoten voordat die religie ergens anders tot bloei was gekomen. Meer dan duizend jaar geleden stond Banda Atjeh al bekend als de 'deur naar Mekka'.

Wij zaten opgescheept met het probleem dat die malloten min of meer ongestoord door de stad liepen. Sommigen lieten zich zelfs opzettelijk door het leger beschieten om te kunnen bloggen over hoe heldhaftig ze waren. Wat mij betrof, mochten ze doen wat ze wilden, maar ogen en oren in de stad waren het laatste waaraan wij behoefte hadden terwijl we ons werk daar deden.

De Duitser en de Amerikaan sloegen elkaar nog steeds verbaal om de oren.

'Wat hebben die kerels toch? Ze zouden nog oorlog voeren om een glas bier.'

Onze hoogstpersoonlijke Mongo volgde hun woordenwisseling even geamuseerd als ik. Hij wees met zijn vinger naar de bult in de slaapzak. 'Waarom vraag je dat niet aan Body Beautiful? Het zijn allemaal sukkels. Eenlingen. Het enige wat ze bij elkaar brengt, is dit soort rottigheid.'

BB kwam met een ruk overeind. 'Hoe vaak moet ik het verdomme nog zeggen? Ik ben net zo goed als jullie. Wat heb ik gedaan dat anders is? Dat zal ik jullie vertellen. Ik heb niet tien jaar verklooid op een exercitieterrein. Dat is alles. Ik ben door de selectie gekomen en mijn hele training was precies hetzelfde als die van jullie. Het enige wat jullie kunnen en ik niet, is schoenen poetsen en een deken precies goed leggen. Nou en?'

'Je hebt gelijk.' Mong nam niet de moeite om op te staan. 'En eerlijk gezegd zou ik echt niet weten hoe ik iemand een mobiele telefoon moest verkopen.'

'Bespaar me je klotesarcasme. Waar komt al die stomme militaire training waar jullie zo trots op zijn nou eigenlijk op neer? Niks. Jullie denken dat het leven in de burgerwereld stilstaat, maar ik zal jullie eens wat vertellen. Al die tijd dat jullie het nat en koud hadden als soldaat, en honger hadden, leerde ik hoe de echte wereld in elkaar zit. Ik doe dit omdat ik het wil doen. Jullie doen het omdat jullie niks anders kunnen.' Hij grinnikte even. 'Al die nachten dat jullie het nat en koud hadden, lag ik lekker in mijn warme bed. Dus rot een eind op. Als we terug zijn, zoek ik een baan en ga ik mijn eigen weg.'

Hij draaide zich om en trok zijn slaapzak over zijn hoofd.

Ik weerstond de verleiding om naar hem toe te lopen en zijn perfect gespierde hals uit te wringen. 'Je gaat je gang maar. Maar tot dan toe ben ik de baas en moet je doen wat ik zeg. Is dat duidelijk?'

BB's gemompelde antwoord ging verloren in Mongs snuivende lach en diens woorden: 'Fantastisch! Ik voel me hier al helemaal thuis. We gedragen ons als echte MONGO's.'

Over drie uur zou het donker worden en dan zouden we de stad in gaan om onze eigen soort humanitaire hulp te verlenen. We zouden gebruikmaken van de chaos van de ramp om een stel vertrouwelijke papieren uit een kantoor in het centrum van de stad te verwijderen of te vernietigen. Als die papieren in de verkeerde handen vielen, zou het energiebedrijf waarvoor we werkten in grote problemen komen. Het laatste wat onze opdrachtgevers wilden, was dat de overheid en het leger ontdekten dat ze overeenkomsten met de separatisten hadden gesloten over toekomstige olie- en gasconcessies.

8

Banda Atjeh was op 26 december Ground Zero geweest. Het had maar 250 kilometer bij het epicentrum van de aardbeving vandaan gelegen en was binnen enkele minuten getroffen door een twintig meter hoge muur van water. Een derde van de stad, 25 vierkante kilometer, was volledig verwoest. Daar lag alleen nog een massa puin, meubelen, auto's, koelkasten en lijken. 30.000 lijken. In veel gevallen waren het kinderen, die niet sterk genoeg waren geweest om weerstand te bieden aan de kracht van de golf. Er waren bijna geen dode dieren. Die hadden blijkbaar geweten wat er zou komen en waren naar hoog terrein gevlucht voordat de tsunami er was.

Het kamp lag ongeveer zes kilometer bij de rivier vandaan, de Krueng Atjeh, die de stad in tweeën deelde. Het lag zo dicht bij de zee omdat landinwaarts de wegen nog niet goed waren vrijgemaakt. Het gebouw waar we heen moesten, bevond zich in Kota Radja, een van de negen wijken aan de westkant van de stad.

De NGO's hadden ons gewaarschuwd dat we daar niet heen moesten gaan. Er waren daar plunderaars die in het puin zochten, huishoudelijke artikelen meenamen, auto's wegsleepten en stereo's en tv's op motoren laadden. Als ze dachten dat wij hen zouden aangeven, kon het slecht met ons aflopen.

Tot overmaat van ramp had het politieke conflict ook weer de kop opgestoken. Een paar dagen geleden was er een vuurgevecht tussen het leger en de separatisten geweest. De separatisten hadden hulpverleners overvallen en artsen ontvoerd om hen voor hun eigen mensen te laten zorgen.

Toen we door een labyrint van verwoeste gebouwen van betonblokken en golfplaat reden, met hun verspreid liggende inhoud, zagen we geen andere 4x4's. Iedereen in Atjeh die er een bezat of er een had kunnen stelen, was op de dag na de tsunami regelrecht naar het vliegveld gereden. De NGO's en MONGO's die vanuit de hele wereld naar Atjeh kwamen, betaalden er goudgeld voor, vooral wanneer ze airco hadden.

Er zat geen airco in de laatste van de Toyota 4x4's die op het plein voor het luchthavengebouw hadden gestaan. We lieten de ramen dus maar open. Maar met een temperatuur van tegen de dertig graden en een luchtvochtigheid van 80 procent was het de vraag of we daar veel mee opscho- ten. We dreven in het zweet en de luchtstroom die we binnenkregen bracht de stank van rioolwater en rottend vlees met zich mee.

De elektriciteitskabels lagen op de grond. Zo ver als het oog reikte, flik- kerde hier en daar licht tussen de puinhopen. Overlevenden zaten bij kookvuren onder plastic dekzeilen en bereidden de etensresten die ze van het leger hadden gekocht. Om een vuurtje te kunnen stoken moesten ze het hout van hun eigen huizen gebruiken.

We zigzagden tussen meubelen door die lukraak over de straat verspreid lagen. De tsunami had hele vissersdorpen van de kaart geveegd. Zowel grote stalen schepen als nietige houten zeilbootjes waren door de golf opgepikt en ver landinwaarts neergeworpen. Twee tweemotorige Cessna's waren tegen een muur gedrukt, hun neuskegel recht omhoog. Er waren grote X'en op auto's en huizen gespoten om aan te geven dat er lijken in lagen. Er was nog geen tijd geweest om ze weg te halen.

Het leger patrouilleerde door de stad, officieel om het plunderen tegen te gaan, maar waarschijnlijk alleen om zelf ook te plunderen. In een situatie als deze maakte het niet uit waar ter wereld je was; als je nooit een rooie cent had gehad, was dit je kans. Mijn oudere broer was ten tijde van de rellen in Brixton in 1995 op televisie gekomen. Je zag hem uit een etalage klimmen met een tv onder zijn arm. Op de achtergrond deed een politie- agent precies hetzelfde.

9

Er was een avondklok ingesteld, maar er liepen toch mensen door het donker.

BB zat achter het stuur. Ik zat rechts van hem, en Mong zat achterin. We hadden allemaal onze mooie MONGO-broeken en kaki shirts aan, met banden om onze rechterarm waarop ons eigen logo prijkte: een Britse vlag op een grote witte cirkel, met daaronder de naam Aid 4 Tsunami. We wilden onze rol goed spelen.

BB wees uit zijn raam.

Mong stak zijn hoofd tussen de voorstoelen door om het beter te kunnen zien.

'Shit!'

Voor ons uit, op een zee van knalblauwe metalen daken, stond een vissersboot op een berg betonblokken en golfplaat. Het was een traditioneel gebouwd, smal houten vaartuig met een moderne stuurhut en een motor die aan de achterkant naar buiten stak.

Mong zwaaide wild met zijn armen. 'Stop, BB! Stóp! Kijk daar eens!'

BB zag het eerder dan ik. 'Hij is dood. Dat moet wel.'

Een mager bruin been, gekromd bij de knie, bungelde uit een ingedrukt raam aan de zijkant van de stuurhut.

Mong kwam opeens nog verder naar voren. Zijn hand schoot uit en greep het stuur vast. 'Dat weten we niet. Er staat geen kruis op...'

'Jezus, moet je zien...'

Mong greep het stuur nog steviger vast. 'Nick, het kost ons nog geen minuut. Laat me gaan kijken. Het is een kind.'

'BB, stop. Als hij leeft, leggen we hem netjes neer en pikken we hem op als we teruggaan. Dan mogen al die jongens in het kamp erom vechten wie de eer van zijn redding mag opeisen, misschien komen ze wel op tv.'

10

We stapten uit en ik stond meteen in een moeras van modder en gescheurde gele plastic zakken. DIT PAK BEVAT EEN COMPLETE VOEDING VOOR ÉÉN PERSOON VOOR ÉÉN DAG, stond er in het Engels, Frans en Spaans op gedrukt. En naast de Amerikaanse vlag en een afbeelding van een kerel met een snor die een zak openmaakte, stond de tekst: VOEDSEL GESCHONKEN DOOR HET VOLK VAN DE VERENIGDE STATEN VAN AMERIKA.

Ik had zulke dagrantsoenen niet meer gezien sinds mijn tijd in Bosnië. Elk pak woog ongeveer een kilo en bevatte genoeg calorieën voor een dag. Ze kostten de Amerikaanse belastingbetaler maar drie of vier dollar per stuk, maar je hoorde vaak de grap dat het door deze vorm van bezorging een van de duurste afhaalmaaltijden ter wereld was. De pakken waren ontworpen om stuk voor stuk uit een vliegtuig of helikopter geworpen te kunnen worden. Dat was veel veiliger dan wanneer je grote pallets met rantsoenen aan een parachute op de hoofden van overlevenden liet neerkomen. Bovendien was het een goede manier om hamsteren te voorkomen.

De dagrantsoenen die in Afghanistan werden afgeworpen, waren geel verpakt, zoals ze ook in Bosnië waren geweest, totdat iemand besefte dat de pakken dezelfde kleur en ook ongeveer dezelfde grootte hadden als Amerikaanse clusterbommen, die ook als confetti verstrooid werden. Daarna maakten ze de pakken oranje-roze.

In zo'n pak zaten een paar maaltijden, zoals een linzenschotel en pasta met bonen en rijst. Er waren ook vruchtenpasteitjes die me aan saucijzenbroodjes deden denken, en sprits, pindakaas, jam, fruitrepen, zelfs luciferdoosjes met de Amerikaanse vlag, een mooi reinigingsdoekje en een plastic lepel. Om de een of andere reden zat er in elk rantsoenpak ook een portie geplette rode peper.

De Amerikaanse marine moest deze partij hebben afgeworpen. Die zat ergens voor de kust, we hadden de helikopters nu en dan over het kamp zien vliegen. Sommige pakken waren niet helemaal leeg. Zelfs het Indonesische leger kon spek en bonen niet op de zwarte markt verpatsen.

Mong klauterde over het puin. Dun golfplaat boog kreunend door onder zijn gewicht. BB stond leunend op de motorkap naar hem te kijken en checkte zijn horloge alsof we een belangrijke afspraak misliepen.

Aan de overkant van de straat waren verfomfaaide foto's op de resten van een houten wand geprikt. Poppen, speelgoed en fotolijstjes lagen verspreid over de grond. De mensen hadden persoonlijke bezittingen voor anderen neergelegd. Voor sommigen zouden die dingen alles zijn wat hen aan een dood familielid kon herinneren.

Ergens dieper in de stad werden twee schoten gelost en was vaag het loeien van sirenes te horen. BB keek weer op zijn horloge.

'Het geeft niet, jongen. We hebben nog vijf uur de tijd voordat het licht wordt. Dit kost hem maar tien minuten.'

11

Zodra Mong bij de stuurhut was aangekomen, kon ik zien dat het daar helemaal niet goed zat. 'Jezus christus...' Hij stak zijn hoofd uit het ingedrukte raam. Het been bungelde onder hem. 'Ik heb hulp nodig.'

BB kwam bij de motorkap vandaan. 'Leeft die jongen nog?'

Mong negeerde hem en verdween naar binnen. Ik klom op de afgebrokkelde betonblokken en hees me op de boot. Er was niets op het dek. De golven hadden alles meegenomen.

Mong tilde het been voorzichtig uit het raamkozijn. Het was niet van een kind, maar van een jonge vrouw. En in de tegenoverliggende hoek van de stuurhut lag een man onderuitgezakt. Er glinsterde een trouwring aan de hand die om zijn schouder lag. Zijn hoofd was te pletter geslagen tegen een metalen plank boven hem. Er was geen bloed. De zee had hem schoongespoeld. De wond zag eruit als Halloween-schmink, maar dan zonder ketchup.

Het was net zo gesteld met de jonge vrouw en met het pasgeboren jongetje dat tussen haar benen lag. Het zat nog aan de navelstreng vast; de placenta was nog in haar.

BB volgde me het dek op, zijn hele gezicht samengetrokken van afgrijzen. Hij was echt niet van plan de stuurhut binnen te gaan. 'Dit is idioot...'

Mong keek niet op. Hij duwde de wirwar van kleren weg die over moeder en kind heen lag.

BB bracht zijn hand naar zijn mond.

Het hoofd van de man draaide een beetje opzij en viel naar voren toen Mong een natte deken pakte en hem zo goed mogelijk op de vloer uitspreidde. 'Terwijl jij mensen telefoons aansmeerde, hadden wij dit soort rottigheid om ons heen. Vrouwen die wanhopig probeerden hun baby's een kans te geven voordat ze zelf doodgingen...'

'Dat kan me geen moer schelen. Laten we hier weggaan. Straks lopen we wat op.'

Ik wist dat Mong het over de Balkan had. In de dorpen daar probeerden moslimvrouwen, die wisten dat ze verkracht en vermoord zouden worden, voortijdig hun baby ter wereld te brengen als de Serviërs in aantocht waren.

Mong pakte het kleine lichaampje uit de nattigheid op en hield het in zijn handen. Ten slotte keek hij op. 'Als je een beetje langer een echte soldaat was geweest in plaats van alleen maar te doen alsof, zou je begrijpen wat hier aan de hand was.'

'O ja? Nou, bekijk het maar.' BB draaide zich abrupt om en verdween over de reling. De golfplaten bogen krakend door toen hij naar de auto terugliep.

In de verte werden nog meer schoten gelost.

Mong legde de baby op de borst van de moeder en legde een hoek van de deken als een lijkwade om hem heen.

Ik tilde haar benen op, zodat we de deken onder haar konden krijgen. 'Mong, we nemen ze niet mee.'

Mong bracht het hoofd van de moeder omhoog en legde de deken eromheen.

'We laten ze hier achter, maat. Als we terug zijn, vertellen we het aan het leger of wat we maar tegenkomen. Dan kunnen ze hierheen komen om een kruis te zetten.'

Hij trilde van woede. 'Ze mocht niet zo blijven liggen. Met haar been naar buiten. Dat is niet goed. Die klootzak zou haar gewoon hebben achtergelaten...'

'Mong, jongen, je moet rustig blijven. BB zit in ons team en we hebben nog werk te doen.'

Ik liep naar de man toe. Het vlees op zijn benen was zompig. Het zou niet lang duren voordat zijn lichaam tot ontbinding zou overgaan.

Mong ging opzij om mij in de gelegenheid te stellen de arme stumper naast zijn vrouw en kind te leggen. Op de een of andere manier leek het me belangrijk dat ze elkaar aanraakten. Hij stopte het haar van de vrouw in de deken, zodat zij en het kind helemaal omhuld waren.

We stonden er allebei een tijdje zwijgend naar te kijken.

Hij keek me aan. 'Het geeft een goed gevoel, hè, eindelijk eens iets fatsoenlijks te doen, in plaats van die rotklussen?'

Ik legde mijn hand op zijn schouder. 'Jongen, die rotklus wacht nog steeds op ons.'

12

Voorbij de vloedlijn zaten alle voetbalvelden stampvol vluchtelingen – duizenden – in geïmproviseerde kampen. De stad had de aardbeving met een magnitude van negen op de schaal van Richter ondergaan en probeerde nu de naschokken met een magnitude van zes te verwerken.

Er was geen elektriciteit, en dus ook geen licht. Hier en daar brandden vuurtjes in de duisternis. Angstige ogen keken vanuit de schaduw naar ons, niet wetend wie er achter onze koplampen schuilgingen. Op dit uur van de nacht zouden het geen hulpverleners zijn, dus dan bleven plunderaars en soldaten over, in beide gevallen slecht nieuws.

Ten slotte kwamen we bij de grote brug van west naar oost. De stemming in de auto was niet goed. BB verwachtte elk moment cholera, mazelen of een andere fatale ziekte te krijgen, omdat we fysiek contact hadden gehad met dat gezin.

Hij had niet helemaal ongelijk. Het was de moessontijd en het regende een paar uur per dag. De muggen waren overal en verspreidden knokkelkoorts en nog ergere ziekten. Duizenden lijken, aangespoeld op het strand of hangend in bomen, rotten langzaam weg in de tropische hitte. Met hun open wonden en zonder voedsel of schoon drinkwater zouden de overlevenden niet lang meer in leven blijven.

'Shit!' BB trapte op de rem.

Het licht van onze koplampen viel op twee Saracen APC's, zeswielige monsters die waarschijnlijk van de Britten waren gekocht. Toen ze over de brug op ons af kwamen denderen, hield BB ons op de uiterste rechterkant van het wegdek.

Mong en ik keken elkaar aan. Als jonge infanteristen hadden we allebei te vaak in zo'n ding rondgereden in Noord-Ierland.

'Ik ben drie keer opgeblazen in een van die dingen, Mong. Drie bermbommen in twee jaar. Jij?'

BB klemde het stuur zo stevig vast dat zijn knokkels er wit van werden. 'Verdomme.' Hij keek om. 'Hou je bek, jullie twee. Ik wil jullie oude oorlogsverhalen niet horen. Ik heb al genoeg van dat gezeik aan mijn kop gehad.'

'Rustig maar, jongen. Het was geen steek onder water.'

Mong keek alsof hij ook iets wilde zeggen, maar ik schudde mijn hoofd. We moesten ophouden met die onzin. Ik was blij dat BB er na deze klus mee zou stoppen. Met een beetje geluk hoefde ik nooit meer met hem in een auto te zitten.

De Saracens kwamen dichterbij. Ze zaten vol 40mm granaatwerpers en .50 machinegeweren, megafoons en zoeklichten. Jongens in olijfgroene uniformen staken uit de luiken, gewapend met M16's. In dit deel van de wereld waren die waarschijnlijk in Singapore gemaakt, onder licentie van Colt. De zoeklichten sprongen aan en lieten hun schijnsel over ons heen gaan.

We zwaaiden en glimlachten in het verblindende licht. Ik wees naar de band om mijn arm. 'Britten! Hulpverleners!'

Ik wist dat we daarmee niet automatisch tot de Club van Brave Jongens werden toegelaten. Het Westen had veel kritiek uitgeoefend op de manier waarop de Indonesische regering haar oorlog had gevoerd, terwijl het tegelijk de wapens aan hen had verkocht om die oorlog uit te vechten. Nu had de tsunami het hun twee keer zo moeilijk gemaakt. Ze hadden nu niet alleen met een verzetsbeweging te maken, maar ook met plunderaars en een grote toestroom van buitenlanders die over hun schouders meekeken. Volgens geruchten wilden ze dat de luchtvaartmaatschappijen ons niet langer het land in brachten. In elk geval waren de militairen niet op straat om hulp te verlenen. Ze wilden zo veel mogelijk separatisten doden zolang de verwarring voortduurde. Het laatste wat ze daarbij konden gebruiken, waren westerse getuigen.

De zoeklichten bleven op ons gericht toen ze langsreden. Ik kon de gezichten daarachter niet zien, maar ik zag wel dat de M16's wegdraaiden.

13

We kwamen aan de overkant van de rivier en reden de duisternis van de wijk Kota Radja in. We waren op weg naar de fruitmarkt: rechtdoor, eerste zijstraat links, nog geen halve kilometer. In een kantoorgebouw naast de markt had iemand met de GAM over olie- en gasconcessies onderhandeld.

We wisten niet wie onze opdrachtgever was. Zo werkte het niet, en ik zou het ook niet willen weten. Dat soort kennis geeft je geen macht, maar kan je je leven kosten. Crazy Dave was de bemiddelaar; we kwamen niet in contact met degenen die aan de touwtjes trokken. Maar wie het ook waren, ze namen geen risico's. In de beweging om Atjeh af te scheiden van Indonesië stond niet de macht voor het volk centraal, maar de macht over de fossiele brandstoffen die er in de grond zaten.

Er was een grote kans dat in de nasleep van de tsunami aan het licht zou komen dat de oliemaatschappij met de separatisten had onderhandeld. Onze cliënt zou dan in grote problemen komen en onze regering misschien ook. In dit deel van de wereld was het moeilijk om onderscheid te maken tussen politiek en grote concerns.

De klus hield in dat we papieren moesten vernietigen en we moesten ook kunnen bewijzen dat we dat hadden gedaan. We zouden videobeelden maken en de geheugenkaart bewaren en mee terug nemen. We kregen daar vijftigduizend pond per persoon voor.

De fruitmarkt was verlaten, waarschijnlijk al sinds de ramp was begonnen. Toen we daar op verkenning gingen, hadden we alleen maar een rij stalen kramen met knalblauwe dekzeilen gezien.

We stopten op het middenpad tussen twee rijen kramen en bleven zitten luisteren.

In de verte knalde een schot. Toen hoorden we een megafoon blaffen: snelle, woedende woorden. Waarschijnlijk zeiden de jongens met M16's tegen iemand met een tv in zijn handen dat hij moest blijven staan.

We spitsten onze oren en probeerden na te gaan of het niet uit de hand liep, voordat we aan het werk gingen. Mong bracht zijn pols omhoog en zag op zijn horloge dat het bijna halftwee was.

14

Het zou geen probleem zijn om het kantoorgebouw binnen te komen. We hadden de dichtgespijkerde ramen gezien. Daarentegen kon het wel lastig worden om de papieren te vinden als ze niet lagen op de plaats waar ze zouden moeten liggen.

Ik sloot mijn raampje. 'Oké, jongens. Het is tijd.'

We pakten onze rugzakken. Daar zat alles in wat we binnen nodig zouden hebben, inclusief mappen om de papieren in mee te nemen als we ze ergens anders moesten vernietigen.

BB schoof de sleutel onder het linkerachterwiel. Voortaan zouden we alles langzaam en zonder licht doen, zodat we ons konden focussen en luisteren. De hele infrastructuur van elektriciteit en communicatie was uitgevallen, en dat kwam ons heel goed uit.

Het was pikdonker en de atmosfeer deed bijna apocalyptisch aan. Hier en daar lichtte nog een vuurtje op in de duisternis. Ik verwachtte elk moment dat er een gigantische pterodactylus kwam aanvliegen om een paar burgerjongens op te pikken voor zijn avondeten.

We hoorden weer een megafoon aan de andere kant van de rivier, vergezeld van een salvo geweervuur. Twee patronen waren lichtspoor. We zagen ze tegen iets aan komen en een spiraal door de hemel beschrijven. Toen was de stuwstof opgebrand en verdween het licht.

We liepen voorzichtig over de markt. Kisten stonden gevaarlijk hoog opgestapeld. De grond lag bezaaid met rottend fruit van twee weken oud. Het kantoorgebouw van twee verdiepingen stond voor ons op de rivieroever, een groot vierkant blok beton met blauw getint glas. Dat glas had veel te lijden gehad van de aardbeving, maar het gebouw stond nog gewoon overeind.

Nog steeds langzaam klommen we over een roestig, doorbuigend draadgazen hek en kwamen op het nieuwe asfalt terecht dat om het gebouw heen was gelegd. Er waren hier geen hoveniers aan het werk geweest: dit was een werkplek. Er stonden borden voor het parkeerterrein en er waren gereserveerde plaatsen, maar er stonden geen auto's. De kantoren waren verhuurd aan ongeveer twintig bedrijven. Het kantoor dat wij moesten hebben, bevond zich op de eerste verdieping en werd gebruikt door de Kareng Development Corp. Kamer 2-17.

We liepen om het gebouw heen. Dat was geen tactische manoeuvre, maar we moesten gewoon zo snel mogelijk naar binnen en naar buiten en misschien was er in de tijd na onze verkenning een nieuwe opening gemaakt door een naschok.

Op de begane grond waren de gebroken ruiten vervangen door grote platen multiplex. Sommige waren losgewrikt door plunderaars. Ik pakte een plaat op de hoek tegenover de rivier vast en trok hem ver genoeg naar buiten om een opening te maken. We hoefden niets tegen elkaar te zeggen. We wisten wat we deden.

Mong stak zijn hoofd naar binnen om te kijken en luisteren. Hij klom naar binnen en BB volgde hem. Ze duwden het multiplex voor me naar buiten.

15

We stonden op hoogpolige vloerbedekking te luisteren of er iets anders te horen was dan onze eigen ademhaling en stemden ons af op de nieuwe omgeving. Ik wachtte een volle minuut voordat ik mijn Maglite uit mijn rugzak haalde. De twee anderen deden dat ook. We richtten onze lampen op de open kantoorruimte van zo'n twintig meter lang. Tientallen bureaus stonden netjes in rijen. Kabels staken uit buizen waar pc's hadden moeten staan. Sommige computers waren er nog, maar die waren kapotgevallen. Laden waren opengetrokken en overal lagen papieren. Het leek wel of er een revolutie had plaatsgevonden, maar ik nam aan dat de plunderaars op zoek waren geweest naar dingen om te verkopen, niet naar dingen om te lezen.

Ik liep in de richting van de deur en Mong en BB volgden me. De deur leek halfopen te staan. Toen we daar aankwamen, zagen we waarom. Hij was ingetrapt.

We glipten de gang op en volgden de vloerbedekking tot aan de houten trap. Terwijl ik naar boven ging, begon ik te zweten. Een bordje op de overloop gaf ons te kennen dat 2-17 zich aan de linkerkant bevond.

Deze verdieping was ook systematisch doorzocht. Deuren hingen versplinterd aan hun scharnieren. Ook hier kabels en draden zonder computers. Het kleine kantoor van de Kareng Development Corp, met twee bureaus, was er beroerd aan toe.

We schenen met onze zaklampen in de duisternis. Overal lagen mappen en losse papieren. Ik deed mijn rugzak af. 'Laat maar. Het is te veel om uit te zoeken. Laten we de boel in de fik steken.'

BB nam positie in bij de deur. Hij zou de gang in de gaten houden.

Mong ging aan het werk. Hij maakte goede brandstapels van het meubilair. De papieren waren mijn verantwoordelijkheid. Als teamleider moest ik ervoor zorgen dat ze werden vernietigd. We zouden de rest van ons geld alleen krijgen als we dat konden bewijzen.

Ik zocht niet naar materiaal over de transacties met de separatisten. Het zou sneller en gemakkelijker zijn om alles in brand te steken. Wat kon ons het gebouw schelen? Het was verzekerd of zou door buitenlandse hulpverleners worden herbouwd. Er was niemand, en het vuur kon zich niet naar andere gebouwen verspreiden of iemand in gevaar brengen want het lag als een eiland in een zee van asfalt.

Terwijl Mong een piramide van bureaus en stoelen maakte, plaatste ik mijn infraroodvideocamera op een stoel bij de deur en zette hem aan.

16

Als je er zeker van wilde zijn dat brandstichting lukte, had je met drie elementen te maken. De meubelen en papieren vormden de brandstof. De zuurstoftoevoer was niet perfect – vanwege de airconditioning konden de ramen niet open – maar als we de binnendeuren open lieten staan, kwam dat wel goed. Het vuur moest zo snel mogelijk beginnen. Dat zouden we bevorderen door de stoelen en bureaus optimaal schuin te zetten. De ideale hoek was dertig graden; daarom kun je het best onder de trap beginnen als je een huis in brand wilt steken.

Mong was zijn tweede piramide aan het bouwen toen BB op de muur sloeg. Dat was het teken dat we stil moesten zijn.

Ik zette mijn lamp uit en hield mijn adem in, met mijn mond open om inwendige lichaamsgeluiden te bedwingen. Ik luisterde. Geen geluid.

Ik ademde uit, ademde in, hield mijn mond open en probeerde zelfs de lichtste trilling op te pikken. Nog steeds niets. Ik wachtte nog eens dertig seconden. Als iemand ons had gezien, zou hij intussen iets hebben gedaan.

Mong stond achter me. Ik draaide me om en bracht mijn mond naar zijn oor. 'Hoor je iets?'

Hij schudde zijn hoofd.

Toen hoorden we allebei iets. Beweging in het gebouw, ergens bij de platen multiplex. En toen een kreet.

Militairen? Misschien hadden ze meer dan alleen megafoons en zoeklichten op die APC's zitten. Misschien hadden ze ook nachtkijkers en hadden ze al die tijd kunnen zien wat we deden.

Weer een kreet.

Het klonk niet militair. Het klonk opgewonden. Een nachtwaker? Wat had dat voor zin? Er viel hier niets meer te bewaken. Daklozen? Dat zou kunnen, maar ik had geen beddengoed of karton op de vloer zien liggen, niets wat op bewoners wees.

Ik hoorde het geschuifel van voeten. Gemompel. Het werd luider. Het kwam de trap op.

Ik liep naar BB toe. Hij trok zijn hoofd terug. 'Geen lichten. Het kunnen geen militairen zijn. Die zouden licht hebben.'

Er galmden kreten langs de trap. Ik hoorde minstens drie of vier verschillende stemmen. Ze spoorden elkaar aan. Burgerwachten misschien, die dachten dat we plunderaars waren. Of gewoon jongens uit de omgeving die wilden weten wat we daar uitspookten.

Mong bewoog zich langs ons.

De stemmen kwamen dichterbij.

Ik pakte hun armen vast. 'We gaan door en vechten ons desnoods naar buiten. Misschien verveelt het ze en gaan ze weg. We moeten de papieren vernietigen. Daarna kunnen we ons nog druk maken om die types. Oké?'

Ik rende terug, pakte een armvol mappen en stak ze onder de dichtstbijzijnde piramide van bureaus. Mong deed hetzelfde.

De kreten werden luider en opgewondener. Het verveelde de nieuwkomers nog niet. Ze kregen meer zelfvertrouwen doordat wij niets deden. Op de gang kletterde iets van metaal neer.

BB kwam de kamer weer in. 'Vijf of zes, denk ik.'

Mong hield op met wat hij aan het doen was. 'Verdomme, Nick. BB en ik kunnen ze wel aanpakken. Dan gaan ze ervandoor. Ga jij hier verder.'

'Nee. Dit eerst. We gaan met z'n allen zodra de zaak hier in de fik vliegt.'

Ze scandeerden nu als voetbalhooligans. Het lawaai kwam van de bovenkant van de trap.

Ik gooide nog meer papieren op de stapels. Het zweet liep over mijn gezicht. 'Laten we dit afwerken. Daarna rekenen we wel met dat stel af.'

Ik keek op en kreeg Mong in de straal van mijn Maglite. Hij kneep zijn ogen dicht en glimlachte naar me. 'Nee, maat. Laat ons tweeën naar beneden gaan en er een paar te grazen nemen. De rest rent dan wel weg, dat doen ze toch altijd? Jij maakt dit af en wij zorgen ervoor dat we weg kunnen komen. Wat gebeurt er als we niet weg kunnen wanneer de zaak in de brand is gevlogen?'

Ik scheen met mijn lamp op BB. Hij was er niet blij mee, maar Mong bleef aandringen. 'Nick, we moeten voor onze aftocht zorgen.'

Zo was Mong nu eenmaal. De aureool die hij op de vissersboot nog om zijn hoofd had gehad, was verdwenen. Nu zag je daar alleen nog hoorns.

Ik pakte weer een stapel papieren. 'Je hebt gelijk. Ga maar!'

BB moest schreeuwen om zich in de chaos op de gang verstaanbaar te maken. 'Nick, wat haal je je in je hoofd?'

Mong trok de riempjes van zijn rugzak strak. Hij wachtte niet op een antwoord van mij.

Hij draaide zich om en duwde BB de deur uit. Ze verdwenen naar links en ik hoorde Mong tegen de troep nieuwkomers schreeuwen. Het was oorverdovend.

17

Ik haalde de fles met twee liter benzine uit mijn rugzak en goot het uit over de twee stapels papier. Daarna streek ik de eerste lucifer aan en gooide hem erop.

Er volgde een hard woesj-geluid en de vlammen renden langs het hout omhoog. De plotselinge hitte schroeide mijn gezicht. Ik luisterde naar het tumult buiten. Er werd met stoelen gegooid. Hout stootte tegen bot.

Ik gooide een tweede lucifer en draaide me om naar de muur. Beide piramides stonden in lichterlaaie. Ik stopte de camera weer in de rugzak en hing die om. Toen rende ik naar buiten, naar de gewelddadigheden boven aan de trap. In schuddend, schokkend lamplicht namen Mong en BB degenen te grazen die ons daar wilden tegenhouden.

Er waren nog meer woedende kreten te horen, maar nu achter me. Een stoel dreunde tegen mijn rug, zodat ik omviel. Ik krabbelde overeind en rende op de wirwar van spijkerbroeken, T-shirts en bezwete tatoeages af. De bittere stank van brandend schuimrubber schuurde in mijn neusgaten. Ik hoorde een reeks harde knallen: de vlammen hadden het fineer van de meubelen te pakken gekregen.

Een jongen achter me krijste en schreeuwde. Iets trof me op mijn hoofd. Het kon me niet schelen. Die jongens zouden het vuur niet uitmaken. En straks zouden ze een goed heenkomen moeten zoeken.

Ik liep naar het lamplicht voor me. We moesten daar met z'n drieën weg zien te komen voordat we door de rook werden overmand. Ik werd nog een paar keer geraakt.

'Mong! BB!'

Mong draaide zich om en riep me toe: 'Schiet op!'

Zijn schreeuw werd een kreet en zijn hoofdlamp ging omlaag. De rook kolkte door de gang, tegen het plafond aan. De vlammen werden groter en de schaduwen stuiterden over de muren. De Indonesiërs schreeuwden naar elkaar. Ze gingen ervandoor.

De hoofdlamp op de vloer boven aan de trap was zwak. Toen besefte ik dat hij in de vloerbedekking was gedrukt. Mong bewoog niet. Ik gaf hem een schop in zijn ribben en schreeuwde tegen hem dat hij moest opstaan.

18

Hij lag op zijn zij en zijn hoofd was opzij gedraaid. Het bloed stroomde uit de binnenkant van zijn dij. De tapijttegels waren doorweekt. Dit was niet goed. Het ging te vlug. Hij bloedde te snel.

'Mong!' Ik greep zijn schouder vast en trok hem naar me toe. Het bloed spoot tegen me op als water uit een gesprongen buis. Zijn dijslagader was doorgesneden. Misschien was hij met een mes gestoken. De dijslagader is verbonden met de aorta. Het bloed werd met grote druk uit hem weggepompt.

Ik drukte met mijn ene hand op de plaats van de wond en probeerde met mijn andere hand zijn broek open te scheuren. Het bloed stroomde langs mijn polsen omhoog. Ik moest mijn duim en wijsvinger in de wond steken en proberen de slagader dicht te knijpen.

'BB!'

Mijn vingers glibberden om het gat in zijn dij. Het was net of ik een rubberen slangetje probeerde te vinden dat in vet begraven lag.

'BB!'

Mongs hoofd bungelde opzij en het schijnsel van zijn lamp gleed over zijn been. Hij zag wat er gebeurde. 'Shit! Ik voel het. Ik ga eraan, Nick.'

'Hou je kop, klojo.'

Maar we wisten allebei dat hij minder dan drie minuten had.

'BB!'

Ik wist dat ik niet meer kon doen dan ik al deed, maar BB was ziekenbroeder. Ik rolde Mong op zijn rug, en zijn hoofd bungelde mee. Geen weerstand van de spieren in zijn hals.

Vlammen schoten uit de deuropening van 2-17 en likten over het verlaagde plafond. Plafondtegels vlogen in brand. Er waren geen sprinklers, want er was geen elektriciteit. Onze schaduwen dansten mee met de vlammen die op ons afkwamen. De bovenste helft van de gang was gevuld met dichte, zwarte rook. Die zou straks naar ons afdalen. Mong wist dat. 'Ga weg, Nick. Ga nou maar.'

'Hou je kop.' Ik stond op en drukte met de hak van mijn schoen in zijn kruis, net boven de wond. Ik zette beide handen op mijn knie. Hij kreunde van pijn. We wisten allebei dat het te laat was. We hadden chirurgische klemmen nodig om een eind aan het bloeden te maken.

Het licht van mijn lamp viel op zijn gezicht. Zijn pupillen reageerden niet op het licht.

'Nick, onthoud wat je heb beloofd.'

'Hou je kop. Je kunt zelf voor haar zorgen.' Ik drukte harder. 'BB!'

Er vielen brandende tegels uit het plafond. De hitte werd intenser door-dat de vlammen dichterbij kwamen. Ik raakte in ademnood door de rook en moest me verder omlaag buigen. Maar ik zou de druk handhaven totdat hij dood was. Ik wist dat het zinloos was. Hij wist dat het zinloos was. Maar dat deed er niet toe. Ik had het verknoeid. Ik had niet moeten toestaan dat hij het tegen de plunderaars opnam.

Dit was alles wat ik nu voor hem kon doen.

Hij had de grootste moeite om de woorden eruit te krijgen. 'Onthoud... Tracy...'

'Natuurlijk zal ik voor haar zorgen, dombo...'

Hij ging vlug. Geen reactie op de pijn. Hij deed gewoon zijn ogen dicht en dat was dat. Het leven was uit hem weggelekt.

19

Ik nam mijn schoen weg en legde mijn hand op de wond. Er werd geen bloed meer uitgepompt. Het was allemaal voorbij. De rook stond nu nog maar een meter boven de vloer. Nog steeds op mijn knieën, stak ik mijn armen onder Mongs oksels en sleepte hem naar de trap. Ik voelde dat de lucht omhoog stroomde uit de kapotte ramen beneden. De vlammen zogen de lucht naar binnen.

Mong was te groot om op mijn schouders te nemen. Zijn benen hobbelden achter me aan toen ik hem de trap af sleepte.

'BB!'

Ik scheen met mijn lamp over de vloer om er zeker van te zijn dat hij daar niet lag.

Ik kwam beneden aan en trok Mong naar de uitgang. Ik moest onder het raam blijven staan om op adem te komen. De lucht stroomde door de opening die we hadden gebruikt om binnen te komen. Ik gleed langs de muur omlaag en leunde er met mijn rug tegenaan, met Mongs hoofd op mijn schoot. 'Sorry, jongen.' Ik wist niet wat ik anders moest zeggen.

De rook kringelde de trap af. Ik stond op en duwde het multiplex verder bij het kozijn vandaan. Ik moest mijn hoofd gebruiken om het open te houden toen ik mijn bovenlijf erdoorheen hees. Een windvlaag vloog ons voorbij om de vlammen te voeden.

Mong viel op de grond en zakte als een lappenpop in elkaar. Ik was niet van plan hem daar achter te laten. Ik zou hem naar het hek slepen en dan teruggaan om BB te halen.

Na mijn handen onder zijn oksels door te hebben gestoken en ze over zijn borst te hebben samengevouwen, sleepte ik hem bij het gebouw vandaan.

De ruiten boven ons sprongen kapot. De vlammen vlogen naar buiten. Mongs hakken hobbelden over het asfalt.

Op de grote weg bewogen koplampen van links naar rechts. Ze aarzelden en reden toen het asfalt op.

De 4x4 kwam slippend tot stilstand.

'Laad hem in!'

'Waar bleef je nou?'

'Hij zei dat ik de wagen moest halen! Stap nou in! Het leger komt van de andere kant van de rivier.'

Deel II

1

Hereford

Maandag 17 januari 2005

Het was maar een klein eindje rijden van het crematorium naar het huis van Mong en Tracy in King's Acre ten westen van de stad. Er lagen koekjes en kleine sandwiches te wachten voor de weinigen van ons die in het huis waren uitgenodigd. Ik bracht Tracy erheen in een zwarte Audi 6 die ik voor die dag had gehuurd.

Bij de dienst waren alleen staplaatsen geweest. Zelfs Crazy Dave was er. Hij stuwde zich naar voren in zijn hypermoderne rolstoel. De meeste mensen die ik kende, hadden een gebruinde huid en droegen een slechtzittend pak. Degenen die ik niet kende, droegen een blazer en das, een kraakhelder wit overhemd en een scherp gestreken broek van het korps mariniers. Het korps had ook vertegenwoordigers in volledig galatenue gestuurd. Hun laarzen en medailles glansden. De enige die de overledene niet de laatste eer kwam bewijzen, was BB. Crazy Dave probeerde hem te dekken door te zeggen dat hij was weggestuurd voor een klus, maar ik wist wel beter. Zo zag je maar weer eens.

Maar wat gaf het? Hij vertrok binnenkort uit Groot-Brittannië. Crazy Dave had hem nog niet echt weggestuurd voor een klus, maar binnenkort ging BB schepen tegen piraten beschermen in de Indische Oceaan, opererend vanuit Mogadishu. Dat was net iets voor hem: de hele dag op een schip zitten en uitkijken naar onraad. Niemand om mee samen te werken, dus ook niemand die hij kon irriteren.

Alle sprekers – vrienden, familieleden, mensen van het korps mariniers – zeiden fantastische dingen over Mong, maar ik kon niets anders bedenken dan dat het zo ongelooflijk zonde was. Toen zette de priester of dominee of wie dan ook een gebed in. Ik luisterde niet. Wat een ellende. Ik was teamleider en daardoor verantwoordelijk voor zijn dood. Ik had niet naar hem moeten luisteren. Ik had geen duimbreed moeten wijken en hem bij me moeten houden.

Ik had om me heen gekeken. Ik was nooit een liefhebber van begrafenissen geweest, maar ik was tenminste komen opdagen. Dat was ook een onderdeel van de militaire cultuur dat BB gewoon niet kon begrijpen.

De enorme opkomst en de vele betuigingen van deelname konden Tracy nauwelijks troosten. Ze vond het zelfs vervelend, want ze wilde alleen zijn met haar verdriet. Het maakte het alleen maar erger dat ze dat verdriet met anderen moest delen. En nu zat ze naast me terwijl de eyeliner over haar gezicht liep. Ze zag eruit als een derderangs vampier. Het enige wat ik hoorde, was de verwarming van de auto en de gesmoorde zuchten die ze slaakte in haar poging niet opnieuw in huilen uit te barsten.

Ik wilde niets zeggen. Ik keek recht voor me uit, reed voorzichtig en langzaam en liet haar alleen met haar gedachten.

2

De hulpverleners in het kamp hadden ons verhaal geaccepteerd. Het is altijd verstandig om een leugen op de waarheid te baseren. We hadden een lichaam uit een gestrande vissersboot zien hangen en waren binnen gaan kijken. Op de terugweg was Mong uitgegleden en onhandig ten val gekomen waarbij hij zijn dijslagader had opengehaald aan een roestig stuk metaal.

Ik maakte hen goed duidelijk dat dit niet een verhaal was om aan hun mediavriendjes te vertellen. Ik wilde niet dat het uitlekte voordat ik met zijn weduwe praatte. Vervolgens nam ik contact op met Crazy Dave, die meteen in actie kwam. Hij had niet alleen Britse ex-Special Forces op zijn lijst, maar ook ex-Delta's en ex-SEALS. Een van de Delta-jongens voerde enkele telefoongesprekken. Er werd om wederdiensten gevraagd. Een paar uur later landde er een helikopter van de Amerikaanse marine in het kamp om ons drieën naar een vliegdekschip in de baai te brengen. De volgende dag zetten ze ons op een bevoorradingsschip dat naar Singapore ging om voorraden op te halen.

We deden er ruim een dag over om die achthonderd kilometer naar het zuiden af te leggen, en in die tijd regelde Crazy Dave alles. In de haven van Singapore stond een ambulance te wachten die ons regelrecht naar de Britse ambassade bracht, waar een patholoog-anatoom klaarstond om de doodsoorzaak te bevestigen en een akte op te maken. Het enige waarover hij zich verbaasde, was de staat waarin Mongs lichaam verkeerde. Hij was niet zomaar in een lijkenzak gegooid, bedekt met bloed en vuil, maar hij was goed gewassen en verzorgd en droeg een schoon stel kleren. Als je niet van dat verdomd grote gat in zijn dij afwist, zou je denken dat hij alleen maar een dutje deed, voordat hij met zijn vrouw uit eten ging. Het was het minste wat ik kon doen, na alle moeite die hij voor het dode echtpaar en hun baby had gedaan.

De volgende morgen in alle vroegte zaten we in een vliegtuig dat van Changi International vertrok. BB en ik zaten Club Class; Mong lag in het ruim. Onderweg dacht ik aan wat er nu moest gebeuren.

Op Heathrow stond Crazy Dave met een uitvaartleider en een lijkwagen te wachten. Ik maakte wat afspraken met hem zodra we geland waren. Hij zou Tracy niet alleen Mongs tweede betaling maar ook die van mij geven. Hij zou tegen haar zeggen dat het de afgesproken beloning voor de klus was. Ik had die oude rotzak een belofte gedaan en dit was het eerste wat ik deed om me daaraan te houden.

3

Tracy legde haar hand op mijn schouder. 'Wat moet ik doen, Nick? Hij was alles wat ik had.'

Ik hield mijn ogen op de weg gericht. Als ik een ongeluk kreeg met die auto, zou ik haar leven nog erger maken dan het al was. 'Het zal in het begin moeilijk zijn, Tracy, maar het leven gaat door...'

Haar hand gleed van mijn schouder af, terug op haar schoot. Ze knikte langzaam. Toen ging de hand weer naar haar gezicht en snikte ze weer.

Ik klopte op haar schouder en probeerde tegelijk te rijden en haar aan te kijken. 'Heb je erover gedacht om hier weg te gaan? Het op een nieuwe plaats proberen. Ergens waar je er niet voortdurend aan wordt herinnerd.'

Ze greep in een zwart tasje om nog meer zakdoekjes te pakken. 'Ik heb altijd al naar India gewild. Aan het strand wonen. Misschien een restaurantje beginnen. Gewoon gelukkig zijn.' Ze snoot haar neus. 'Maar dat kan niet. Mijn moeder is nog ziek, en dan is Janet er ook nog...'

Ik legde mijn hand weer op het stuur. Janet was een probleem.

Janet zou niet meer van Tracy weg te slaan zijn, nu die wat geld had. Maar de dingen waren niet zo rooskleurig als Janet dacht. Mong was gestorven terwijl hij de slachtoffers van de tsunami hielp. Hij had een levensverzekering genomen om de hypotheek te dekken, maar in de kleine lettertjes van de polis stond dat je jezelf niet in gevaar mocht brengen. De verzekeringsmaatschappij zou waarschijnlijk niets uitkeren. Ik had BB gevraagd of hij zijn deel van het honorarium ook wilde afstaan om dat te compenseren, maar daar verwachtte ik niet veel van.

Tracy droogde haar ogen toen we de vijfkamerwoning in namaak-Tudorstijl naderden die nu haar eigendom was, of binnenkort zou zijn.

'Ik heb niet eens kinderen, Nick. We hebben erg ons best gedaan, maar het lukte niet.'

Ze keek me aan. Er ging een afschuwelijke gedachte door haar heen. Dat zag ik aan haar gezicht. 'Ik raak jou toch niet kwijt, Nick? Dat Mong er niet meer is, wil toch niet zeggen dat ik jou ook moet kwijtraken?'

Ik stopte op haar oprit. 'Ik ga nergens heen. Ik zal er altijd voor zorgen dat het goed met je gaat, wat er ook gebeurt.'

Deel III

1

Moskou

De ventilator van de luchtverversing draaide op volle toeren op de zwak verlichte schietbaan van 25 meter, waar het plafond laag was. Er waren zes technologisch geavanceerde schiethokjes, elk met elektrische draden naar het doel, dat zich tussen de 5 en 25 meter kon bevinden. De ventilatoren moesten het loodstof afvoeren dat uit de loop kwam wanneer een patroon het wapen verliet. Op den duur kan dat spul zich afzetten op je longen. De ventilatoren voerden ook de rook en de stank van kruit en sigaretten af. In Moskou werd overal gerookt. Ik wist niet of er een officieel antirookbeleid was, maar zelfs als dat er was, zou niemand tegen je durven te zeggen dat je je sigaret moest uitdoen.

Ik haalde mijn Glock uit het gevoerde nylon foedraal. Ik was geen fan van die wapens geweest toen ze pas op de markt waren gekomen. Al was het alleen maar omdat ze drie verschillende beveiligingssystemen hadden, waarvan ik er niet een met mijn duim kon bedienen. Maar intussen had ik me gewonnen gegeven, net als twee derde van de Amerikaanse politie en veel andere politiekorpsen en legeronderdelen over de hele wereld. Ik had het mis gehad. Het was een uitstekend wapen.

Ik had Moskou ook verkeerd beoordeeld. Pas na enige tijd had ik beseft dat die stad gewoon een extreme versie van New York is. Je wist wat je aan de Moskovieten had. Mensen hielden geen deuren voor elkaar open. Als je iets wilde, zei je: 'Geef het me.' En zolang je de roebels had, kreeg je het. Het was heel duidelijk.

Moskovieten leefden bij de dag, en dat was aanstekelijk. Niets wat je in Moskou deed, had gevolgen. Het leek wel wat op het Wilde Westen. De regering was een dictatuur. De politie was grotendeels corrupt. De misdaadcijfers waren de hoogste van de hele wereld. De meeste Russen waren onvriendelijk of regelrecht vijandig, vooral wanneer ze de deuren van nachtclubs bemanden. De clubportiers van Moskou keken alleen naar je gezicht. Of je nu man of vrouw was: als je lelijk was, kwam je er niet in, tenzij je rijk was. Ik had zelfs gezien dat ze stelletjes of groepen opsplitsten: sommigen wel naar binnen, anderen niet. Bij Gunslingers hadden ze geen moeite met mijn lelijke gezicht, maar dat was alleen omdat ik mijn contributie op tijd betaalde.

Ik hield vooral van Moskou omdat Anna daar woonde. Het was nu negen maanden geleden dat ik het penthouse met uitzicht op de rivier de Moskva had gehuurd. Rechts lag de Borodinskibrug. Daarachter verhieven zich de overheidsgebouwen van de Russische Federatie. Het was een geweldige plek om over de stad te zitten uitkijken, vooral 's nachts, wanneer de straten nog vol woedende, lelijke mensen waren die in clubs waren geweigerd en nu in zichzelf mompelend naar huis liepen.

Anna had gelijk gehad. Moskou was mooi in de zomer. Waarschijnlijk had ik al in alle 96 parken van de stad gewandeld. Allereerst in het Gorkipark. Dat was het enige park waarvan ik had gehoord. Toen ontdekte ik dat er in Moskou meer groen was dan in New York, en New York had weer meer groen dan Londen. Ik was bijna blij dat ik was weggegaan.

Toen de dagen langer en warmer werden, waren Anna en ik naar Serebriani Bor gegaan, een eiland waar je gemakkelijk met de trolleybus kon komen. Je kon daar op elk uur van de dag wandelen, maar het was vooral mooi in de avond, als de datsja's, de bossen en de rivier in het licht van de ondergaande zon waren gehuld.

Ik keek naar de lenteknoppen en -bloemen, kinderen op fietsen met zijwieltjes, alle normale dingen die ik nu heel gewoon vond. Het waren mensen die verdergingen met hun leven. Ik ging ook verder met het mijne. Het was goed. Niet dat ik elke morgen uit mijn bed sprong om naar buiten te rennen, de bloemen te kussen en de bomen te omhelzen, maar ik had de tijd genomen om naar alles te kijken. Eventjes dan, want daarna was ik onrustig geworden.

Hoe beter ik Anna leerde kennen, des te meer besefte ik hoe we op elkaar leken. We gaven elkaar veel ruimte en leidden ieder ons eigen leven, in het besef dat juist dat ons beiden gelukkig maakte.

Op dit moment gaf ze me in elk geval genoeg ruimte. Ze was net in Libië aangekomen, nadat ze vier weken de opstanden in Tunesië en Egypte voor het RT-nieuws had verslagen. Sinds januari had ik haar alleen nog maar op tv gezien.

2

Volgens Anna's verslagen, die elke dag op Russia Today werden uitgezonden, gaf Gaddafi zich niet zomaar over. Hij was net begonnen Benghazi te bombarderen, dat in handen van de rebellen was. En natuurlijk kregen de Britten er in de Russische en Duitse media nog steeds van langs, omdat ze de evacuatie van Britse staatsburgers hadden verprutst. De Russen – en trouwens ook alle anderen – hadden schepen en vliegtuigen gestuurd om hun mensen weg te halen, ruim voordat het Britse ministerie van Buitenlandse Zaken had besloten er eens op een ochtend bij een lekker kopje thee over na te denken.

Ik vond het altijd prettig als Anna wegging. De journalistiek was voor haar een kwestie van doen wat goed was. Ik wist dat ze er gelukkig van werd. Misschien kon ik alleen op die manier een relatie onderhouden: als je elkaar perioden niet zag en dan weer bij elkaar kwam. Waarschijnlijk zouden we op elkaars zenuwen gaan werken als we een conventioneel leven leidden.

Ik verheugde me erop dat ze weer naar huis zou komen. Niet alleen omdat ik haar dan zou zien, maar ook omdat het zou betekenen dat ze uit de gevarenzone was. Er kwamen veel te veel verslaggevers om het leven. Net als veel andere landen liet Rusland veel meer van de oorlogsgruwelen zien dan wij in Groot-Brittannië of de Verenigde Staten gewend waren.

In plaats van een pop die op het puin van een platgebombardeerd huis lag, met een neutrale commentaarstem op de achtergrond, kregen de Russen het verminkte lijk van het kind te zien.

Verslaggevers van Al-Jazeera en RT stonden vaker in de vuurlinie dan dat ze toekeken vanaf het dak van een hotel in de verte. Russen kregen honden te zien die de doden opaten. Ze kregen de oorlog te zien zoals die was. En daarom verkeerden Anna en haar team in groter gevaar.

Ik vond het niet erg om alleen te zijn. Ik had genoeg aan mijn eigen gezelschap, net als Anna. Het grootste deel van mijn leven was ik alleen geweest. Ik had veel vrienden gehad en was altijd onder de mensen geweest, maar ik had me ook altijd een buitenstaander gevoeld. Dat was niet erg: ik wist dat het voor mij nu eenmaal zo was. Ik ging gewoon verder met wat ik aan het doen was.

Ik kwam veel in de fitnessruimte van onze flat. Wat fysieke training betrof, was het voor mij altijd hollen of stilstaan geweest. Soms deed ik er maanden achtereen helemaal niets aan, omdat ik het druk had of werkte of geblesseerd was, maar als ik de tijd had, sloeg ik geen dag over.

Mijn hersenen trainde ik ook een beetje. Ik las de boeken waarvan ik mezelf in het afgelopen jaar had beloofd dat ik ze zou lezen. In dat jaar had ik gedacht dat ik aan een tumor zou sterven, maar later was gebleken dat de diagnose foutief was. Ik las eerst *Oorlog en vrede* van Tolstoi, omdat ik toch in Rusland was en Anna had voorgesteld dat ik met de klassieken van de plaatselijke jongens zou beginnen. Ze stelde me vragen om er zeker van te zijn dat ik precies deed wat ik mezelf had beloofd. Ze waarschuwde me niet van tevoren dat het boek meer dan 1.200 bladzijden telde. Ik deed er langer over dan Napoleon erover deed om Moskou te bereiken.

Ik had net *De jonge garde* van Fadejev gelezen, over de strijd van de Russen tegen de nazi's in de Tweede Wereldoorlog. Stalin was gek op die schrijver geweest. En nu was ik bezig met *Misdaad en straf* van Dostojevski. Een door armoede getroffen jongeman, die zichzelf intellectueel superieur beschouwt, komt op het idee om een rijke woekeraarster die hij haat te vermoorden. Ik was tot aan het misdrijf gekomen en nam aan dat de straf zou volgen. Ik kon bijna niet wachten tot ik Anna er tot vervelens toe over zou kunnen vertellen als ze terug was.

Ik had ook de musea afgelopen, ze was met me naar *Het zwanenmeer* in het Bolsjoitheater geweest, en naar *Cosi fan tutte* in het operagebouw. Ik had altijd gedacht dat dat een soort ijsje was.

Ik had niet het gevoel dat ik in een wereld was gekomen die ik had gemist. Toen ik nog dacht dat ik dood zou gaan, had ik een leegte in mij gevoeld die gevuld moest worden. Nu was het alleen nog maar geweldig om nieuwe dingen te leren kennen. Maar die dingen zouden mijn leven niet beheersen. Daarom ging ik nog steeds naar de schietbaan.

3

In theorie is het gemakkelijk om goed te schieten. Als het wapen goed gericht is en je de trekker overhaalt zonder het wapen te bewegen, zal de kogel het doel treffen. Toch is het volmaakte of 'gelukkige' schot dat je leven redt het gevolg van jaren van oefenen. Het is net zoiets als spieren opbouwen op de sportschool: je moet het blijven doen anders raak je ze kwijt.

Ik begon het magazijn voor zeventien patronen te laden. Twee mannen links van me hadden op de knop gedrukt, en mensvormige doelwitten die Russische gangsters met messen moesten voorstellen gleden naar hen toe. Als de Russen naar elkaars treffers keken, werden er nogal eens opmerkingen gemaakt die spottend klonken.

Gaston Glock was een genie. Hij had geen enkele ervaring met vuurwapens gehad toen hij in de jaren tachtig deelnam aan een competitie om een nieuw pistool voor het Oostenrijkse leger te ontwerpen, maar hij was op het idee gekomen en had in twee maanden tijd een prototype gebouwd. Hij mocht dan niets over wapens weten, hij wist wel veel van synthetische polymeren, en dat was een van de dingen die dit pistool zo anders maakten. Het plastic frame van de Glock maakte het veel lichter en gemakkelijker te hanteren, maar het was ook de reden geweest waarom veel mensen – ikzelf ook – er in het begin maar moeilijk aan konden wennen. Niettemin was het in de afgelopen dertig jaar een betrouwbaar, duurzaam wapen gebleken, en de oude Gaston had er goede zaken mee gedaan.

Ik was graag op deze schietbaan. Er was altijd een geweldige mix van politie en maffia, met daarnaast wapenfanaten en Europese toeristen die de 'Russische militaire ervaring' wilden ondergaan. Ze betaalden het equivalent van vijf euro per patroon om met wapens te schieten, en zo'n zestienduizend dollar om in een MiG 23 te mogen vliegen. Sommigen, vooral de Duitsers, joegen er in een lang weekend dertigduizend euro doorheen.

Niet dat ik met de schietbaanbezoekers praatte of er vrienden had. Al was het alleen maar omdat ik in alle tijd dat ik in dat land was niet meer dan een paar zinnen Russisch had opgepikt. Het had trouwens ook niet veel zin om de taal te leren. Moskou was tegenwoordig een van de belangrijkste toeristenbestemmingen en de meeste mensen spraken zo goed Engels dat het voor mij niet nodig was Russisch te leren. Als ze me niet verstonden, deed ik wat Engelsen dan doen: wijzen en schreeuwen. Daarmee kreeg ik het meestal wel voor elkaar. Ik knikte de vaste bezoekers toe, maar alleen als zij eerst naar mij knikten. Politieagenten en maffialeden zijn meestal geen gezelligheidsdieren, en dat kwam me goed uit. Ik mocht graag vroeg komen, voordat de eerste toeristen zich naar binnen vochten en het druk werd.

Vanuit mijn hokje schakelde ik het doelwit op ongeveer tien meter afstand uit. Ik laadde een magazijn, haalde de schuif over en liet hem los, zodat er een 9mm patroon in de kamer werd geduwd.

Wanneer acteurs in films automatische of semiautomatische wapens laden, halen ze altijd de schuif aan de bovenkant naar achteren en houden ze hem vast als hij naar voren gaat. Dat ziet er goed uit, maar het is onzin. Je moet de schuif loslaten. De veer stuwt de volgende kogel vanuit het magazijn naar de kamer. Als je dat tegenhoudt, krijg je blokkeringen. Politiekorpsen over de hele wereld hebben er moeite mee om dat aan rekruten te leren, want ze hebben allemaal gezien hoe types als Russell Crowe het op het witte doek verkeerd doen. Wanneer een Hollywoodheld dekking zoekt tegen een muur, zie je dat hij zijn wapen omhooghoudt, gericht op de hemel en met de loop bij zijn gezicht. Dat is ook onzin. Het wapen moet op de dreiging gericht zijn. De regisseurs doen het op die manier omdat het sexy wapen dan heel dicht bij het hoofd van de acteur komt, zodat je zijn emotie kunt zien voordat ze op de volgende scène overgaan.

Als ik schoot, deed ik dat nog steeds vanuit de Weaver-positie. Als je die houding innam, werd je lichaam een schietplatform. Mijn benen stonden op schouderbreedte bij elkaar vandaan en mijn linkerbeen stak naar voren, zodat mijn lichaam 45 graden gedraaid stond ten opzichte van het doel. Ik stond nu volkomen uitgebalanceerd, naar voren en achteren en naar links en rechts.

Je ogen zijn je richtmechanisme en je hersenen besluiten wanneer het schot wordt gelost, maar verder gebruik je je hele lichaam om het wapen stabiliteit te verschaffen. Mijn rechterhand was stevig tegen de kolf gedrukt. Hoe hoger de greep, des te beter was de as van de loop en des te beter beheerste je het wapen wanneer de loop na het schot omhoog sprong. Dat was belangrijk. Als ik buiten deze club moest schieten, zou het niet één schot tegelijk zijn en zou het doelwit niet van papier zijn. Semiautomatische pistolen zijn ontworpen voor een hoge greep. Als de schuif na een schot terugkomt voor het herladen, moet hij tegen een stevig vastgehouden wapen in bewegen. Zo niet, dan gaat de schuif misschien niet helemaal terug en kun je niet herladen. En dan kun je het wel schudden.

Mijn laatste drie vingers waren net een bankschroef. Mijn duim zat om de andere kant van de pistoolgreep. Alleen mijn trekkervinger was vrij.

Dat was het enige wat mocht bewegen, afgezien van de lichte trilling die er altijd zou zijn als ik richtte. Dat stuk metaal kon alleen zijn werk doen als het werd beheerst. Als ik het wapen goed vasthield en nauwkeurig richtte, zou de trilling precies op het juiste moment komen.

Ik bracht het wapen omhoog om het op het doel te richten, met mijn ondersteunende hand om mijn andere hand heen. Mijn schouder was naar voren gegaan, zodat mijn neus dichter bij het doel was dan mijn tenen. Mijn rechterarm stuwde het wapen naar het doelwit, terwijl mijn linkerhand achterwaartse druk uitoefende en het platform daarmee onbeweeglijk maakte.

Ik richtte het wapen op het midden van de woedend aanstormende, papieren Rus. Beide ogen waren gericht op het doel: het midden van de lichaamsmassa. De metalen vizierkorrel van het wapen verscheen in mijn gezichtsveld, en ik concentreerde me erop. Het doel en het achtervizier waren alleen nog maar wazige vlekken. Ik zorgde ervoor dat de streep aan de achterkant van het achtervizier op één lijn lag met de vizierkorrel. Daarna concentreerde ik me met beide ogen op de korrel en werd alles wazig.

Toen ik tegen de trekker drukte, voelde ik het veiligheidsmechanisme bij de eerste lichte beweging van mijn vinger, de lichte druk die de trekkeractie liet vrijkomen.

De korrel lag op het midden van de lichaamsmassa en ik haalde de trekker nu helemaal over. De patroon sprong uit het wapen.

Ik keek niet waar ik het doelwit had geraakt. Daar zou ik gauw genoeg achter komen wanneer ik het naar me toe haalde. Ik bleef gewoon schieten, bracht het wapen telkens omlaag en langzaam weer omhoog.

Het enige nadeel van Gunslingers was dat het weer bij mij begon te kriebelen. Niet dat ik uit Moskou weg wilde, of weg van Anna. Verre van dat. Maar er waren grenzen aan de hoeveelheid literatuur, beeldende kunst en opera die je in één keer kon verwerken. Ik wilde weer aan het werk, en niet omdat ik het geld nodig had. Daar had ik nog genoeg van over, en als Anna me iets had geleerd, dan was het wel dat geld niet alles is. In elk geval liet zij zich er niet door leiden. Met al het geld dat ik had kon ik misschien gemakkelijk zeggen dat ik me er ook niet door liet leiden, maar ik begon te begrijpen waarom Anna deed wat ze deed. Trouwens, wanneer ik ergens heen ging om een karwei te doen terwijl Anna voor haar werk in het buitenland was, zou ik er des te meer naar verlangen om naar haar en Moskou terug te keren.

Ik loste het ene schot na het andere, nooit twee keer snel achter elkaar, altijd een voor een, om er zeker van te zijn dat ik het nog helemaal in de vingers had. Ik had geen haast. Ik zou een paar magazijnen leegschieten, mijn wapen schoonmaken en dan naar huis lopen om een stukje *Misdaad en straf* te lezen.

4

De cafetaria bevond zich niet ver van de schietbaan, in een deel van het gebouw dat eruitzag alsof het een atoomschuilkelder uit de tijd van de Koude Oorlog was. De nieuwe eigenaren hadden het volledig verbouwd. Het was er warm en verwelkomend, en ze deden goede zaken met koffie en nog veel betere zaken met wodka en Baltika-bier. Niemand vond het een probleem dat klanten een paar ontspannende borrels namen voordat ze een wapen ter hand namen.

Er was in heel Moskou niet één bar of cafetaria die was wat hij leek. Als je eenmaal binnen was, wilden ze niet dat je wegging. Bijna elke bar had ook een restaurant, een kegelbaan, een snookerzaal, een casino, een boekwinkel of, in dit geval, een schietbaan. Moskou is zo gigantisch groot en taxi's zijn zo duur dat bareigenaren willen dat hun klanten alles hebben wat ze zich maar kunnen wensen; van de ochtend tot de avond, en van de avond tot de ochtend.

Ik was nog maar een paar keer 's avonds in Gunslingers geweest, en alleen omdat Anna zei dat ik Moskou moest zien wanneer er echt met geld werd gesmeten. Plotseling waren er dansmeisjes, acrobaten en lasershows geweest. Als je een tafel kocht, wat ik niet deed, al gaf het je gegarandeerd toegang, met een zitplaats en een lopende barrekening, kostte dat 5.000 dollar. Dat was goedkoop; in sommige bars was het meer dan 20.000 dollar.

Er zaten die ochtend vijf anderen in de bar. Leren jasjes waren nog niet in de mode, want het was nog winter. Voorlopig droeg iedereen kleren met een dikke voering.

's Avonds was het Prada voor en Prada na. De clubbezoekers die ik had gezien, waren een mix van mooie, rijke en invloedrijke mensen en degenen die daarbij wilden horen: voor het merendeel modellen, hoeren en meisjes bij wie de cocaïne in de ogen fonkelde als ze op zoek naar 'sponsors' door de bar tuurden. En er waren altijd een heleboel rijke mannen te vinden.

Ik keek naar een van de zes kolossale plasmaschermen die aan de muren hingen. Twee daarvan waren verbonden met de schietbanen, zodat je kon zien hoe mensen onder invloed van alcohol probeerden te schieten. De eerste twee toeristen die in zicht kwamen waren Duitsers; tenminste, ze hadden ieder een Duitse vlag op hun parka. Ze zagen er 'gezellig' uit, met voortijdige bierbuiken en dikke snorren.

Het scherm waarnaar ik keek, was verbonden met het Engelstalige nieuwskanaal op Russia Today. De meisjes stemden om tien uur 's morgens altijd op dat kanaal af, want dan kon ik naar Anna's eerste reportage van de dag kijken. Ik wist nooit wat ze zei, want het geluid stond heel zacht, maar dat deed er niet toe. Ik kon zien dat ze in leven was en dat er niet een heleboel gaten in haar zaten. Het was duidelijk te zien dat ze hield van wat ze deed, zelfs midden in een oorlogsgebied.

Ik was vandaag een beetje vroeg. Het scherm vulde zich met beelden van Japanse militaire helikopters die water op de Fukushima Daiichi-kernreactor lieten vallen om een totale meltdown te voorkomen. Het aantal doden en vermisten na de tsunami stond nu op bijna 13.000. Ongeveer 450.000 mensen hadden bij nachtelijke temperaturen onder nul in tijdelijke onderkomens verbleven.

De Duitse comedy die naast de bar werd opgevoerd, was veel leuker om naar te kijken. De twee kerels wilden net met AK47-aanvalsgeweren aan de gang gaan op een van de langere schietbanen. Er was daar geen verwarming, en hun adem vormde wolkjes, net als de kruitdamp die uit hun geweerlopen vloog.

De AK's schokten tegen hun schouders en duwden hen naar achteren. Mong stond achter een van hen toen hij schoot. Hij duwde de man naar voren om te proberen de loop op de schietbaan gericht te houden. De schoten kraakten en de patronen ketsten tegen het beton. Die kerels schoten met salvo's van twintig patronen tegelijk, terwijl hun toch was verteld dat ze zich tot vijf tegelijk moesten beperken. Maar ik denk niet dat het Mong veel kon schelen, want voor elke patroon betaalden ze vijf euro.

Het was natuurlijk niet echt Mong. Hij leek alleen op hem. Of misschien ook niet. Misschien moest ik door die eindeloze nieuwsbeelden aan onze tijd in Atjeh terugdenken. Hoe dan ook, telkens wanneer ik die man zag, vroeg ik me af of hij tatoeages op zijn reet had.

5

Mong werd een beetje pissig. Die twee Duitsers waren niet meer te houden. Als echte Rambo's schoten ze vanuit de heup, waardoor de AK's bij elk salvo naar rechts zwaaiden. Het was een puinhoop. De echte Mong zou hun hoofden tegen elkaar hebben geslagen.

Ik werd altijd bedroefd als ik aan hem dacht. Of misschien voelde ik me alleen maar schuldig. Na zijn dood had ik me altijd aan mijn woord gehouden. Ik had voor Tracy gezorgd. Janet had geld uit haar gezogen als een stofzuiger, en Tracy betaalde ook nog voor de particuliere medische behandeling en thuiszorg van hun aan kanker lijdende moeder. Ik gaf haar geld wanneer ik maar kon.

Als ik in Hereford was, ging ik altijd kijken of het goed ging. Dat ging het natuurlijk niet. Ze was volkomen ontredderd; ze had een diepe depressie doorgemaakt en het kostte haar veel tijd om daaruit naar boven te klimmen. Het geld dat ik gaf, hielp haar om de rekeningen te betalen, maar eigenlijk had ze iets anders nodig. Ik zei steeds weer tegen haar dat ze uit Hereford weg moest gaan om opnieuw te beginnen, maar ze wilde haar moeder en Janet niet aan hun lot overlaten.

Ik haalde de Glock tevoorschijn en begon de loop schoon te maken met een borsteltje. Ik glimlachte bij de gedachte aan de vele keren dat ik Mong voor gek had versleten omdat hij geld naar zijn supermarktvrouw stuurde.

Toen ik in 2009 met een paar miljoen dollar van een corrupt bedrijf uit Rusland kwam en mijn flat in Londen kocht, was Tracy de eerste die ik schreef. Ik vertelde haar dat ik haar hypotheek zou aflossen, dan had ze tenminste een beetje zekerheid. Als ze het huis wilde verkopen, mocht ze wat mij betrof met de opbrengst doen wat ze maar wilde.

Ze schreef terug. Ze was erg blij dat ze eindelijk een adres van me had en zei dat ze mijn aanbod op prijs stelde, maar het geld niet wilde hebben. Haar moeder was zes maanden eerder overleden en ze had eindelijk mijn raad opgevolgd en een baan als kindermeisje in Zuid-Frankrijk genomen. Daar had ze een man ontmoet. Een Oekraïense man die Frank heette. Dat leek me een vreemde naam voor een Oekraïner, maar daar ging het niet om. Tracy was verliefd. Ze had het huis verkocht en was bij hem ingetrokken.

Ze gaf me geen adres, bedankte me alleen voor alles wat ik had gedaan. Ze schreef me dat het leven geweldig was en dat ze wenste dat ze mijn raad eerder had opgevolgd.

Ik was blij voor haar, maar de laatste alinea trof me. Ze bedankte me voor alles wat ik voor Mong had gedaan, ik was een echte vriend voor hem geweest, schreef ze. Ik had altijd op hem gepast. En zij zou ook altijd mijn vriendin zijn. Dat zou Mong zo hebben gewild.

Ik maakte de loop een beetje te heftig schoon. Ik voelde me weer net zoals toen ik de brief voor het eerst las. Dat ze al die ellende niet had hoeven doormaken als Mong in leven was gebleven. En hij zou in leven zijn gebleven als ik voet bij stuk had gehouden en hem geen toestemming had gegeven BB te helpen.

6

Twee Britten die ik daar al een paar keer eerder had gezien, kwamen de cafetaria binnen en bestelden espresso's. Ze deden me denken aan de tv-komieken Mitchell en Webb. Hun accenten waren bijna chic, zoals makelaars gaan praten wanneer ze een paar jaar in hun designer-Mini's hebben rondgereden om veel te dure huizen aan bekakte mensen te verkopen.

Hun haar was goed geknipt, maar er zat te veel gel in, en ze waren gladgeschoren. Ze droegen een spijkerbroek en overhemd van Armani, met manchetknopen in de vorm van rugbyballen. Je zag veel van dat soort kerels in Moskou, met veel geld om uit te geven en veel bloedmooie Svetlana's en Nadia's om hen daar voor een passend honorarium bij te helpen. Het waren sexpats. Ze zouden die avond ongetwijfeld terugkomen om naar de vrouwen te kijken die in kooien dansten en om drankjes te kopen bij de vrouwen die in bikini's liepen en wodkaflessen in heupholsters hadden.

Vrouwelijke expats kwamen ook aan hun trekken. Er waren genoeg Russische mannen die dezelfde diensten wilden verlenen. Dit was een stad met gelijke kansen.

Bedrijven die personeelsleden naar gevaarlijke landen stuurden, overlaadden hen vaak met allerlei toeslagen. Bankiersbonussen waren daar niets bij. Boven op hun gigantische salaris kregen ze een gratis flat, een premie voor werk in het buitenland en een onkostenvergoeding voor al hun uitgaven. Geen wonder dat geld voor hen aan betekenis verloor. Na een diner van duizend dollar in Café Pushkin gingen ze naar clubs als Gunslingers en bestelden daar wodka-tonics voor dertig dollar per glas. Vervolgens gingen ze op een bank zitten wachten tot de meisjes hen kwamen begroeten. Achter elke bank bevond zich een privékamer. Het menu op de tafel – in het Russisch, Japans en Engels – hielp je om te becijferen wat daarbinnen gebeurde: gemeenschap 30 minuten $500.

De volgende morgen, na ongeveer een halfuur slaap, verschenen ze allemaal op hun banken en advocatenkantoren. Tegen lunchtijd namen ze het eerste glas van de dag in de bar van het bedrijf of snoven ze een lijntje coke op hun bureau om hun zenuwen onder controle te krijgen.

Anna had een woord voor hun ziekte: anomie. 'Dat betekent de instorting van maatschappelijke normen en waarden, Nicholas. Omdat ze ver van huis zijn, vergeten ze hun persoonlijke waarden.'

Dat was nou net iets waar haar favoriete Russische schrijvers het altijd over hadden. Mijn nieuwe beste vriend Fjodor Dostojevski maakte er in elk geval in *Misdaad en straf* veel werk van. De hoofdpersoon probeerde een moord te rechtvaardigen door te zeggen dat hij geen mensen doodde maar een principe.

Nou, ze deden hun best maar. Waarom ook niet? Ik zat er niet mee. Ik ging gewoon door met mijn eigen leven en liet die grappenmakers doorgaan met dat van hen.

Mitchell, de weldoorvoede van de twee, met de scheiding opzij, keek mij aan. 'Jij bent een Brit, hè?'

Ik keek op van het wapen dat ik weer in elkaar zette. 'Ja.'

'Wij ook.'

Hij wees naar de Glock. 'We houden van die dingen. Is die van jezelf?'

Ik knikte.

'Ik heb je een paar keer zien schieten. We denken erover om dat ook te gaan doen; een paar Glocks kopen en daar wat lol mee trappen.'

Webb, langer, met vaalblond haar, concentreerde zich op de tv. Op Russia Today was de intro van het nieuws van tien uur te zien.

'Ja, dat zou niet gek zijn.'

'Wat doe je met het pistool? Heb je het thuis achter slot en grendel, of is het beter om het hier achter te laten? Is het een probleem om met een pistool door de stad te lopen?'

De RT-presentator was een onopvallende man met uitgedund haar en een bril zonder montuur. Het nieuwsoverzicht begon met Libië. Anna zou straks in beeld komen. Gaddafi had zijn eerste bombardementen op Benghazi laten uitvoeren. Het Westen had om een no-flyzone gevraagd en Rusland leunde achterover en kon er wel om lachen.

'Ik laat mijn wapen gewoon hier,' zei ik. 'Ik heb het thuis niet nodig. En ik wil niet dat het een gat in mijn zak brandt.'

Ik keek naar het scherm boven zijn hoofd. Anna praatte in haar microfoon, met een menigte scanderende Libiërs om haar heen.

Mitchell begreep de hint en wendde zich weer tot zijn vriend, die nu toekeek hoe Mong zich nog kwader op de Duitsers maakte. Ze gingen steeds verder met hun capriolen. Achter hen werd de rij toeristen die op hun beurt wachtten steeds langer.

7

Zoals altijd zag Anna er goed uit. Blijkbaar werkte de waterleiding in Benghazi weer. In het laatste mailtje dat ik van haar had gekregen, twee dagen geleden, had ze geschreven dat er geen water meer uit de kraan kwam en dat ze al een week haar haar niet had gewassen. Haar stukje van twee minuten was klaar. Ik zou later naar de volledige reportage kijken. Het nieuws van drie uur ging meer de diepte in.

Ik stopte mijn Glock in zijn foedraal en leverde hem in bij de wapenkamer. Ik vond het niet erg om mijn nieuwe Britse vrienden vaarwel te zeggen. Ik pakte mijn jas en ging naar buiten. Het was acht graden onder nul.

De Russische media lachten Groot-Brittannië steeds weer uit omdat het hele openbare leven stilviel zodra er maar één sneeuwvlokje was gevallen. Moskou had al meer dan veertig jaar geen winter zoals deze meegemaakt, maar de stad functioneerde nog steeds. De burgemeester had de situatie volledig in de hand. Hij had een leger van zesduizend sneeuwruimers gemobiliseerd.

De stad was bedekt met deprimerende grijze en zwarte drab, maar je kon overal komen. De Lada's en Mercedessen slipten een beetje en mensen gleden uit, maar verder ging alles gewoon door. Er werd niet veel gemopperd. Sommige mensen lieten hun auto gewoon staan tot de winter voorbij was. Ze namen de metro, net als ik.

Alleen het ijs dat van de daken viel was een probleem. De vorige dag waren twee kinderen ernstig gewond geraakt. In Sint-Petersburg waren de daken van een ziekenhuis en een supermarkt bezweken onder het gewicht van de sneeuw. Waarschijnlijk waren ze in de jaren tachtig gebouwd, toen Poetin daar burgemeester was en werk uitbesteedde aan de maffia.

Tenzij er een ijspegel was met mijn naam erop, was ik bestand tegen het weer. Ik droeg een North Face-parka met een grote capuchon die ik helemaal over mijn hoofd had getrokken. Ik keek de wereld in door een kringetje van vacht, een paar centimeter voor mijn gezicht. De capuchon was zo groot dat hij niet bewoog als ik mijn hoofd opzij draaide. Ik leek net Kenny uit *South Park*. Aan mijn voeten had ik een paar Dubarry's, laarzen van leer en gore-tex die helemaal hip waren in deze stad. Het leken net chique rubberlaarzen. Anna had me een paar cadeau gedaan voor mijn eerste winter in Moskou.

Volgens de burgemeester werd dit de laatste keer dat de stad ooit onder sneeuw te lijden had. Het grijze spul kwam zijn imago niet ten goede, en hij zou daar iets aan doen. Die jongen had meer geld tot zijn beschikking dan het bruto nationaal product van menige natie. Waarschijnlijk gaf hij op een dag meer uit dan de burgemeester van Londen in een jaar.

Hij had besloten de sneeuw uit de stad te verbannen. Hij zou investeren in hetzelfde programma dat de stad op alle belangrijke feestdagen gebruikte om ervoor te zorgen dat de burgers van Moskou geen regen op hun hoofd kregen. Had het ooit geregend op een 1 mei-parade? Nooit. De gemeente betaalde voor straaljagers die zilverjodide spoten op alle wolken die de kant van Moskou op kwamen, zodat die wolken hun regendruppels lieten vallen voordat ze de gang van zaken op het Rode Plein bedierven. Op 1 mei zou ik de Dubarry's niet nodig hebben.

Naast de grootste verzameling miljardairs op aarde waren er in Moskou ook enorm veel migranten, evenals miljoenen arme, oude, stervende en verslaafde mensen, en die hadden het beroerd. Ik kwam langs een rij sovjetbetonblokken waarin ze hun moeizame bestaan leidden.

Petroleumkacheltjes waren hun enige warmtebron, maar die gaven zoveel vocht af dat hun ramen nog steeds stijf bevroren waren aan de binnenkant, tenzij de bewoners het glas hadden verkocht en er multiplex voor in de plaats hadden gezet. In Poetins Rusland was iedereen ondernemer.

8

In de periode dat ik dacht dat ik doodging had ik mezelf ook beloofd dat ik de tijd zou nemen om 'te observeren', zoals Anna het noemde; om naar bomen en planten te kijken, door parken te wandelen, dat soort dingen. Telkens wanneer ik uit Gunslingers kwam, sloeg ik dan ook links af om door het Overwinningspark, Park Pobedy, te lopen, en wel over 'Jaren van Oorlog', het brede middenpad. Daarna nam ik de trolleybus naar huis.

Park Pobedy was nieuw. Het was pas voltooid na een tijd van fiasco's in het midden van de jaren negentig. Op Poklonnaia Gora, de heuvel waarop het park was aangelegd, had Napoleon gewacht tot hij de sleutels van de stad kreeg, toen zijn troepen Moskou in 1812 hadden omsingeld. Hij had vergeefs gewacht.

Het park was voltooid vlak voor de vijftigste gedenkdag van wat wij de Tweede Wereldoorlog en de Russen de Grote Patriottische Oorlog noemen. De Russen interesseerden zich niet erg voor wat er ergens anders was gebeurd. Dat was te begrijpen, want tussen 1941 en 1945 waren er meer Russen omgekomen dan alle andere geallieerden bij elkaar. En acht op de tien gesneuvelde Duitsers waren gedood door de Sovjets. In de westerse geschiedenisboeken raakten die kleine details altijd ondergesneeuwd.

'Jaren van Oorlog' had vijf terrassen, een voor elk jaar van de oorlog, en 1418 fonteinen, een voor elke dag. Ze werkten op dat moment niet, omdat alles bevroren was. Maar er waren kapellen, moskeeën, standbeelden, raketten, al dat soort dingen, en precies in het midden stond een groot protserig beeld van Nike, de godin van de overwinning. Ik vergat steeds Anna naar het Russische equivalent van '*Just do it*' te vragen.

Op Overwinningsdag, 9 mei, zou Anna me meenemen naar deze plek. Veteranen, overlevenden, jongeren: iedereen ging erheen. Ik verheugde me erop de dappere oudjes te zien. Ze zouden meer medailles dragen dan Gaddafi. En het zou niet regenen.

Ik was bijna bij de hoofdpoort aangekomen, mijn hoofd gebogen, snot uit mijn neus, handen in de zakken. Ik lette er goed op dat ik niet uitgleed over de ijzel. Plotseling verschenen de voorkant en de lichtmetalen velgen van een Range Rover in het beetje perifere zicht dat mijn capuchon toeliet.

'Hé, kerel, wil je een lift?' Het was de Brit uit Gunslingers, die ene zonder scheiding.

Ik draaide mijn hoofd opzij, maar mijn capuchon bleef waar hij was. Ik trok het bont opzij. De man die op de komiek Webb leek, zat achter het stuur van een witte Range Rover, die grijsgevlekt was door de drab van die dag.

'Waar ga je heen? We brengen je wel. Het is ijskoud.'

'Nee, laat maar, ik wil wat beweging.'

Ik draaide me om en liep door een fraaie ijzeren poort. De motor van de Range Rover maakte toeren achter me, maar in plaats van weg te rijden ging hij het park in. Hij reed me voorbij en stopte ongeveer drie meter voor me. Zelfs het nummerbord was onheilspellend. Het achterportier zwaaide open. Mitchell, in een grote zwarte Puffa-jas, maakte een gebaar om me te laten instappen. Maar hij glimlachte niet. 'Kom op, vriend. Het is hier veel warmer.'

Het raampje van de bestuurder was nog open, en ik zag dat Webb ook niet glimlachte.

Ik wilde me net weer omdraaien naar de hoofdingang, toen Mitchell met zijn wapen in de hand uitstapte. Blijkbaar nam hij wel zijn wapen mee naar huis. 'In-stap-pen. Nu!'

9

Ik draaide me naar hem om, mijn handen uit mijn zakken en tegen mijn borst, en concentreerde me op het wapen. Ik rook de uitlaatgassen van de koude motor en naderde het open portier tot op enkele stappen afstand. Toen ik me naar voren boog, rook ik het dure leer en voelde ik de verwarming.

Ik liet mijn linkerhand uitschieten en greep de bovenkant van Mitchells Glock vast. Ik drukte hem omlaag om buiten het schootsveld te komen en stompte met mijn rechterhand in zijn gezicht. Korte, snelle stoten, drie of vier snel achtereen. Het kon me niet schelen waar mijn vuist terechtkwam, als ik hem maar raakte.

Toen zijn hoofd met een ruk achteroverklapte, greep ik mijn kans. Ik vond de trekker van het wapen en draaide het om tot de loop op hem gericht was.

De Glock maakte een sprongetje in mijn hand toen het schot klonk. De man zakte in elkaar. Ik liet hem los, draaide me om en rende weg zo hard als ik kon, terug door de poort. Ik vloog de straat op, gleed uit over ijs aan de andere kant en smakte neer. Ik krabbelde overeind en ging meteen naar rechts, uit hun gezichts- en schootsveld. Ik rende door zonder achterom te kijken – dat zou met mijn capuchon ook niet mogelijk zijn geweest – en ging nog eens rechtsaf.

Ik was nu op een parallelweg. De damp spoot uit ventilatieroosters in de achtermuur van een fabrieksgebouw. Een rij kolossale industriële kliko's ging er bijna helemaal in op. Ik dook tussen twee van die containers, op driekwart van de rij, en deed mijn best om weer op adem te komen.

Webb was waarschijnlijk niet meteen achter me aan gekomen. Hij zou hebben gewacht tot hij Mitchell weer in de auto had. Zelfs als Mitchells lot hem koud liet, kon hij die kerel niet bloedend in de sneeuw van de Overwinningslaan achterlaten, want dan zou de politie zich er gauw mee bemoeien.

Met bonkend hart leunde ik tegen de muur. Nu ik niet meer rende, vrat de kou zich in mijn voeten. Maar ze waren tenminste droog; dat was het enige wat nu telde.

Ik keek steeds naar links en rechts om beide uitgangen van de parallel-weg in de gaten te houden. Algauw reed Webb langs het eind van de straat waar ik vandaan gekomen was. Nu zijn motor was opgewarmd, produceerde hij niet meer zoveel uitlaatgas.

Ik moest aannemen dat ze wisten waar ik woonde. En dus zat er voor mij niets anders op dan de confrontatie met hen aan te gaan. Ik moest uitzoeken wie ze waren en waarom ze me wilden hebben.

Het zag ernaar uit dat Dostojevski nog even moest wachten. Ik kon niet terug naar de flat of de schietbaan – of naar een andere locatie waar ze me kenden – totdat ik had uitgezocht wat er aan de hand was.

En als ik op het nummerbord van de Range Rover mocht afgaan, was er heel wat aan de hand.

10

In Moskou hebben de auto's van echte mensen witte nummerborden met zwarte letters. De Range Rover had rode borden met witte cijfers. Een diplomatiek nummerbord. Dat hoefde helemaal niets te betekenen. Je kon ze op de zwarte markt kopen: ze stelden je in staat om de Moskovische verkeersopstoppingen te mijden door over de speciale banen voor overheidsauto's te rijden.

Kerels met een rood nummerbord werden nooit aangehouden. Ongeveer een maand geleden had de politie een actie op touw gezet tegen het illegale gebruik van die borden. Ze hielden een echte diplomatieke auto aan, en de lijfwachten van de diplomaat sprongen eruit en overmeesterden hen. Ze drukten de agenten tegen de grond en namen hun wapens in beslag. Hoe konden zij weten of die politieagenten echt waren?

Maar zelfs wanneer de nummerborden op de Range Rover van de zwarte markt afkomstig waren, moest ik me zorgen maken. Die dingen kostten minstens 25.000 dollar, en nog meer als je er ook blauwe zwaailichten bij wilde hebben. Dat betekende dat degenen die achter me aan zaten niet alleen Glocks, maar ook geld hadden en dat was geen goed nieuws.

Ach wat. Als ik nu weg zou rennen ging ik alleen maar dood door ademnood, en zou ik nooit weten wat er aan de hand was.

Ik begon terug te lopen. Vroeg of laat zouden ze weer door die straat rijden. Ze zouden naar alle bekende adressen gaan: Gunslingers, misschien de flat. En dan zouden ze nog een tijdje rondrijden. Maar niet eeuwig. Mitchell zou medische behandeling nodig hebben, tenzij Webb het niet erg vond om hem te laten doodbloeden. En dus moesten ze mij zo gauw mogelijk vinden.

Toen ik weer op de grote weg was, had ik mijn capuchon nog op, maar er stak genoeg van mijn gezicht naar buiten om de dichtstbijzijnde minisupermarkt te zien. Daar waren er in Moskou nog meer van dan van Starbucks. Ze verkochten alles wat je maar zou willen hebben: sigaretten, alcohol, zwavelzuur om je verzakte afvoerbuizen te ontstoppen of petroleum om je warm te houden en je ruiten te laten ontdooien.

Ik zigzagde tussen het verkeer door en liep de Apricot Garden in. Er was nergens een stukje fruit te zien; ze hadden allemaal zulke namen: de Milky Way, de Cowboy's Stable, noem maar op.

De Russische versie van *X Factor* schetterde uit een tv boven de toonbank. Een oude vrouw die eruitzag alsof ze al voor de Koude Oorlog achter de kassa had gezeten, nam trekjes van een sigaret en keek hoe een jurylid de plaatselijke kandidaten op hun nummer zette.

Ik tuurde door de gangpaden en pakte toen een hamer en veel te dure petroleum in het soort plastic vijflitervat dat wij voor ruitenwisservloeistof zouden gebruiken.

Toen ik bij de toonbank aankwam, sprak Simon net zijn vonnis uit en barstte de zangeres in tranen uit. Er waren een stuk of tien merken sigaretten te krijgen, van Lucky Strike en Marlboro tot Leningrad en CCCP. De Russische merken zaten in no-nonsenseverpakkingen met grote letters, bestemd voor mensen die nog steeds de tijd van vroeger misten. Ik interesseerde me voor de aanstekers die ernaast lagen.

Ik bromde en wees. Ze pakte mijn roebels op zonder haar blik van het scherm weg te nemen.

Ik liep terug naar de kliko's, legde mijn nieuwe aankopen neer en maakte de wielen van de laatste van de rij los. Ik schroefde het deksel van het petroleumvat, drukte met mijn duim tegen de afsluiting totdat die brak en liet het vat toen op de grond staan.

Ik liep terug naar de hoek en keek onzeker om me heen, alsof ik wachtte tot iemand me kwam oppikken. Ik keek nog eens achter me. Ze konden zo met hun wagen op de parallelweg komen. Geen probleem.

11

Ik hoefde niet lang te wachten. De Range Rover reed nu veel harder. Webb zat nog achter het stuur. Hij zag me en zijn mond bewoog zich druk achter de voorruit.

Net voorbij de parallelweg trapte hij op de rem; de wielen slipten door de drab. Mitchell werd overeind gegooid vanaf de achterbank en ik zag hem een geluidloze kreet van pijn slaken. Toen draaide ik me om en rende over de parallelweg, waarbij ik mijn best deed om op een kip zonder kop te lijken. Ik stak de aansteker tussen mijn tanden.

De Range Rover reed met grote snelheid achteruit. Ik hoorde de motor bulderen toen hij door de smalle ruimte vloog. Ik kwam bij de kliko's aan, gleed achter de laatste, met mijn rug tegen de muur, en drukte er met beide armen en mijn rechtervoet tegenaan. De bak viel om, recht voor de naderende Range Rover.

Er was een vuilwitte flits te zien toen Webb op de rem ging staan, maar hij was te laat. Metaal gierde over metaal en de kliko kletterde over de weg.

De airbags in de Range Rover sprongen open.

Ik nam de hamer in mijn rechter- en het petroleumvat in mijn linkerhand.

Webb probeerde uit de Range Rover te komen, maar zijn portier klapte tegen de muur. Hij had geen ruimte om uit te stappen. Voordat ze de kans kregen weg te rijden, sloeg ik met de hamer tegen de linkerbenedenhoek van het achterraam aan de passagierskant. Er sprong een ster in het veiligheidsglas en toen verbrijzelde het.

Uit de auto kwamen kreten van woede en pijn. Ik duwde het petroleumvat tegen het frame van het raam en drukte er met mijn rechteronderarm op. Enkele seconden kwam er een fijne nevel uit, en toen begaf de rest van de afsluiting het en gutste de vloeistof de auto in. De dampen brandden in mijn neusgaten en konden voor hen ook geen aangename ervaring zijn.

Ik liet het vat vallen en stak mijn linkervuist door de opening, de aansteker in de aanslag, mijn duim op het wieltje.

'Laat me jullie handen zien!'

De boodschap drong luid en duidelijk tot hen door. Webb legde zijn handen op het stuur. Hij keek niet blij. 'Je hebt het verknald, Stone. Hou nou maar op.'

'Wie zijn jullie? Wat willen jullie van mij?'

Ik kreeg geen antwoord. Misschien klonk ik niet gek genoeg.

Ik praatte nog meer op ze in. 'Wat willen jullie, verdomme? Zeg het of ik steek de boel in de fik. *Zeg het – zeg het nu!*'

Ik keek omlaag. De benzine had zich mooi vermengd met Mitchells bloed op het lichtbruine leer. Zijn been was een ravage.

Ik hoorde gierende remmen en een brullende motor vanaf de andere kant van de parallelweg op ons afkomen. Nog een Range Rover. Nummer twee. Zwart met een blauw zwaailicht op de bestuurderskant van het dak. Meer tijd had ik niet om iets tot me te laten doordringen. Ik draaide me om en rende de andere kant op.

Ik hoorde geen kreten, geen bevelen om te blijven staan, geen schoten. Ik rende door.

Toen explodeerde mijn hoofd. Ik zakte als een plumpudding in elkaar. Mijn benen bewogen alsof ik nog rende, maar ik wist dat ik nergens heen ging. Handen grepen me vast en trokken me met mijn gezicht over de hamer waarmee ik was neergeslagen.

12

Even later zat ik op de achterbank van de onbeschadigde Range Rover. Mijn handen waren met tie-wraps aan mijn enkels bevestigd. Ik liet mijn voorhoofd op de leren bekleding van de rugleuning voor me zakken om de druk op mijn polsen te verlichten.

Mijn schedel was hersteld van de eerste pijn van de hamerslag, maar ik wist dat ik de rest van de dag een verschrikkelijke hoofdpijn zou hebben. Ik hoopte alleen dat het geen fractuur was en dat ik de gelegenheid zou krijgen iets aan de wond te doen. Ik voelde geen vochtigheid, maar ik wist dat er een wond moest zijn. Misschien had mijn parka het bloed opgenomen voordat het mijn hals bereikte.

Beide Range Rovers reden achteruit de parallelweg af. De bestuurder van de mijne was een grote oude Nigeriaanse kerel in een blauwe Puffa-jas. Er zaten blauwe en rode kraaltjes aan zijn vlechtjes en hij had uitslag van het scheren onder zijn kin. De man naast hem leek net Dzjengis Khan. Hij moest wel regelrecht van de steppen komen. Hij keek steeds achterom om te checken of zijn passagier niet probeerde te ontsnappen. Alsof ik ver zou komen.

Het blauwe licht begon te flikkeren. Ik zag de weerspiegeling in etalage-ruiten toen we over de hoofdweg reden. We gingen de stad uit.

Ik schrok. Het kon die kerels niet schelen wat ik zag of hoorde, en dat was niet gunstig: misschien wisten ze dat ik nooit de kans zou krijgen het verder te vertellen.

Ik keek op het dashboardklokje: 11.17 uur. Ik probeerde op de snelheids-meter te kijken, maar de Puffa-jas van de bestuurder zat ervoor. Het navi-gatiesysteem lichtte op, maar dat was in het Russisch. Ik kon alleen zien in welke richting we reden.

Dzjengis had zijn telefoon in zijn hand. Hij luisterde naar iemand, bromde nu en dan bevestigend, en klapte het apparaatje toen dicht. Deze auto's waren gloednieuw. De witte mocht zijn weelderige showroomgeur dan hebben verloren, de warmte en luxe van deze gaven me bijna het gevoel dat ik veilig was.

Ik gaf iedereen de tijd om tot rust te komen voordat ik probeerde contact te leggen. Ik wist niet eens of die kerels Engels spraken.

'Dat kleine mannetje... gaat het goed met hem? Hij neemt het me toch niet kwalijk? Ik...'

Met geritsel van zijn nylon jasje draaide Dzjengis zich om. Hij legde zijn wijsvinger op zijn lippen om me tot stilte te manen, alsof ik een kind was. Ik knikte, liet mijn voorhoofd weer tegen de rugleuning zakken en keek aandachtig naar de vloerbedekking.

Het had geen enkele zin om te proberen een gesprek met die kerels te beginnen. Ze waren alleen maar de aapjes, en als de orgeldraaier wilde dat ik dood was, zou ik dat nu al zijn geweest. Dan hadden ze dat op de parallelweg gedaan, toen ik nog versuft was van de klap met de hamer. Maar waarom hadden ze me hun gezicht laten zien? En waarom waren ze niet kwaad omdat ik hun collega had neergeschoten?

Ik bracht mijn hoofd omhoog en ving weer een glimp op van het navigatiesysteem. We reden nog naar het westen, maar bleven bij de M1, de snelweg, vandaan. De buitenwijken van Moskou doemden op. De media stonden er vol van, de gebruikelijke klachten over bossen waar grote gaten in werden geslagen om plaats te maken voor dure omheinde woonwijken met namen als Navaho en Chelsea.

Er stonden nu bomen langs de weg. De gaten in het wegdek werden steeds verraderlijker.

13

Een uur en zevenentwintig minuten later namen we een afslag naar een dorp. Ik had de grootste moeite om niet alle kanten op te stuiteren tussen de achterbank en de rugleuning. De pijn onder in mijn rug was zo langzamerhand even erg als die in mijn nek.

Dzjengis haalde zijn mobieltje weer tevoorschijn.

Dit was niet Navaho of Chelsea. De huizen waren van hout en straalden geschiedenis uit. Enorme datsja's, drie verdiepingen hoog en met kolossale, overhangende daken, stonden achter hoge muren. Dit waren de weekendhuizen van rijke Moskovieten, gebouwd in de tijd van de tsaar. Bandensporen leidden naar de oprijlanen. Er waren nergens voetgangers. De rijken hoefden niet te lopen en hun sneeuw was maagdelijk wit.

We reden door een gigantische poort, die uit twee langzaam opengaande houten deuren bestond. Ik zag cederhouten shingles op een steil dak. Er kolkte damp uit moderne verwarmingsroosters aan de zijkant van het oude gebouw. Het leek wel iets uit een spionageverhaal. Dat gold trouwens voor het hele dorp.

De Range Rover knerpte door de sneeuw langs de datsja. Een speelplaats, tuinen en een zwembad werden omringd door enorme bomen, alles bedekt met sneeuw. Er zaten kleine handgrepen langs de rand van het zwembad om je uit het water te helpen. We reden naar de achterkant van het huis en stopten achter een andere Range Rover met rode nummerborden. Dzjengis sprong uit de auto en haalde een twintig centimeter lang mes uit een schede op zijn heup. Mijn portier ging open. Het mes flikkerde in het zonlicht en de plastic boeien boden nauwelijks weerstand. Toen ik rechtop ging staan, wees Dzjengis met de punt van zijn mes naar de houten veranda.

De kou sloeg me in mijn gezicht toen ik de drie treden op ging. Kraaien krasten in een veld aan de andere kant van de bomen. Ik betastte de zwelling op mijn achterhoofd. De huid was gescheurd, maar de wond was opgedroogd door de warmte in de Range Rover.

Vanaf de veranda leidden drie deuren het huis in: een hordeur voor de zomer, gevolgd door een monster met driedubbel glas en een aluminium kozijn, en ten slotte de met de hand bewerkte oorspronkelijke houten deur.

Ik kwam in een grote, glanzende moderne keuken, een en al wit marmer en roestvrij staal. Het contrast met de buitenwereld had niet dramatischer kunnen zijn. Ik stond op een glimmende stenen vloer en de zoete geur van Russische reinigingsmiddelen, een intense mengeling van rozenparfum en bleekmiddel, belaagde mijn neusgaten. Het was er zelfs nog warmer dan het in de Range Rover was geweest.

Een kleine man van achter in de veertig zat tegenover me aan een witte marmeren tafel. Zijn haar was naar achteren gekamd, een zweem van grijs op de slapen. Hij was verdiept in een Russische krant, waarvan de voorpagina door de kernramp in Fukushima in beslag werd genomen. 'Koffie?' Zonder op te kijken wees hij naar een cappuccinoapparaat ter groote van een kernreactor. 'Ga je gang en kom hier bij me zitten.'

Hij droeg een zwarte broek die bij een pak hoorde, glanzende zwarte leren schoenen, een grijs overhemd en een trui met V-hals. Aan de wand achter hem hing een wit magnetisch bord met foto's en allerlei gebruikelijke familiedingen. Eronder stond een schaalmodel van een rode Ferrari met elektrische motor. Daarnaast een tupperwarebakje met alle mogelijke wedstrijdballen. Het cappuccinoapparaat stond naast een witte marmeren gootsteen die groot genoeg was om er een lijk in te ontleden.

'Rustig maar, Nick. Niemand zal ons storen en je verkeert niet in gevaar. Ik wil alleen met je praten.' Hij sprak nauwkeurig Engels, maar er zaten verrassend veel keelklanken in zijn accent. Hij klonk als een Hollywoodversie van een Russische agent uit de Koude Oorlog.

'Alsjeblieft.' Hij knikte weer naar een tiental gelijke blauwe mokken die op het smetteloze werkblad op een rij stonden. 'Neem wat je lekker vindt en kom dan hier zitten.'

Ik was niet van plan een kop koffie te weigeren. Het kon weleens mijn laatste voor een hele tijd zijn. Ik deed er suiker in voor het geval ik binnenkort extra energie nodig zou hebben. Toen pakte ik de glimmende glazen kan van de warmhoudplaat en schonk een royale hoeveelheid koffie in de mok.

'Weet je waar je bent, Nick?'

Ik pakte de koffiemelk. 'Geen flauw idee.'

'Peredelkino. Een heel mooie plaats met veel geschiedenis. Het staat bekend als het dorp van de schrijvers. Veel beroemde Russen hebben hier gewoond, Russen die de wereld hebben veranderd met hun woorden en hun wijsheid. Heb je bewondering voor onze grote Russische schrijvers, Nick?'

Ik roerde de melk door mijn koffie. Er zat zoveel suiker in dat ik de lepel er rechtop in kon zetten. 'Ik lees ze wanneer ik kan.'

'Tarkovski? Pasternak? Fadejev?'

Ik trok mijn wenkbrauwen op. Ik wist dat hij me voor de gek hield. 'Die kerel die zei dat Stalin de grootste mensenvriend was die de wereld ooit heeft gekend? Een goede schrijver, maar ik heb mijn twijfels over zijn karakter. Jij ook?'

Het kon me niet schelen wat hij dacht, maar het deed me goed dat hij nu meer rechtop ging zitten en aandachtig naar me keek.

'Iedereen heeft hooggeplaatste vrienden nodig, Nick.' Hij maakte een gebaar naar het grote raam. 'Al die grote schrijvers hadden hier een datsja, weet je. Ze zijn hier ook begraven. Peredelkino komt voor in een roman van Le Carré: *Het Rusland Huis*.'

Ik was klaar met roeren. 'O ja?'

'Er zit veel geschiedenis in deze datsja's. Als die eens oren hadden...' Er kwam een gedachte bij hem op. 'Misschien hádden sommige in de sovjet-tijd wel oren, nietwaar?'

Het driedubbele glas van het raam vervormde het uitzicht enigszins, maar ik wist dat als ik ervandoor moest gaan ik de deur zou nemen waar-door ik was binnengekomen en dan recht op de schommels en de glijbaan zou afrennen. En daarna tussen de bomen door, al wist ik niet wat er aan de andere kant was. Ik zou een kijkje nemen bij de kraaien.

De kleine man bladerde met één hand zijn krant door en gaf me met zijn andere hand te kennen dat ik tegenover hem moest gaan zitten.

'Wat lees je op dit moment, Nick?'

'Dostojevski.' Ik keek hem met mijn beste pokergezicht aan. '*Misdaad en straf*. Maar ik heb het gevoel dat ik het voorlopig niet uit krijg.'

'Als je het uit hebt, zul je kennis en inzicht hebben verworven. Ik ben pas op latere leeftijd boeken gaan lezen, maar...' Hij sloot de krant en bracht zijn handen omhoog. 'Zoals we allemaal weten, Nick, is kennis – wat voor kennis dan ook – macht.'

Ik zat daar met de koffie. Hij speelde met me, genoot van deze ogenblikken, al liet hij dat niet blijken. Er trok nog geen zweem van een glimlach over zijn gezicht. Hij was net Arnold Schwarzenegger als Terminator.

'Bedankt voor de tip. Maar wordt het geen tijd dat je je voorstelt? En me vertelt wat je wilt?'

Hij wuifde mijn vragen weg. 'Hoe gaat het met Anna? Bevalt het haar in Noord-Afrika? Ik kijk elke dag naar haar. Het is daar wel een beetje war-mer, geloof ik.'

Als hij indruk op me probeerde te maken, was hij daarin geslaagd.

Ik zette mijn mok op het witte marmer neer. 'Verkeert ze in moeilijkhe-den?' Ik sprak met kalme stem. Het had geen zin dat ik me opwond. Ik zou het antwoord gauw genoeg te horen krijgen.

'Dit gaat niet over Anna, Nick. Nee, dit gaat over een van je andere vrou-wen.'

Mijn hoofd bonkte. Ik begon me flink te ergeren. Als hij me kwaad wilde doen of me iets wilde aanbieden – eigenlijk kon het me niet schelen wat het werd – wilde ik dat hij opschoot.

Hij schoof zijn stoel achteruit, draaide zich om en pakte een van de foto's van het magnetische bord. Met zijn gemanicuurde hand draaide hij de foto naar me toe. Toen leunde hij achterover en schiep daarmee enige afstand tussen zichzelf en de tafel.

Een vrouw en een jongetje knuffelden elkaar op een van de schommels in de tuin.

Ze had de kleur van haar haar veranderd; het had nu blonde highlights, en het was veel langer, tot een heel eind over haar schouders.

'Ze is nog steeds mooi.'

Hij knikte. 'Natuurlijk. En je hebt haar man gekend. Die heb je goed gekend. Hoe heette hij?'

'Montgomery. We noemden hem Mong.'

Hij knikte tevreden.

'Dus jij bent Frank.'

'Francis. Maar totdat we elkaar beter leren kennen, mag jij me meneer Timis noemen.'

'Niet erg Oekraïens.'

'Die naam stelt westerlingen op hun gemak.'

'Wat is er met Tracy gebeurd? Gaat het goed met haar? Of gaat het om de jongen?'

'Stefan.'

'Je zoon?'

'Ja, hij is mijn zoon. Kijk nog eens goed, dan zie je het.'

Ik keek. De ogen van de jongen waren op de camera gericht alsof hij hem ondervroeg. Het enige verschil tussen vader en zoon was de grijns op het gezicht van de jongen. Waarschijnlijk hoopte Frank dat die glimlach over een paar jaar zou zijn verdwenen en dat Stefan echt de zoon van zijn vader zou zijn.

Opeens kwam er een gloed in zijn ogen en ik wist dat het speelkwartier voorbij was. 'Ik heb een probleem. Ik heb je hulp nodig. Iemand heeft ze van me gestolen. En ik wil dat je ze terughaalt.'

14

'Heb je van ze gehoord? Heeft iemand contact met je opgenomen?'

Hij boog zich naar voren en bleef me aankijken. Hij was nog steeds opmerkelijk kalm, zelfs voor een machine. Dat was waarschijnlijk de reden waarom hij degene was geworden die hij was, wat dat ook mocht zijn. 'Nee. Als ze dat hadden gedaan, had ik jou niet nodig gehad.'

Ik wees naar de wond op mijn achterhoofd. 'Is dit jullie idee van een gouden handdruk? Ik had wel dood kunnen zijn. En die kerel die op je autozitting heeft gebloed trouwens ook.'

Frank keek me met een ijzig gezicht aan. 'Ik moest weten of je... capabel bent. Ik weet alleen wat je vroeger deed, niet of je het nog kunt. Of je het klappen van de zweep nog kent.'

Nog steeds kwam er geen glimlach op zijn gezicht. Toen de genen voor emotie werden uitgedeeld, stond meneer Timis achteraan in de rij.

'Hoe zit het dan met de kerel die ik heb neergeschoten? Is voor hem de tijd voorbij dat hij met de zweep klapt?'

'Hij krijgt een goed leven. Als hij dronken is, kan hij vertellen hoe hij vijf moordenaars van zich af heeft geslagen. Met het geld dat ik hem ga betalen, zullen de vrouwen aan zijn lippen hangen. Je hebt hem een heel grote dienst bewezen.' Hij maakte een laatdunkend gebaar. 'Maak je geen zorgen over hem. Maak je in plaats daarvan zorgen over mijn zoon en zijn moeder. Je hebt bepaalde verantwoordelijkheden ten opzichte van haar. Of heeft ze tegen me gelogen? Dit is niet alleen iets persoonlijks voor mij, Nick, maar ook voor jou, nietwaar?'

Ik nam een slok van de koffie en knikte hem toe. 'Wat weet je?'

'Alleen dat ze vier dagen geleden zijn ontvoerd, samen met hun lijfwacht. De piraten hebben het jacht ongeveer honderd kilometer ten westen van de Seychellen aangevallen. Ik betaal ze wat ze maar willen, Nick. Vind ze en sluit een overeenkomst met ze.'

Nog maar twee dagen geleden waren vier Amerikanen op hun jacht om het leven gekomen tijdens een mislukte reddingsoperatie, nadat ze bij de Hoorn van Afrika door piraten waren overvallen. In Zuidoost-Azië zou dat heel gewoon zijn geweest. Daar werden de bemanning en de passagiers gedood en overboord gegooid; het ging de piraten om de schepen en hun inhoud. Maar voor Somaliërs was dit nogal onverwacht gedrag; voor hen waren juist de mensen de buit.

Ik wist niet of Frank van de dood van de Amerikanen wist, maar ik zou in elk geval voorzichtig moeten omspringen met de verwachtingen die hij koesterde. Op dit moment waren die verwachtingen blijkbaar nogal hooggespannen, vooral wanneer je bedacht dat hij niets wist van wat er was gebeurd.

'Weet je zeker dat niemand contact met je heeft opgenomen, ook niet indirect?'

'Niemand.'

'Hoe weet je dan dat het jacht is gekaapt?'

'De bemanning is eruit gezet. Het jacht is meegenomen met hen drieën nog aan boord. De bemanning is vanmorgen in Moskou aangekomen. Je kunt met ze praten als we hier klaar zijn.'

'Die lijfwacht, is hij goed?'

'Hij is Brits, net als jij. Hij zal doen wat hij kan. Dat weet ik. Maar wanneer dit alles voorbij is, heb ik hem niet meer nodig. Stefan en zijn moeder... Ik wil ze terug. Het kan me niet schelen wat het kost.'

Ik keek weer naar de foto. 'Dit is misschien niet zo'n duidelijke zaak als je denkt. Als je betaalt wat de piraten vragen, breng je moeder en kind misschien in nog groter gevaar. Als je niet onderhandelt, denken ze dat je bulkt van het geld. Dan pakken ze je geld aan en verkopen ze hen aan een andere clan en begint het allemaal van voor af aan. Of misschien gaan rivaliserende clans om hen vechten. In al die gevallen zie je ze nooit meer terug.'

'Geld doet wonderen, Nick. Als...'

'Er is een protocol. Als je je daaraan houdt, is er een kans dat je ze terugkrijgt. Begrijp je dat?'

'Natuurlijk. Daarom ben jij hier.'

'Je moet ervan uitgaan dat ze dood zijn. Maak in je hoofd alvast plannen voor hun uitvaart. Al het andere is mooi meegenomen. Begrijp je dat ook?'

Hij knikte.

'Goed. Nogmaals: heeft niemand contact met je opgenomen? Heeft niemand een boodschap laten doorgeven? Heeft de bemanning geen telefoonnummer meegekregen?'

Hij schudde zijn hoofd.

Misschien had Frank nog niets gehoord omdat ze dood waren. Of misschien was de lijfwacht zo slim hem niet als contactpersoon te noemen.

'Waarom ik? Waarom speel je dit niet via je verzekeringsmaatschappij? Daar hebben ze mensen die alle dagen dit soort dingen doen. Of waarom schakel je je netwerk niet in? Zoals je al zei: kennis is macht. Aan de rode nummerborden op je auto's te zien heb jij beide. Waarom ben je naar mij toe gekomen?'

Hij haalde zijn schouders op. 'Ik heb zo mijn redenen. Ik zal je extreem goed betalen. Maar daar kunnen we later over praten. Tracy heeft respect voor jou, Nick. Ik denk dat ze misschien zelfs van je houdt. Je bent een goede vriend voor haar geweest, niet alleen voor haar man. Je zult haar toch niet teleurstellen?'

Hij bleef me strak aankijken en wees met zijn vinger. 'Je zult doen wat je het beste kunt. En dat zul je doen voor iemand om wie je geeft. Wat zou beter kunnen zijn voor iemands ziel? Lees eens een paar van de boeken die in dit dorp geschreven zijn, Nick, dan begrijp je waar ik het over heb.'

Ik nam weer een slok koffie. Die was niet heet meer, maar smaakte nog goed. 'Ik moet proberen contact te leggen. Zodra dat is gelukt, praten we verder. Het heeft geen zin om over iets anders te praten zolang we niet weten of ze nog in leven zijn.'

Hij knikte weer. Langzaam.

'Verwacht er niet te veel van.'

Hij haalde zijn kaartje uit het borstzakje van zijn overhemd. Daar stond alleen een mobiel nummer op. 'Bel me wanneer je maar wilt. Geef dit niet aan iemand anders. Onthoud het nummer en vernietig het kaartje.' Hij had die gloed weer in zijn ogen. 'Ik ben heel erg op mijn privacy gesteld.'

Het kaartje verdween in de zak van mijn spijkerbroek.

'Je moet een flat voor me kopen, ergens in de buurt van Londen. Niet meer dan 150.000 pond. Op mijn volledige naam. Die ken je natuurlijk.'

Hij trok zijn wenkbrauwen op. 'Waarom?'

Ik wist dat hij dat niet wilde weten vanwege het geld. 'Daar kom je wel achter als ze nog in leven zijn. Maar ze komen alleen vrij wanneer je precies doet wat ik zeg.'

Buiten de datsja was het geluid van een auto te horen. De Range Rover die tegen de kliko was opgereden, kwam in zicht en Webb stapte uit.

Frank boog zich over de tafel en keek me strak aan. 'Ik wil mijn zoon en zijn moeder hier terug hebben. Wat het ook kost.'

Ik nam een laatste slok koffie en slikte. Ten slotte knikte ik.

Ik kon niet nagaan of hij blij was met mijn beslissing. Hij leunde achterover. 'De bemanning wacht op je.'

Ik wees naar het aanrecht. 'Geef me alleen even de tijd om mijn hoofd schoon te maken.'

15

Ik hield mijn capuchon op toen we de luxueuze hal van het Ararat Park Hyatt betraden. Het was een buitengewoon weelderig hotel en de directie zou ongetwijfeld over de bijbehorende surveillanceapparatuur beschikken.

Toen we naar de liften liepen, keek ik niet veel om me heen, maar het weinige dat ik van het glanzende staal en het marmeren atrium te zien kreeg maakte me duidelijk dat Frank Timis goed voor zijn mensen zorgde. De goedkoopste kamer zou ongeveer zeshonderd dollar kosten, en niet alleen vanwege de architectuur. De Neglinnayastraat lag in het hart van de stad, op een steenworp afstand van het Rode Plein, het Kremlin, de Sint Basiliuskathedraal en het Bolsjoitheater. Onroerend goed zou hier miljoenen roebels per vierkante meter kosten. We waren in de wereld van de oligarchen.

Het enige waar mijn capuchon me niet voor afschermde, was de geur. Het rook weer naar rozen en bleekmiddel. Misschien hing die geur echt overal, of misschien zat hij in mijn hoofd.

Tijdens de rit terug naar de stad was even weinig gesproken als op de heenweg. We volgden dezelfde route. Ditmaal reed Dzjengis. De Nigeriaan zat naast hem. Hij was voortdurend aan het bellen. Hij praatte in het Russisch.

Dat kwam me wel goed uit. Ik wist nog niet wat ik aan Frank had. Ik wist niet genoeg van hem af om een oordeel over hem te kunnen vellen, en ik kende de situatie ook niet goed genoeg. Ik wist alleen dat het iets met Tracy te maken had, en daarom was ik daar.

In de futuristische glazen lift drukte de Nigeriaan op de knop van de vierde verdieping. We vlogen omhoog terwijl de wereld beneden in weelderige sofa's koffie zat te drinken. Het mobieltje kwam geen moment bij zijn oor vandaan. Blijkbaar praatte hij met een vrouw. Dat was te horen aan zijn zoetvloeiende stem.

Hij klopte niet aan toen we bij kamer 419 kwamen. De deur stond op een kier. Met enkele soepele woorden nam hij afscheid van zijn vriendin en liep recht de kamer in. Nog meer luxe van minstens vijf sterren. De wanden waren roomwit. Het hoogpolige tapijt had de kleur van gebleekt zand.

De meubelen waren van massief notenhout. Elektrische gordijnen. Een belachelijk grote widescreen-tv van Bang & Olufsen en een minibar die nog groter was dan het cappuccinoapparaat van meneer Timis.

Er stonden twee banken. Op elk daarvan zaten twee mannen. Een vijfde, de jongste, zat op een onopgemaakt kingsizebed. Ze hadden allemaal een gloednieuw trainingspak aan. Hun gezichten waren rood en vlekkerig van de zon en ze rookten allemaal een sigaret. Er stond zoveel rook in de kamer dat je de bordjes met NIET ROKEN niet eens meer kon zien.

Ze keken me argwanend aan, alsof ik een politieman was die hen allen van moord verdacht en aan een zwaar verhoor zou onderwerpen. Misschien kwam het door de omgeving. Het gebeurde niet vaak dat bemanningsleden in een suite van twaalfhonderd dollar per nacht in het Ararat Park Hyatt logeerden.

De Nigeriaan nam niet eens de moeite hen te begroeten. Hij toetste opnieuw een nummer in en ging in een van de fauteuils zitten die aan weerskanten van een kleine salontafel stonden, naast het raam met driedubbel glas.

De oudste van de bemanningsleden stond op. 'Ik ben Rudy.' Hij stak zijn hand uit. Hij was begin vijftig, met strak grijs haar en een baard. 'Ik ben de kapitein.'

Hij wilde de anderen aan me voorstellen.

'Daar hebben we geen tijd voor,' zei ik. 'Laten we beginnen.'

Ik gooide mijn parka op de fauteuil tegenover Casanova en trok het gordijn open. Ik keek nu vanuit de voorkant van het hotel naar buiten. De daken van Moskou waren bedekt met sneeuw. Het leek net een stilstaand beeld uit *Doctor Zhivago*. De uivormige koepels van het Kremlin waren zo dichtbij dat we Poetin hadden kunnen zien als hij op dat moment aan het gewichtheffen was geweest.

Casanova was niet onder de indruk van het uitzicht. Hij keek de kamer in, zijn blik recht op de bemanningsleden gericht. Hij had net misschien wel lieve woordjes in zijn telefoon gefluisterd, maar nu wilde hij de mannen laten weten dat geen enkel woord van hen hem zou ontgaan.

Beneden mij stond de Range Rover geparkeerd. Hij stond vooraan in een rij van zes auto's direct buiten de hotelingang. Dzjengis leverde zijn bijdrage aan de smog van Moskou door de motor te laten draaien. Een Audi-stationcar, ongeveer vier auto's verder, deed hetzelfde. Er waren twee halvemanen op de vuile voorruit ontstaan. Ze waren dus met twee auto's. Ik keek langer naar buiten dan nodig was.

Casanova klapte zijn mobieltje dicht. Bleef hij of ging hij weg?

Ik had het gevoel dat de bemanning graag zou willen dat hij wegging. De sfeer tussen hen was om te snijden en stond in groot contrast met de comfortabele wereld van hoofdborden die met suède waren bekleed en lakens van Egyptisch katoen.

Casanova bewoog geen centimeter.
'Spreekt iemand anders Engels?'
'Ik.'
Ik draaide me weer om naar de kamer.

16

Het was eigenlijk nog maar een jongen, hooguit begin twintig. Zijn neus was aan het vervellen. Hij keek nog nerveuzer dan Rudy, misschien omdat hij helemaal onderaan in de voedselketen stond en het enige andere bemanningslid was met wie ik kon praten. Er was duidelijk iets mis met dit hele stel.

'Een beetje,' voegde hij eraan toe. Hij had het soort Amerikaans accent dat buitenlanders oppikken van *Friends*.

'Je weet dat ik hier ben om te helpen, nietwaar? Ik probeer hen drieën terug te krijgen. Niets meer dan dat.'

De jongen knikte me min of meer toe. Hij ging weer op het bed zitten, maar hij was ongeveer zo ontspannen als een strak staande ijzerdraad.

Rudy zag eruit alsof hij over een paar jaar een serieuze kandidaat zou zijn voor de baan van kapitein Iglo, maar op dat moment was de glimlach onder zijn korte baard zo strak dat ik dacht dat er barsten in zijn gezicht zouden springen.

'Nou, wat is er gebeurd, Rudy?'

'We werden aangevallen door Somaliërs. Het was zo ver van de Afrikaanse kust dat ik nooit had gedacht...' Hij stond nog. Zijn blik ging onwillekeurig in de richting van Casanova.

'Oké, je hoeft voor mij niet te blijven staan. Ga verder.'

Hij ging op het bed zitten.

'De *Maria Feodorovna*...'

'Het jacht?'

'Ja.'

'Wat voor boot is het? Een motorjacht? Een zeilboot?'

'Motorjacht. Veertig meter. We voeren daar wat rond, en toen kwamen er opeens aan bakboord twee kleine bootjes op ons af.'

De andere bemanningsleden namen trekjes van hun sigaretten en hielden hun ogen neergeslagen. Ofwel de vloerbedekking was interessant, ofwel ze wilden niet dat ik iets van hun gezicht kon aflezen.

'Ze voeren heel snel: twee motoren van 75 pk op de achterkant. Ik wist al dat het piraten waren voordat ze aanvielen. Kleine bootjes zo ver uit de kust. Het moesten wel piraten zijn. We maakten snelheid en probeerden van richting te veranderen, zodat het moeilijker voor ze werd om aan boord te komen. Ik riep om Jez en...'

'De lijfwacht?'

Rudy keek vlug weer even naar Casanova. Geen van de anderen bewoog, maar ik wist dat ze er al moeite mee hadden dat de naam van de lijfwacht viel.

'Ja, ja. Hij kwam aan dek, en hij keek, en toen ging hij met Stefan en Madame naar beneden.'

'Waar bracht hij ze heen? Was er een soort paniekkamer? Was hij gewapend, waren er wapens in het jacht?'

Hij schudde zijn hoofd. 'Ze gingen naar de hoofdcabine. Hij zei tegen mij dat ik meer snelheid moest maken. Ik deed mijn best, maar we konden ze niet voor blijven. Ze schoten een raket voor onze boeg langs. Toen richtten ze de raketwerper op de brug. Ik had geen keus. Ik moest de motoren uitzetten. Het andere bootje zat dicht achter ons. Ze hadden enterhaken.'

Ik stak mijn hand op. 'Maar hadden jullie wapens? Heeft de lijfwacht het tegen ze opgenomen?'

De jongen mengde zich erin: 'Als we wapens hadden gehad, had ik ze allemaal doodgeschoten.'

Rudy gaf hem met een felle blik te kennen dat hij zijn mond moest houden. 'Ze klommen op de achterkant, vijf of zes man, dat weet ik niet precies meer. Allemaal met geweren en grote messen. Ik probeerde een noodoproep te doen, maar blijkbaar hadden ze de radio geblokkeerd.'

Hij klonk alsof hij de tranen nabij was. 'Ze lieten iedereen naar de brug komen. We zaten op onze knieën. Er werd veel geschreeuwd. Ze schopten ons, richtten hun geweren op ons achterhoofd. Ze waren high. Ze kauwden die drug waar ze zo gek op zijn. Ik hoorde Stefan achter me huilen. Madame deed haar best om hem te troosten.'

De anderen knikten toen ze de naam van de jongen hoorden. Hun gezichten werden milder.

'Hij was bang... zo bang.'

Een man met dicht donkerbruin haar mompelde iets tegen de kapitein en wees met zijn sigaret in de hand naar mij.

'Hij wil weten of u Stefan veilig terugbrengt.'

'Ik ga het proberen. Maar jullie moeten me alles vertellen wat jullie weten. Alles.' Ik knikte naar de vragensteller. 'Natuurlijk moet je tegen hem zeggen dat ik ze alle drie terughaal.'

Rudy vertaalde het. Ik ving Stefans naam een paar keer op.

Ik veranderde van houding om Casanova in het zicht te krijgen. Hij had tot nu toe geen woord Engels gesproken, maar het was duidelijk dat hij alles verstond.

'Jullie hebben horloges. Zijn die nieuw? Hebben ze geen geld en kostbaarheden geroofd?'

De jongen antwoordde: 'Nee, we mochten niets meenemen, maar ze namen ons ook niets af. Ze interesseerden zich niet voor ons. Ze wilden Madame en Stefan.'

Hij trilde van spanning. Plotseling stak hij zijn hand in een rode nylon tas, maar hij veranderde van gedachten en schoof hem met zijn hak verder onder het bed.

Casanova zei iets in het Russisch. Hij wilde weten wat er verdomme aan de hand was. Blijkbaar smeekte Rudy hem om rustig te blijven. Toen keek Rudy mij aan, zijn handen samengevouwen alsof hij ging bidden. 'Sorry. Die jongen heeft een zware tijd gehad...'

'Wat gebeurde er toen, Rudy?'

Hij haalde diep adem, terwijl de jongen weer ging zitten. 'We zaten allemaal op de brug, op de vloer. Ze stonden bij ons en schreeuwden en kauwden. En toen lieten ze me een nieuwe koers naar het westen volgen. Ongeveer een halfuur later zagen we hun moederschip, een oude vissersboot met nog twee kleine bootjes die langszij lagen. Ze waren honderden kilometers van huis vandaan.' Er klonk een diepe droefheid in zijn stem door. 'Ze haalden ons van de *Maria Feodorovna* af. Ze zetten ons in de tender en lieten ons gewoon achter. *Ze namen mijn schip mee.*' Hij stortte nu eindelijk in. '*Ze namen Stefan en zijn moeder mee...*'

De jongen wond zich op. 'En Jez...'

De kapitein wierp de jongen een waarschuwende blik toe.

'Maar papa...'

Ik keek hem aan. 'Wat is er met de lijfwacht? Deed hij iets? Zei hij iets?'

Zijn vader antwoordde voor hem: 'Hij bleef bij Stefan en Madame. Probeerde hen te beschermen. Alstublieft. Ik heb met mijn mannen gesproken. Ze weten niets meer dan ik u heb verteld. Ik wou dat we meer wisten, maar het ging zo snel. Ze kwamen en namen. En toen lieten ze ons achter. We hebben die drie nooit teruggezien. Ik weet niet eens of ze een plan hadden.'

Natuurlijk hadden ze een plan. Dit was zakendoen. Er waren zelfs loonschalen voor de bemanningsleden van het piratenschip. De eerste die aan boord van een schip ging, kreeg meer betaald dan de anderen. Meestal kreeg hij een paar duizend dollar extra wanneer het losgeld binnenkwam. Het ging om de verhouding van risico en beloning, net als in elke andere bedrijfstak.

'Ik moet alles weten wat iemand zich maar kan herinneren, hoe onbelangrijk het ook is. Dat kan me helpen hen te vinden.' Ik keek de kapitein aan. 'Kun je dat tegen ze zeggen?'

Casanova had er genoeg van. Hij stopte zijn mobiele telefoon weg en stond op. 'We zijn hier klaar.'

Zijn Engels was precies zoals je zou verwachten. Diep en grommend.

'Dit is alles wat ze weten. Dit is alles wat jij moet weten om een plan te maken en ze te redden. Kom mee.'

Toen hij de kamer uit liep, keken de bemanningsleden met een mengeling van verlegenheid, angst en opluchting naar me op.

Ik keek naar de deurkruk en het elektronische slot. Het leek op het Russische equivalent van een VingCard Classic, de magnetische kaartlezer die in de meeste Europese en Amerikaanse hotels werd gebruikt. In dat geval zouden het goede sloten zijn, met een stalen grendel van tweeënhalve centimeter en een zeven centimeter lange bout om forceren tegen te gaan. De elektronica draaide op normale AA-batterijen. Dankzij het flashgeheugen in het systeem kon het slot worden bediend en opnieuw geprogrammeerd bij de deur van de hotelkamer.

Ik volgde mijn begeleider naar de lift. 'Breng je me naar mijn flat terug? De metro is hier een ware nachtmerrie.'

Casanova werkte al te lang voor meneer Timis. Hij hoefde er nog geen nanoseconde over na te denken. 'Nee.'

We liepen door. Bij de hoofdingang trok ik de rits van mijn parka tot de kin toe dicht en zette ik de capuchon verder naar voren om mijn gezicht tegen de kou te beschermen. Toen kwamen Casanova en ik buiten. Hij deed een paar stappen in de richting van de Range Rover en draaide zich toen abrupt om.

'Ga nu, en breng Stefan terug.'

De Audi stond er nog. De motor ging uit zodra ik naar de metro begon te lopen. Een man in een donkere overjas en met een alpinopetje op stapte uit. Zijn collega, die een jas van schapenvacht droeg, volgde zijn voorbeeld. Meneer Timis was blijkbaar gek op comedy's. Deze twee jongens leken als twee druppels water op de komieken Ant en Dec. Dec drukte op de sleutel om de auto op slot te doen.

Ik stak de straat over en liep de tweehonderd meter naar het bord met de grote rode M. Ik nam niet de moeite om na te gaan of Franks nieuwe komisch duo nog achter me liep. Dat nam ik als vanzelfsprekend aan. Het was duidelijk dat hij al zijn mensen graag goed in de gaten hield.

17

Loebjanka was een van de eerste metrostations die in Moskou werden gebouwd. Dat was in het midden van de jaren dertig gebeurd. Omdat de ondergrond van de stad instabiel was, werd het ook een van de diepste metrostations ter wereld. Passagiers deden er meer dan vijf minuten over om vanuit de hal op de perrons te komen. Dat was precies wat ik die dag wilde. Ik wilde mijn nieuwe beste vrienden afschudden, maar ze mochten niet weten dat ik dat met opzet deed.

Ik kwam onder aan de trap aan. Crazy Dave zou slecht over de Moskovische metro te spreken zijn. Er waren nergens liften. De meeste stations hadden niet eens een hellingbaan. Dus zelfs wanneer hij hier beneden zou komen, was het sterk de vraag of hij ooit weer het daglicht zou zien.

Er was nog iets anders wat in mijn voordeel werkte; je kon hier de hele dag beneden blijven. Je kon overstappen zo vaak je wilde, en misschien zou ik dat ook moeten doen.

Ant en Dec zouden dat niet vreemd vinden. Bezoekers van Moskou die geen Russisch spreken of lezen, hebben vaak grote moeite met het metrosysteem. Het is een netwerk van naaf en spaken, waarbij de meeste lijnen van het centrum van Moskou naar de randgemeenten leiden.

De Koltsevajalijn (nummer 5) is een twintig kilometer lange ringlijn die de spaken met elkaar verbindt. Er zijn twaalf lijnen, elk met een nummer, een naam en een kleur, en 182 stations. De Moskovieten geven de lijnen vaak alleen met hun kleur aan, afgezien van de lijnen 2, 10, 11 en L1, waarvan de groene kleuren sterk op elkaar lijken en het Kievskajastation, waar de lichtblauwe en donkerblauwe lijn samenkomen en bijna onmogelijk uit elkaar te houden zijn.

Dat was nog niet alles. De kleuren op de perronborden waren niet altijd hetzelfde als de kleuren op de kaarten, en een station kon twee of drie verschillende namen hebben, afhankelijk van de lijn waarin je zat.

Mensen van buiten de stad en buitenlanders als ik moesten elke tien minuten van perron wisselen en teruglopen. Ik vond het eigenlijk wel leuk om een paar uur daar beneden rond te zwerven als ik genoeg had van Dostojevski en Gunslingers. Het was een geweldige omgeving om de Russen in het wild te zien en het deed me ook denken aan de paar keer dat ik als kind plezier had gehad door de hele dag in de metro te blijven zonder te weten waar mijn vrienden en ik weer boven zouden komen. We wisten alleen dat ergens ten noorden van de stad de 'wildernis' lag.

De toegangspoorten leken op een reeks draaihekjes, maar dan zonder de draaihekjes. Ze bestonden uit kaartlezers met kleine poortjes daartussen. Sommige stations hadden futuristische glaspanelen die openzwaaiden zodra je kaart het groene licht had gekregen, maar de meeste hadden niets, totdat je probeerde door te lopen zonder je kaart te laten scannen. Dan klapten de mechanische poorten dicht en deden ze hun best om je te pletten.

Ik bewoog mijn kaart over de sensor en liep door zonder ledematen kwijt te raken.

Het metrostelsel van Moskou was zo gebouwd dat het in oorlogstijd ook als schuilkelder kon fungeren. De massa's zouden dan misschien lange tijd beneden moeten blijven, maar dan hoefden ze de vreugden van het communistische systeem niet te missen. Er waren beeldhouwwerken, reliëfs en mozaïeken in overvloed om de prestaties van de soldaat en de tractorbestuurder te verheerlijken.

Bovenal zag het er goed uit, het werkte en het was goedkoop. Een enkele reis kostte zestig pence. Mijn zestigrittenkaart maakte het nog goedkoper.

Alle toeristengidsen raadden je aan minstens één rit met de metro te maken, maar er gingen dat jaar niet veel toeristen naar Loebjanka, al lag het dicht bij het Rode Plein en het Kremlin. Alle muurschilderingen en reliëfs waren van de plafonds en muren verdwenen, met achterlating van niets dan glanzende roomwitte tegels. Het station was een jaar geleden het doelwit geweest van een Tsjetsjeense zelfmoordterrorist. Er waren 40 mensen omgekomen.

Nog geen uur later was er een andere bom ontploft op het station Park Kultury, ook aan de rode lijn, waardoor het dodental naar 54 opliep. Een paar honderd mensen raakten gewond.

Beide stations waren snel weer in gebruik genomen. De Moskovieten moesten nog steeds naar hun werk, en boven de grond kwam het verkeer tussen acht en elf uur 's morgens en tussen vijf en acht uur 's avonds altijd muurvast te zitten en de tijd daartussenin was ook geen pretje. Hier beneden hoefde je nooit langer dan een minuut op een trein te wachten, al was het in de spits net of je in een op hol geslagen kudde was terechtgekomen.

Ten slotte bracht de roltrap me op het perron. Twee honden lagen uitgestrekt naast een paar jonge kerels die bierflesjes vasthielden alsof het goudstaven waren. Passagiers stapten gewoon over hen heen en liepen door. Ze liepen ook langs een politieman die ineengedoken in de hoek zat. Hij was niet dronken. Hij was bedekt met een laagje vuil, zijn leren jasje was gescheurd en zijn gezicht was bebloed en gehavend. De agent was in elkaar geschopt, maar niemand knipperde zelfs maar met zijn ogen.

Ik bedacht een route door het rattennest die me uiteindelijk naar Loebjanka terug zou brengen. Ik wilde nog eens in kamer 419 kijken zonder dat Casanova over mijn schouder meekeek. Ik zou beginnen met wat er onder het bed lag. En als ik ook nog een praatje met Rudy en zijn zoon kon maken, was dat helemaal mooi meegenomen.

Dit was het op een na drukste metrostelsel ter wereld, na dat van Tokio. Elke dag maakten acht miljoen mensen er gebruik van, en het leek wel of die altijd in mijn treinstel terechtkwamen. Er was geen sprake van dat ik nog vlug kon in- en uitstappen voordat de deuren dichtgingen en op die manier mijn volgers kon afschudden, zoals je in films ziet. Het was of ik door stroop waadde.

Het zou niet meevallen om Ant en Dec kwijt te raken.

18

De menigte die op de metrotrein naar het noordwesten stond te wachten, bleef gevaarlijk dicht bij de rand van het perron. Mensen schreeuwden. Dronken kerels zongen. Honden blaften. Het kon niemand iets schelen. Het was er in elk geval warm.

Ik keek niet of ik Ant en Dec ergens zag. Ze mochten niet weten dat ik me van hen bewust was. Het enige wat telde, was dat ze me niet meer zouden volgen als ik boven de grond kwam. Als ze er dan toch nog bleken te zijn, zou ik weer in het rattennest verdwijnen. Op de ergste stations was het gemakkelijker om de eerste de beste uitgang te nemen dan je een weg door het labyrint te vechten om een paar huizenblokken dichter bij je bestemming te komen. In het allerergste geval zou ik gewoon heel hard moeten rennen.

Onze trein kwam. De menigte stuwde naar voren. Ik wachtte niet tot er iemand uitstapte. De deuren van de Moskovische metro kenden geen genade. Het waren net guillotines. Als je ertussen kwam te zitten, was je volgende station het ziekenhuis.

Ik schuifelde en drong tot ik aan boord was en greep een stang vast. De deuren klapten dicht en ik zat gevangen in een lucht van bier en tabak. De vrouw links van me had zich rijkelijk besprenkeld met goedkoop reukwater. Dat nam tenminste het ergste van de braakselstank weg die werd verspreid door de twee dronken kerels die de drie of vier zitplaatsen naast me hadden geannexeerd. Een andere dronkenlap zat bij hun voeten en probeerde de hals van een wodkafles door zijn integraalhelm te manoeuvreren. Niemand schonk hun ook maar enige aandacht. Een rit kostte maar zestig pence; waar zou je je druk om maken?

Terwijl ik mijn hoofd met het ritme liet meebungelen, keek ik nonchalant op schouderhoogte door het treinstel. Ik zocht naar de jassen van Ant en Dec, niet naar hun ogen. Waarschijnlijk deden zij precies hetzelfde, tenzij ik ze al kwijt was.

De trein slingerde een beetje. Een vrouwenstem riep het volgende station om. Ik ging dus in de goede richting. Als je naar het centrum ging, was het een mannenstem, als je daarvandaan ging een vrouwenstem.

Drie haltes verder kwamen we op de ringlijn. Doordat de mensenmassa zich verplaatste om in en uit te stappen op het eerstvolgende station, Christje Proedi, kreeg ik wat meer zicht op het treinstel.

Niets.

Toen we het station Krasnje Vorota binnenreden, zag ik eindelijk Ant, die zijn best deed om te doen alsof hij mij niet had gezien. De trein schokte, de mensenmassa stuwde op en ik verloor hem weer uit het oog. Mensen klaagden tegen een stel tieners met rugzakken. Vrouwen drukten hun boodschappentassen stevig tegen zich aan om geen gevaar te lopen dat ze werden vertrapt. Persoonlijke levensruimte was een schaars goed.

De trein zette zich weer in beweging. Komsomolskaja was een overstapstation. Daar zouden mensen massaal uit- en instappen. Ik zou de zes stations nemen naar Park Kultury, waar de tweede bom was afgegaan, en dan de trein terug naar Loebjanka nemen.

De integraalhelm schudde heen en weer. De hals van de wodkafles verdween weer door de open klep en ging toen omlaag tot hij zich tussen de benen van de helmdrager bevond. Ditmaal kantelde hij en leek het of de jongen in zijn broek had gepist.

Ik knielde neer en zette de fles recht. Niemand lette op me. Als ze dat wel hadden gedaan, zouden ze het heel normaal hebben gevonden dat een goede kameraad de helm van het hoofd van de jongen haalde voordat die in zijn eigen braaksel stikte. Misschien zou ik een medaille krijgen als Anna met me naar de 1 mei-parade ging.

Toen de trein het Komsomolskajastation binnenreed, trok ik mijn North Face-jas uit en hield hem onder mijn arm. Vervolgens ging ik rechtop staan en bewoog ik me met de menigte mee naar de deur. De voering van de helm stonk naar muf zweet, bier en sigaretten. Ik hoopte dat ik hem niet langer op hoefde te houden dan tot het eind van het perron.

19

Zodra ik buiten was, in wind en sneeuw, gooide ik de helm weg en trok ik mijn parka weer aan. Het begon al donker te worden. In deze tijd van het jaar ging de zon om zes uur onder. De lichten van GUM deden hun best om de schemering te compenseren, glinsterend op de natte keistenen van het Rode Plein.

Voordat de perestrojka op gang kwam, hadden alle steden in de Sovjet-Unie een vestiging van het staatswarenhuis GUM. Het was de enige plek waar diplomaten terecht konden voor hun Marmite en Blue Nun, en de weinige bevoorrechte sovjetburgers voor de betere wodkamerken, terwijl de rest van het land urenlang in de rij stond voor een brood en een half bedorven ui.

Het Moskovische vlaggenschip leek een overdreven versie van Harrods, en had een bijbehorende voorgeschiedenis. Stalin verbouwde het warenhuis tot kantoorruimte en toen zijn vrouw er genoeg van had dat hij iedereen vermoordde en ze zichzelf van kant maakte, veranderde hij het in een mausoleum voor haar. In het begin van de jaren vijftig maakten zijn opvolgers er weer een warenhuis van, al bestond dat voor het grootste deel uit lege schappen. Tegenwoordig was het een winkelcentrum zoals je dat overal ter wereld kon aantreffen, afgezien van de fantasierijke architectuur en de duizelingwekkende prijzen. De tweehonderd winkels in het warenhuis verkochten alle luxueuze westerse merken. Na tien jaar van gigantische economische groei hadden de succesvolle Moskovieten meer geld dan ze konden uitgeven. De gewone man kon alleen maar zijn neus tegen de ruit drukken.

Ik liep naar de sportafdeling. Daar verkochten ze alles, van sportschoenen tot kano's, maar ik zocht geen Versace-schoenen of een fitnessapparaat van twintigduizend dollar. Ik had een telescopische vishengel nodig, zoals je die in advertenties voor gadgets ziet: zo'n ding dat je kunt inschuiven tot het in de palm van je hand past.

20

Als Mahmoud al-Mabhouh, een van de medeoprichters van de militaire vleugel van Hamas, niet in januari 2010 door de Mossad, de Israëlische geheime dienst, in zijn hotelkamer in Dubai was vermoord, zou ik misschien op een heel andere manier hebben geprobeerd binnen te komen.

Het elektronische slot van kamer 419 kon bij de deur worden geactiveerd en opnieuw geprogrammeerd, maar ik had geen tijd om het juiste trukendoosje te pakken te krijgen. Niettemin kende ik – dankzij mijn vriend Julian van MI5, die had meegewerkt aan het onderzoek naar de valse Britse paspoorten die het Mossad-moordteam had gebruikt – een snellere manier.

Inbrekers gebruiken vaak vishengels om de sleutels te bemachtigen die je op het tafeltje in de hal hebt laten liggen. Vervolgens komen ze met de huissleutels binnen of blijven ze buiten en stelen ze de auto waarvan de lichten gaan knipperen als ze op de knop van de sleutel drukken. De Mossad had een nog beter idee gehad.

Mahmoud al-Mabhouh werd gezocht wegens de ontvoering van en moord op twee Israëlische soldaten in 1989, en wegens de aankoop van wapens uit Iran voor gebruik in Gaza. De Mossad was heel slecht over hem te spreken. Ze volgden hem van Syrië naar het Al Bustan Rotunda Hotel bij het vliegveld van Dubai.

Al-Mabhouh was niet achterlijk. Hij had om een kamer zonder balkon en met afgesloten ramen gevraagd, zodat je alleen door de deur naar binnen kon komen. Hij douchte en trok andere kleren aan, legde papieren in de kluis van de kamer en verliet het hotel tussen halfvijf en vijf uur 's middags. Toen hij die avond om vierentwintig over acht in zijn kamer terugkwam om naar een paar afleveringen van *Mr Bean* te kijken, stond de Mossad daar al op hem te wachten. Een halfuur later nam hij niet op toen zijn vrouw hem belde. Zijn lijk werd de volgende morgen door een schoonmaker gevonden. En dat terwijl een handdoek genoeg zou zijn geweest om zijn moordenaars tegen te houden.

Uit de computergegevens bleek dat er een poging was gedaan om het elektronische deurslot van al-Mabhouh opnieuw te programmeren, maar toch was dat niet de manier waarop de jongens uit Tel Aviv waren binnengekomen. Ze hadden een methode gebruikt die Julian me in mijn eigen huiskamer had gedemonstreerd. Ik had me toen al afgevraagd waarom hij een telescopische vishengel had meegebracht. Misschien dacht hij dat ik ook weer voor een van de diensten zou gaan werken als ik zag hoeveel plezier ze hadden.

21

Ik liep naar de huistelefoons in de hal van het hotel en keek daarbij voortdurend of Ant en Dec door de hoofdingang naar binnen kwamen. Ik had ze ongetwijfeld afgeschud, maar toen ze me eenmaal kwijt waren, hadden ze een besluit moeten nemen. Ze konden de flat in de gaten houden, als ze die kenden, of ze konden terugkeren naar de plaats waar ik het laatst was geweest. Of ze konden zich opsplitsen en beide plaatsen in het oog houden. Het kwam erop neer dat ik gewoon moest doen waarvoor ik was gekomen, en wel zo snel mogelijk, voordat een van hen kwam opdagen.

In kamer 419 ging de telefoon zes keer over. Toen zei een mechanische stem iets wat vermoedelijk Russisch was voor 'Spreek een bericht in'. Ik hing op.

Ik keek naar de restaurants van het hotel, maar het was veel te vroeg om te gaan eten. Ik kon me ook niet voorstellen dat de bemanningsleden in de fitnessruimte trainden of baantjes trokken in het zwembad. Maar een paar drankjes om te vieren dat ze nog in leven waren? Dat zou heel goed kunnen.

Ze waren niet in de bar van de lobby. Ik nam de lift naar het dak. Het uitzicht op het Kremlin leek regelrecht uit een brochure voor wintervakanties te komen.

Ik hoorde de bemanningsleden al voordat ik ze zag. Ze zaten dik ingepakt onder terraskachels en hun adem had waarschijnlijk al een hoog alcoholpercentage. Ze hadden de tijd van hun leven en ik kon het ze niet kwalijk nemen.

Ik liep terug naar de lift. Toen die naar beneden ging, zette ik het toverstokje van de Mossad in elkaar. De vishengel was in te schuiven tot een lengte van twintig centimeter, maar in volle lengte kwam hij tot anderhalve meter. Hij was van een buigzame legering gemaakt. Ik had de bijbehorende spoel weggegooid, evenals de te zwakke vislijn. Ik moest een haai binnenhalen, geen haring.

De oogjes waar de lijn doorheen ging, waren ook ingeklapt. Ik maakte het oogje aan de punt open, bond het eind van de haaienlijn eraan vast en liet de andere oogjes dicht.

Ik stapte uit de lift en ging na of er iets bewoog of geluid maakte op de gang. Ik wilde daar niet te lang blijven rondhangen. Ik zou er ongeveer tien seconden over doen om de deur open te krijgen. Hoe langer ik wachtte, des te groter werd de kans op ontdekking. Er was niets voor me en niets achter me. De spoel van de haaienlijn bij mijn linkerwijsvinger draaide snel rond toen ik de hengel uitschoof. Ik had maar ongeveer een meter nodig. Ik legde de hengel over mijn knie en boog hem tot hij de vorm van een spanzaag had.

Ik knielde voor kamer 419 op het pluchen tapijt neer en stak de punt van de hengel, met de haaienlijn eraan vast, door de spleet onder de deur. De brandweervoorschriften voor hotels zijn in alle landen min of meer hetzelfde. Er moet genoeg ruimte zijn – maximaal tien millimeter op de drempel – om de deur te laten openzwaaien zonder dat hij de vloerbedekking raakt.

Ik duwde de hengel door de kier en drukte de vloerbedekking aan beide kanten omlaag. Toen hij een meter naar binnen was, draaide ik het uiteinde tegen de onderkant van de deur. De hengel zou nu verticaal aan de andere kant naar boven gaan. Ik bewoog hem naar rechts, naar de deurkruk toe. De legering kwam met een tik tegen het metaal.

Ik nam even de tijd om me voor te stellen wat er in de kamer gebeurde. De haaienlijn zou nu tussen de deurkruk en de deur hangen. De hengel zelf zou zich aan de andere kant van de deurkruk bevinden. Ik trok hem zacht omlaag en hoorde de hengel opnieuw tegen de kruk tikken, een paar centimeter bij mijn hoofd vandaan. De kruk zat tussen de bovenkant van de hengel en de lijn.

Ik hield de hengel stevig in mijn linkerhand, liet mijn hoofd tegen de deur rusten en trok hard aan de lijn. Die drukte de kruk omlaag en de deur sprong open.

Ik glipte vlug naar binnen, sloot de deur en draaide het slot dicht. Daarna schoof ik de verbogen hengel zo goed mogelijk in elkaar en stopte hem in mijn spijkerbroek.

De Hamas-man had alleen maar een opgerolde handdoek tussen de deurkruk en de deur hoeven te proppen. Dan had de Mossad geen schijn van kans gemaakt. Rudy en zijn jongens moesten ook nog veel leren.

De kamer stonk nog steeds naar sigarettenrook, en de minibar was geplunderd. Op de tafel bij het raam stonden lege miniatuurflesjes en bierflesjes. Er lagen ook wikkels van chocoladerepen. Het bed was tenminste opgemaakt. Daarachter was de lichtshow van het Kremlin in volle gang.

Ik pakte de tas onder het bed vandaan, maakte de rits open en zag dat er niet veel in zat. Een paspoort van de jongen, natuurlijk nieuw. Een slof Camel. Wat sokken, nog in hun kartonnen verpakking, en een paar onderbroeken van het Speedo-type. En een USB-stick.

Ik liep naar de Bang & Olufsen en drukte op de hypermoderne afstandsbediening. Na een minuut wist ik hoe ik de tv kon laten doen wat ik wilde. Ten slotte stak ik de USB-stick in een poort aan de zijkant. Er zat maar één icoon op de stick. Ik klikte erop en kreeg een beeld, maar geen geluid.

Gelukkig maar.

Tracy's gezicht vulde het scherm.

Haar huid was rood aangelopen; haar gezicht verwrongen.

Twee mannenhanden kwamen achter haar in beeld. Ze pakten haar naakte schouders vast en trokken haar bij de lens vandaan. Ik was bang voor wat ik nu te zien zou krijgen.

Toen de handen haar omdraaiden en haar naar het bed duwden, kon ik zien dat BB nog van achteren in haar zat.

Ik keek ongeveer vijf minuten en bleef toen geschokt zitten. Ik dacht aan het verdriet in Tracy's ogen. Ik dacht aan BB, die een klootzak was. En ik dacht aan de belofte die ik Mong had gedaan.

Ik gooide de stick terug in de tas, maakte de rits dicht en legde hem weer onder het bed. Ik zou hem niet meenemen. Het was duidelijk dat Frank een royale werkgever was, maar ik wist al dat je hem niet moest belazeren.

Ik deed de deur zorgvuldig achter me dicht en liep naar de lift.

22

Toen ik weer in mijn flat was, nam ik een douche en trok ik andere kleren aan. Ik stonk net zo erg als toen ik nog een kind was en in kroegen rondhing, wachtend tot mijn moeder en stiefvader ophielden met drinken en met me naar huis gingen. De rook van Player's No. 6 of wat ze verder maar aan goedkope sigaretten op de markt hadden gekocht ging in mijn kleren, haar en huid zitten, ook al zat ik onder de tafel. De volgende morgen moest ik bijna overgeven van de stank.

Ik voelde nu ook een sterke aandrang om over te geven.

Ik pakte mijn paspoort en gooide een paar dingen in een kleine rugzak. Het was een goed gevoel om weer aan het werk te zijn, weer een klus te hebben, al werd het pas een klus wanneer ik wist dat ze nog in leven waren.

Ik keek of ik op internet iets over Frank Timis te weten kon komen. Niets. Ik probeerde zelfs Wikipedia en WikiLeaks. Ik kon niets vinden.

Ik ging op de bank zitten en keek uit over de rivier en de lichtjes van de binnenstad. Er kwam damp uit alle gebouwen. Ik drukte op de sneltoets van Anna's nummer. Meestal belde ik haar om de andere dag na de uitzending van drie uur. Ze wilde altijd weten welke beelden ze hadden gebruikt en of ze iets verkeerd had gedaan.

Dat laatste gebeurde maar zelden. Als het op reportages over buitenlandse conflicten aankwam, was ze een oude rot in het vak. Veel journalisten gingen naar een oorlogsgebied zonder te weten wat daar aan de hand was. Een beeld van een journalist die zonder het te beseffen Gaddafi-groen droeg kon bijvoorbeeld waardevolle propaganda zijn. Het kon je ook je leven kosten.

Het enige waarover ik tijdens deze trip tot nu toe iets had gezegd, was haar kapsel. Afgezien daarvan zag ze er perfect uit. Ik kon bijna niet wachten tot ik haar weer zag. Het ging daar van kwaad tot erger. Eerder in het jaar was ze in Tunesië en Egypte geweest, en daarna was ze naar Libië gegaan. Nu het hele Midden-Oosten in beroering was, zou ze waarschijnlijk ook de rottigheid willen verslaan die in Bahrein was ontstaan. Daar waren demonstranten neergeschoten en Saoedische troepen waren het land binnengetrokken om de regering te steunen. Een geweldig drama op komst. Vooral voor mij, want zij zou er middenin willen zitten.

De telefoon zoemde en knetterde in mijn oor, op zoek naar contact. Ten slotte kwam de verbinding tot stand. Ze klonk bezorgd. 'Nicholas, is alles in orde?'

Op de achtergrond werd geschreeuwd en gescandeerd: de rebellen lieten niet veel heel van Gaddafi's naam.

'Moet ik jou dat niet vragen?'

Ze lachte. 'Ik werd opgehouden. Dat is alles.'

Blijkbaar had ze een rustiger plekje gevonden, want het lawaai ging enkele decibellen in volume terug.

'Anna, ik wil graag dat je iets voor me doet. Kun je iets ontdekken over een zekere Francis Timis? Ik denk dat hij een Oekraïner is. Hij zegt dat hij zijn naam in Francis heeft veranderd om hem meer westers te laten klinken. Hij is schatrijk, maar ik kan niets over hem vinden op internet. Er is een Roemeense mijnwerker met die naam, maar dat is hij duidelijk niet.'

'Misschien is hij rijk genoeg om anonimiteit te kopen. Wil je het voor me spellen?'

Ik hoorde schoten en enig geschuifel. Blijkbaar zocht ze dekking.

'Hoe oud is hij?'

'Midden veertig, denk ik. Niet ouder dan vijftig. Alles wat je kunt vinden.'

Er volgde nog meer geschuifel. Ze moest schreeuwen om zich verstaanbaar te maken. 'Waarom wil je het weten?'

'Dat vertel ik je een andere keer. Zo te horen heb je het nogal druk. Heb je je datum al gehoord?'

Ze zou door een collega worden vervangen. In het begin had ze zich erop verheugd dat ze een tijdje vrij zou hebben, maar de afgelopen week klonk ze minder enthousiast. Ik maakte me daar niet echt zorgen over, maar het zat me wel een beetje dwars.

'Ik moet gaan.'

'Ik bel je morgen om de gebruikelijke tijd.'

'Nicholas?'

'Anna?'

'Pas goed op jezelf.'

Ik schoot in de lach. De verbinding werd verbroken.

Daarna belde ik een nummer in Londen. Ditmaal was de verbinding veel beter.

23

Ik verliet de flat en stak de straat over naar het metrostation. Met één keer overstappen zou ik op Paveletskaja komen, en als ik daar de Aero-express nam, was ik nog net binnen een uur op vliegveld Domodedovo. Dat ging allemaal best snel, maar de beveiliging op het vliegveld was sinds de zelf-moordaanslag in januari een ware nachtmerrie. In het gebouw konden zich kilometers lange, opgekrulde rijen bevinden. Passagiers misten hun vlucht. Het zou betekenen dat ik niet zomaar kon proberen een plaats in het eerste het beste vliegtuig naar Londen te bemachtigen. Ik moest min-stens twee uur wachttijd incalculeren.

Toen ik de ingang naderde, zag ik iets aan de rand van mijn gezichtsveld. Ik keek niet om, maar liep door tot ik bijna binnen was. Toen bleef ik staan, keek op mijn horloge en wierp een blik om me heen, alsof ik me afvroeg wat ik zou gaan doen.

Ongeveer vijftig meter verderop stond een auto. Ik kon de bestuurder niet zien, maar het was ofwel de Audi van Ant en Dec die voor het hotel had gestaan, ofwel een auto die daar precies op leek, inclusief de halvema-nen die uit het vuil op de voorruit waren weggewist en de twee figuren die voorin zaten.

Deel IV

1

Eastcheap, Londen

Vrijdag 18 maart
07.20 uur

Cafetaria's zijn net Londense bussen. Soms zie je er een hele tijd niet een, en dan opeens drie tegelijk. Ik zat daar met mijn schuimige cappuccino en een stapel koffiebroodjes, terwijl er steeds meer mensen als lemmingen in de rij gingen staan om nog een dosis cafeïne te nemen, voordat ze naar hun werk gingen. Ze hadden bijna allemaal een koptelefoon op of een mobieltje tegen hun oor gedrukt.

Deze vestiging van Starbucks bevond zich aan de noordkant van de London Bridge, bij het metrostation Monument. Jules had niet gewild dat ik naar zijn kantoor kwam. Zijn syndicaat hield zich bezig met ontvoeringen en losgeld. Dat was een wereld waar geheimhouding op de eerste plaats kwam. Zijn bazen zouden niet willen dat hij iemand op hun territorium bracht, vooral niet iemand van wie Jules wist dat die geen pak zou dragen.

Ik nam een slokje van het schuim. Ik was regelrecht van vliegveld Heathrow naar mijn flat in de Docklands gegaan en had een paar uur geslapen. Toen ik was opgestaan, had ik een lauwe douche genomen, want ik was vergeten de boiler aan te zetten toen ik binnenkwam. Ik liet hem twintig minuten draaien en sprong toen onder de douche.

De flat zat onder het stof. Stoflakens waren iets voor films, vond ik. Ik had de Porsche en de flat niet verkocht of verhuurd toen ik naar Moskou ging. Dat hoefde ook niet. De huizenprijzen hadden in de recessie een duikeling gemaakt, maar dat trok wel weer bij. Zoals Mark Twain steeds maar riep vanaf de reclameborden in Moskou: 'Koop land: het schijnt dat ze het niet meer maken!'

Trouwens, ik wist niet wat ik met Anna deed, terwijl Anna waarschijnlijk ook niet wist wat ze met mij deed. We waren zo'n beetje aan het experimenteren met samenwonen.

De kranten werden die ochtend nog beheerst door de Japanse tsunami en Gaddafi's oorlog.

Japan had het waarschuwingsniveau voor nucleaire besmetting verhoogd, want de kernschade in de reactors 2 en 3 was erger dan na de aardbeving aanvankelijk was gedacht. De paniek had zich naar het buitenland verspreid. In sommige delen van de Verenigde Staten waren winkels door hun voorraad jodiumpillen heen.

De regering van Libië kondigde een onmiddellijk staakt-het-vuren af, nadat de Veiligheidsraad had ingestemd met 'alle noodzakelijke maatregelen', behalve bezetting, om burgers in het land te beschermen. Maar niemand dacht dat Gaddafi ook echt zou ophouden met het bombarderen van zijn eigen volk, alleen omdat hij zei dat hij dat zou doen.

Elders in het Midden-Oosten braken onlusten uit in weer een land. In Jemen waren minstens 33 antioverheidsdemonstranten doodgeschoten en nog eens 145 gewond geraakt, toen overheidstroepen het vuur op een groep van hen openden. De Arabische vrijheidsgolf rolde door, maar er werd wel een prijs voor betaald.

Het kostte me moeite om me hiervan los te maken en me op Somaliërs en piraterij te concentreren. Totdat ik bij de SAS was gekomen en persoonlijk met die rottigheid te maken kreeg, had ik gedacht dat piraten tot een verre wereld behoorden, een wereld waar doodskopvlaggen werden gehesen en waar alle kerels rum dronken en van jo-ho-ho zongen op het achterdek. Maar deze rotzakken hadden geen ooglapjes en hoofddoeken. Er was nergens een Captain Sparrow te bekennen. Ze liepen rond in korte broeken en hemdjes en droegen *flipflops*. Ze hadden enterhaken, RPG-7's en AK-47's. En nu maakten ze mensen dood.

2

Somalië is een mislukte staat in de Hoorn van Afrika, ingeklemd tussen Ethiopië en Kenia in het westen en de Indische Oceaan in het oosten. De noordelijke kust ligt aan de Golf van Aden, met aan de overkant Jemen, waarvan de overheid net was begonnen met het doodschieten van demonstranten. Over slecht gezelschap gesproken!

De piraterij op zee is een rechtstreeks gevolg van de anarchie op het land. Hetzelfde doet zich voor in andere zwak geregeerde staten als Indonesië en Nigeria, maar Somalië spant de kroon. Het land is al sinds de jaren negentig in een burgeroorlog verwikkeld. Nu ik erover nadenk: eigenlijk kun je het geen land meer noemen.

In het begin van de jaren tachtig waren Somalische piraten meestal werkzoekende jongeren die in de havens rondhingen. De krijgsheren, de clanleiders, zetten ze in een paar boten en stuurden ze de zee op om schepen aan te vallen die van de Rode Zee naar de Golf van Aden voeren. Het was een van de knelpunten van de wereldscheepvaart en de buit lag voor het oprapen.

De piraterij werd een bedrijfstak. Zoals Rudy had ondervonden, besloeg het werkgebied van de bendes tegenwoordig duizenden vierkante kilometers, tot de Seychellen in het oosten, Tanzania in het zuiden en de Arabische Zee en Oman in het noorden. De territoria waren verdeeld. Wat dat betrof, was het in de wateren van de Golf van Aden niet anders dan in de straten van Mogadishu.

Een troep van een stuk of tien mannen gaat de zee op in twee of drie kleine, van kakkerlakken vergeven houten of fiberglazen vissersboten. Ze blijven drie of vier weken achtereen weg en hebben geen andere voortstuwing dan twee buitenboordmotoren. Alle overige beschikbare ruimte wordt ingenomen door enterhaken, ladders, messen, geweren, RPG's en qatbladeren, het plaatselijke narcoticum.

Er is geen kookgerei. Ze vangen vis, die ze rauw opeten. Het plan is altijd om een groter schip te vinden en over te nemen, om daar dan op te gaan leven en het als moederschip te gebruiken. Dat moest ook het geval zijn geweest met de piraten die de *Maria Feodorovna* hadden geënterd. Ze zouden de vissersboot hebben gedumpt om voortaan het jacht als opera-tiebasis te gebruiken, nadat ze eerst de gijzelaars aan wal hadden gebracht, want dat waren Europeanen en die konden geld opbrengen.

Waarom hadden ze de bemanningsleden niet ook meegenomen? Die waren ook blank, maar misschien werden ze als collega-zeelieden beschouwd. Somalische piraten hadden een paar regels. Ze vielen niet alle schepen aan. De Indiase schepen die luxeartikelen en duur voedsel uit het oosten brachten, lieten ze met rust, vooral omdat de krijgsheren de op-brengst van hun misdaden graag gebruikten om die luxeartikelen te kopen. Als de toevoer opdroogde, zouden de krijgsheren niet blij zijn.

Hoe dan ook vielen die piraten verder alles van waarde aan wat op zee dreef: olietankers, vrachtvaarders, cruiseschepen, privéjachten, noem maar op. Ik vond het wel een grappig idee dat tien Somalische vissers grote scheepsmagnaten het leven zuur konden maken door henzelf, hun beman-ningen en de wereldhandel in gijzeling te nemen. Ik zou erom hebben gelachen als Tracy en de jongen er niet het slachtoffer van waren geweest.

Op het droge was Somalië er ook nog beroerd aan toe. In 1993 hadden de Amerikanen geprobeerd in te grijpen toen de krijgsheren voedselhulp kaapten. Ze waren in de pan gehakt. Daarna had niemand het meer gepro-beerd. De clans voerden nu oorlog tegen elkaar, terwijl islamitische mili-tanten zich ook in het strijdgewoel hadden gemengd. Er was in feite geen regering meer, zelfs geen rechtsstelsel: niets dan chaos en wanorde. Geen wonder dat een baan als piraat zo'n fantastisch vooruitzicht was voor de gemiddelde Somaliër. Ik zou het ook hebben geprobeerd als ik geen kant meer op kon.

In vergelijking met het volume van de internationale handel was de eco-nomische betekenis van de piraterij niet eens zo groot. Nog niet 1 procent van de schepen in de Golf van Aden was door piraten benaderd, laat staan aangevallen, en in de meeste gevallen vervoerden ze alleen tuinkabouters uit China. Toch gaven de cijfers niet alle gruwelen weer die slachtoffers als Tracy en Stefan te wachten stonden.

Bovendien stond Groot-Brittannië nog een ander afschuwelijk scenario voor ogen: stel je voor dat een van de twee schepen met vloeibaar gas die we elke dag nodig hebben, werd gekaapt. Dan zouden we meteen een groot deel van de brandstof die onze energiecentrales liet draaien, kwijt zijn. Als couveuses niet meer werkten en het licht uitging, zou de regering merken dat opstanden niet alleen in het Midden-Oosten voorkwamen.

De piraten in de frontlinie werden zelf trouwens ook belazerd. Ze kregen nog geen 30 procent van de opbrengst. Het grootste deel van de buit ging naar de krijgsheren en degenen die de gijzelaars van voedsel en onderdak voorzagen. Er waren ook investeerders. Sommigen waren Somaliërs. Je kon dus beter aandelen in piraterij kopen dan zelf de zee op gaan. Dat leverde meer geld op en de condities waren ook prettiger. Daarnaast waren internationale misdaadsyndicaten in de Golfstaten actief, met connecties in Europa.

Eigenlijk was het één grote graaibende, waarbij iedereen op de een of andere manier iets te pakken probeerde te krijgen. Er zaten veel snuiten in de trog van de piraterij.

3

Ik was net aan mijn derde koffiebroodje begonnen toen Julian binnen-kwam, onberispelijk als altijd. Hij droeg vandaag een zwarte Crombie-jas over een wit overhemd met das. Ik wees naar de extra kop koffie om hem te laten weten dat hij niet in de rij hoefde te gaan staan. De koffiebroodjes die over waren, mocht hij ook hebben. Niet dat hij ze zou eten. Ze waren veel te ongezond.

Sinds Jules het jaar daarvoor uit MI5 was vertrokken, had hij goed geboerd. Hij was door de morele autowasserij gegaan, had ontslag geno-men en was er aan de andere kant uitgekomen zonder degenen die aan de goede kant stonden de rug toe te keren. Hij zat nu in de ontvoeringsbusi-ness. Hij probeerde ontvoeringen te voorkomen, en als het dan toch gebeurde, onderhandelde hij namens de verzekeringsmaatschappijen over het losgeld.

Ik stond op en kreeg een zachte handdruk en een warme glimlach.

'Nick...' Hij klonk nog steeds behoedzaam. 'Hoe gaat het met je?'

'Niet slecht, jongen. Niet slecht.'

Hij trok zijn jas uit en bleek er een zwart pak en een overhemd met dub-bele manchetten en eenvoudige zilveren manchetknopen onder te dragen. Hij hing zijn Crombie over de rugleuning van zijn stoel, waarbij hij er goed op lette dat de jas niet in de kruimels op de vloer kwam te hangen.

'Wat heb je allemaal gedaan, Nick?'

De schuimapparaten sisten. Mensen bestelden hun dubbele dit of dat.

'Hetzelfde als altijd, maar misschien ga ik een ontvoeringszaak doen. Ik wil graag dat je voor me uitzoekt of er iets over bekend is.'

'Hoeveel ontvoerde personen?'

'Maar drie.'

Ik vertelde hem wat ik wist: wie, wat en waar.

'Dus die aanval was vijf dagen geleden?'

'Ik weet niet eens of ze nog in leven zijn.'

Hij viste in een grote zak die eruitzag alsof hij speciaal in zijn jas was genaaid, haalde er een iPad uit en zette hem aan.

'Hoe staat het in de ontvoeringswereld?'

Zijn vingers bewogen over het scherm. 'De zaken gaan goed. Ik werk niet meer voor een percentage van de bespaarde premie. Normaal gesproken krijg ik ze in ongeveer drie maanden vrij, en het is dan ook beter om gewoon drieduizend pond per dag in rekening te brengen.'

'In dat geval mag je hiervoor betalen.' Ik bood hem het bord met koffiebroodjes aan, maar hij schudde zijn hoofd. Ik doopte er een in mijn koffie.

'Het is nog druk in Zuid-Amerika, Midden-Amerika, Mexico. In Afrika gaat het ook nog goed, en natuurlijk staat Somalië bovenaan.' Hij had de regio's op zijn vingers afgetikt. 'Niets, Nick. Ze zijn nergens opgedoken.' Hij keek op. 'Weet je wie ze vasthoudt? Zitten ze bij een clan? Is er iemand benaderd voor onderhandelingen?'

'Nee. Ik denk dat de lijfwacht hun echte identiteit verzwijgt.'

'Dat is goed. Maar er moet ergens iemand zijn benaderd.'

Hij legde de iPad zo neer dat we allebei op het scherm konden kijken. 'Voor zover we weten, worden er op dit moment 29 vaartuigen en 681 gijzelaars vastgehouden.'

De lijst was verdeeld in landen, leeftijdgroepen en beroepen. 'Er is daar veel zee. Misschien hebben ze de kust niet gehaald.'

Dat hoorde ik niet graag. 'Denk je dat ze gedood zijn?'

'Dat is onwaarschijnlijk. Ze zijn koopwaar. Maar misschien heeft de lijfwacht zich verzet en zijn ze toen alle drie omgekomen. Of ze zijn gezonken. Die vissersbootjes die ze gebruiken staan nou niet bepaald in Lloyd's Register.'

'En die vier Amerikanen?'

'Dat was een totale puinhoop. De Somaliërs gingen onderhandelen met de Amerikaanse marine. De Amerikaanse marine geloofde ze niet. In plaats daarvan hielden ze hen vast. Hun vrienden op de gekaapte boot dachten dat ze belazerd werden en maakten de Amerikanen dood. In het algemeen geldt: als ze ze hebben, maken ze ze niet dood. Pas wanneer hun gijzelaars geen geld meer waard zijn, moet je je zorgen maken. Als de piraten geen externe investeerders hebben, moeten ze geld van hun krijgsheer lenen om de gijzelaars vast te houden en ze te eten te geven. Misschien gebruiken ze die drie van jou om een schuld aan een krijgsheer af te lossen. Wie weet? Het zit daar ingewikkeld in elkaar.'

'Maar als ze nog in leven zijn, zelfs wanneer ze zijn doorverkocht, moet toch iemand met onderhandelingen beginnen? Iemand moet contact opnemen. Anders heeft het geen zin om ze vast te houden.'

Ik knikte en at nog een paar koffiebroodjes. 'Weet je zeker dat ze niet ergens in die trukendoos zitten?'

'Wacht even. Misschien kan ik uitzoeken welke groep ze heeft ontvoerd. Je zei dat het tegen het eind van vorige week was?'

Hij ging naar een website, en ik zag hem zijn wachtwoord invoeren. Op het scherm verscheen een verzameling grote kaders, met Google Earth-kaarten, cirkeldiagrammen en staafgrafieken. Allemaal met betrekking tot de piraterij. Hij maakte de pagina groter om me iets te laten zien.

'Afhankelijk van de tijd van het jaar hebben sommige regio's meer van piraten te lijden dan andere. Die piraten zijn vissers. Ze kennen de winden en getijden. Ze kennen de zee. Ze weten wanneer ze veilig kunnen uitvaren. Ze weten ook wanneer het niet veilig is, nou ja, de succesvolle piraten weten dat. Kijk.' Hij wees naar het scherm. Het maandelijks risico-overzicht liet voor elke maand van het jaar een satellietbeeld zien, met stippen op plaatsen waar aanvallen hadden plaatsgevonden.

'Zie je het verschil tussen maart en juni?'

Op de Golf van Aden zaten in juni maar een paar stippen, en dat gold ook voor het gebied voorbij de Hoorn van Afrika en op de Indische Oceaan. Maar in maart was het een ander verhaal. Dezelfde regio was bijna zwart van de stippen, net als het hele gebied ten oosten, noorden en zuiden daarvan.

'Dat komt door de noordoostelijke moesson. Die komt van India en Arabië, meestal ongeveer van december tot maart. De golfslag is niet meer dan zo'n twee of drie meter, zodat die kleine vaartuigen de wind kunnen gebruiken om te varen. Ze kunnen ver bij de kust vandaan komen en gaan dan op zoek naar een moederschip. Als ze geluk hebben, vinden ze meteen iets wat ze kunnen kapen. Maar van juni tot oktober komt de zuidwestelijke moesson opzetten. We hebben het dan over winden van dertig knopen en golven van tien meter hoog. Dat is te vergelijken met de Japanse tsunami, Nick. Dan maken ze geen schijn van kans om de zee op te gaan zonder te kapseizen.'

'Dus piraterij is seizoenswerk?'

'Ja. En omdat we winden en getijden kunnen voorspellen, weten we ook vrij goed waar en wanneer ze zullen toeslaan.'

Ik keek naar de beelden. De gele stippen op de Google Earth-kaart gaven de 44 procent van de schepen weer die waren benaderd. De groene lieten zien dat maar 18 procent daarvan echt was aangevallen. De piraten vonden de andere blijkbaar te groot of te snel, of misschien waren het grijsgeverfde schepen met grote kanonnen. Een staafgrafiek liet de activiteit per dag van de week zien. Ik wees naar vrijdag en zaterdag. 'Op die dagen gebeurt er niet veel. Die jongens houden van hun weekend, net als iedereen.'

Hij grinnikte beleefd. 'Wat de bestrijding van piraten betreft, neemt de Britse marine momenteel het voortouw. Ze gebruiken deze gegevens om te voorspellen waar de aanvallen komen, zodat ze hun middelen kunnen concentreren. Zoals ik al zei, is er daar veel zee. Als ze geen sos-signaal opvangen, weet niemand wat er gebeurt. Maar we zetten daar een overlay op met de informatie die we over de clans en de ontvoerders verzamelen. Op die manier zien we welke groepen actief zijn en wie de kapingen hebben gedaan. Laten we dus eens kijken naar wat er in de buurt van de Seychellen is gebeurd.'

Op de overlay was bij elke stip een getal tussen de 1 en de 19 te zien. Die getallen gaven verschillende groepen weer. In maart waren ze in alle gebieden lukraak verspreid. Het leek wel of de piraten in het wilde weg opereerden.

'Sorry, Nick. Soms claimen de clans territoria, maar in maart is het jachtseizoen daar helemaal open. Het is hoogseizoen. Als de bemanning van het jacht toegang had gehad tot dit soort informatie, zouden ze hebben geweten waar ze vandaan moesten blijven. Het is altijd al dom om in dat deel van de wereld te gaan varen. Wat was er aan de hand?'

'Ik weet het niet.' Ik leunde in de stoel achterover. Hij zag de zorgen op mijn gezicht.

'Iemand, ergens, zal het weten. Als ze in leven zijn, zullen de Somaliërs contact met iemand hebben opgenomen.' Hij perste zijn lippen even op elkaar. 'Jij kent die drie mensen, nietwaar?'

'Ja. Met een van hen heb ik vroeger bij de sas gezeten. De ander is de weduwe van een dode collega. Het kind komt uit haar nieuwe huwelijk.'

Ik stond op en pakte mijn zwarte parka. Die had ik niet hoeven meebrengen. Het was in Londen veel warmer dan in Moskou.

'Weet je wat? Waarom kom je niet een weekje over als dit voorbij is en Anna terug is?'

Hij stond op en we gaven elkaar weer een hand. 'Als je hulp nodig hebt, Nick, weet je waar ik ben.'

'Nog één ding. Al-Shabaab, zijn die nog actief?'

Hij knikte. 'Denk daar niet eens over na. Ga je contactpersoon zoeken.'

Ik ging weer zitten en kon niets anders doen dan er wél over nadenken.

Al-Shabaab, de keiharde islamitische beweging, was de taliban van Somalië, tot en met de zelfmoordaanslagen en onthoofdingen. Ze waren versterkt met ervaren strijders uit Saoedi-Arabië, Egypte, Afghanistan en Pakistan en beheersten nu het grootste deel van het zuiden van het land. Als die rotzakken ontdekten dat mijn drie mensen een hoge waarde bezaten, zouden ze ze afpakken van de clans. Dan zouden Tracy, Stefan en BB in gevangenschap sterven of worden geëxecuteerd omdat... Nou ja, gewoon omdat het nu eenmaal gebeurde.

Jules zocht iets. 'De toiletten. Weet jij waar die zijn?'

'Ja.' Ik wees. 'Mag ik nog eens naar die kaart kijken?'

Hij liet de kaart op het scherm verschijnen en ging op weg naar de toiletten.

4

Green Dragon Hotel, Hereford
15.00 uur

Het Green Dragon Hotel aan Broad Street voelde aan alsof het al net zo lang bestond als de stad Hereford zelf. Het was het soort oude toeristenhotel waar de Rotary elke vrijdag bijeenkwam en waar touringcars stopten voor thee en broodjes.

Omdat de tv geen Russia Today ontving, ging ik op het grote gebloemde dekbed zitten en tikte ik Anna's nummer in op het scherm van de iPhone. Normaal gesproken belde ik haar niet zo vroeg, maar ik had een tamelijk drukke dag voor de boeg. Ik moest Crazy Dave te pakken zien te krijgen en daarna de kroegen aflopen om Janet te vinden.

Ik was al op het laatste adres geweest dat ik van Janet had, een huurflat in een grindstenen gebouw van drie verdiepingen aan Ross Road, aan de rand van de stad. Ze had die flat jaren geleden van haar moeder overgenomen en het was bijna tegenover de plaats waar vroeger de SAS-basis was. Toen ze nog niet zo lang op jacht was naar een echtgenoot, zal ze wel hebben gedacht dat ze daarmee een voorsprong had. Er was niemand thuis geweest, en ik was niet van plan bij de buren te gaan aankloppen. In elk geval nog niet. Het was vrijdag. Tenzij ze haar oude gewoonten had opgegeven, zou ze vroeg of laat de stad in gaan.

De telefoon was nog maar een paar keer overgegaan toen Anna opnam.

'Hoe gaat het?'

'Beter dan gisteren. Waar ben jij?' Ze was deze keer binnen. Ik hoorde Arabische tv-geluiden op de achtergrond en geen schoten.

'Terug in Groot-Brittannië, in Hereford. Kun je vrijuit praten?'

'Heb je die klus aangenomen?'

'Misschien.' Ik legde het uit. 'Ik reken erop dat BB hen in leven houdt tot ik weet waar ze zijn. Ben je iets over Frank te weten gekomen?'

'Ik kan je alleen vertellen dat hij oorspronkelijk Vepkhiat Avdgiridze heette. Hij is geen Oekraïner. Hij is een Georgiër uit Zuid-Ossetië. Dat strijdt al tientallen jaren voor onafhankelijkheid.'

'Dat weet ik. Ik was daar een jaar of twee voordat Poetin een inval deed.'

Noord-Ossetië maakte deel uit van Rusland, maar Zuid-Ossetië was altijd betwist gebied geweest. De meeste Zuid-Ossetiërs hadden een Russisch paspoort en wilden zich losmaken van Georgië. Ze hadden Zuid-Ossetië in 1990 tot republiek uitgeroepen en toen had de Georgische regering tanks gestuurd. Er was een reeks oorlogen op gevolgd, totdat de Russen in 2008 een inval deden 'om hun burgers te beschermen'. Nou ja, dat was hun versie van het verhaal. Sindsdien was Zuid-Ossetië als onafhankelijke republiek erkend door Venezuela en een handjevol andere landen die bij Moskou in het gevlij wilden komen, maar de Georgische regering beschouwde het nog steeds als bezet gebied.

'Welke rol speelt Frank?'

'Hij financiert de Zuid-Ossetische onafhankelijkheidsbeweging. Hij helpt ze Georgië op alle mogelijke manieren aan te vallen. Hij komt geen geld tekort. Het ziet ernaar uit dat hij overal een vinger in de pap heeft. Olie, gas, onroerend goed. Hij steunde Poetin toen die de zaak aan het reorganiseren was. Hij is een schurk, maar hij heeft wel stijl. Hij bezit geen voetbalclub en stelt zich ook niet kandidaat voor provinciaal gouverneur. Hij leeft op zichzelf. Voor hem is het allemaal een kwestie van zakendoen.'

'Weet je zeker dat hij het is?'

'Ik zal je een foto sturen.'

'En jij, Anna? Gaat het goed met je?'

'Ja. Maar weet je, ik heb eens zitten denken... Misschien... Misschien moet ik wat langer blijven. Als Benghazi weer in handen van Gaddafi valt, moet ik erbij zijn.'

'En misschien in Bahrein, en in Syrië?'

Ik sprak op luchtige toon, maar we zwegen allebei een tijdje.

'Wanneer kom jíj naar huis, Nicholas?'

'Als ze nog in leven zijn, moet ik ze gaan halen.'

Ik hoorde dat ze haar adem even inhield. 'Ja... Natuurlijk.'

Er volgde een korte stilte.

'Nicholas, ik moet gaan.'

'Ik bel je morgen. Maar ik weet niet wat je allemaal doet, want de punthoofden hebben geen Russia Today op de tv.'

Ze zou niet weten dat inwoners van dit deel van Engeland punthoofden werden genoemd, maar ze schoot toch in de lach. Dat vond ik altijd prettig om te horen.

'Pas goed op jezelf, Anna.'

'Jij ook, Nicholas.'

De verbinding werd verbroken.

Ik ging op het bed zitten en probeerde iets van ons merkwaardige gesprek te begrijpen.

Mijn iPhone liet me weten dat Anna's MMS was binnengekomen. Ik opende hem. De foto was een beetje wazig en op een afstand genomen terwijl hij in een limousine stapte, maar het was wel degelijk Francis Timis.

Ik goochelde met capsules van instantkoffie, zette de kleine plastic waterkoker aan en maakte me zorgen over Anna. Dat begon een gewoonte te worden. Het kwam niet alleen door het gevaar waarin ze zich begaf. Ik miste haar ook. Ze had het zo druk met het redden van de wereld dat we niet veel bij elkaar konden zijn. Toch kon ik het haar niet kwalijk nemen. Degene die zei dat oorlog een drug was, had het helemaal goed.

Ik gebruikte de kamertelefoon om Crazy Dave te bellen. Ik was er vrij zeker van dat hij niet zou opnemen wanneer hij NUMMER ONBEKEND op zijn schermpje kreeg of een nummer dat hij niet kende, maar wel wanneer het een nummer uit Hereford zelf was. Ik had me niet vergist.

'Dave...'

'Wat is er?'

'Kunnen we een kop thee drinken over, eh, een uur?'

'Als je werk wilt, kun je het wel vergeten. Met ingang van vier uur vanmiddag ben ik met pensioen.'

'Zet dan water op om halfdrie. Dan kun je jezelf evengoed nog om vier uur een gouden horloge geven.'

'Ja, heel grappig. Wat wil je?'

'Dat leg ik je uit als ik er ben.'

Ik was blij dat ik hem in een goed humeur had getroffen.

5

De parkeergarage van het Green Dragon Hotel bevond zich achter het gebouw en had waarschijnlijk ooit volgestaan met rijtuigen. Ik betaalde mijn rekening en reed met mijn vuile Porsche langs Ascari's cafetaria naar Broad Street. De hemel was donker, met zware wolken.

Vroeger bracht ik een groot deel van mijn vrije tijd in Ascari door. Ik at dan toast en dronk koffie. Daar had ik Crazy Dave pas goed leren kennen. Toen ik bij de SAS kwam, was hij al sergeant, iets van drie generaties boven mij. Omdat hij in squadron A zat en ik in B, kreeg ik hem niet veel te zien, maar als we achter koffie en roerei zaten, waren we allemaal hetzelfde. We brachten daar allebei onze zondagochtenden door en lazen dan de weekendbijlagen; hij omdat hij bij zijn vrouw vandaan wilde zijn en ik omdat ik geen vrouw had. Crazy Dave hoefde tegenwoordig niet meer zo vaak naar Ascari. Kort nadat hij in de vernieling was geraakt, had zijn vrouw hem verlaten. Zijn benen waren niets meer waard, en volgens haar gold dat ook voor hemzelf. Hij ging als een jojo het ziekenhuis in en uit, en ze had geen zin om dat allemaal met hem mee te maken.

Tussen hem en mij zat het ook niet helemaal lekker. Toen we in 2005 weer met elkaar in contact kwamen, had ik medelijden met hem gehad, maar al na een week of twee begon ik te denken dat twee kapotte benen niet genoeg waren. Een vriend van me uit mijn SAS-tijd had Crazy Dave om werk gevraagd. Die vriend had in het eerste stadium van ALS gezeten en wilde nog één keer wat geld binnenhalen om zijn vrouw aan een pensioen te helpen. Dat was op zichzelf niet zo bijzonder, maar Crazy Dave was erachter gekomen en had misbruik van hem gemaakt. Charlie was zo wanhopig geweest dat hij genoegen had genomen met een fractie van wat de klus waard was, en Dave had de rest van het geld in zijn zak gestopt.

Ik dwong hem alles aan Charlies weduwe te geven. In ruil daarvoor zou ik niet aan de jongens die hem om werk vroegen vertellen hoeveel hij voor zichzelf achterhield, en niet aan de bedrijven die hem inhuurden dat hij een probleem met de kwaliteitscontrole had: hij ging niet eens na of zijn medewerkers nog goed functionerende armen en benen hadden.

Ik had er vooral plezier aan beleefd om tegen hem te zeggen dat als hij niet binnen 24 uur dat geld naar haar rekening overmaakte ik meteen naar hem toe zou komen om zijn magere reet uit zijn rolstoel te trekken.

De volgende keer dat ik hem tegenkwam, een jaar later, was dat precies wat ik deed. Ik had informatie nodig, maar ik pakte het verkeerd aan. In plaats van hem om een dienst te vragen, wat hem een kick zou hebben gegeven, had ik geprobeerd hem te chanteren. Hij gaf me de informatie en zei tegen me dat we nu quitte stonden. Toen zei hij dat als ik de fout beging daar anders over te denken, hij driehonderd kerels in zijn Rolodex had staan die met het grootste genoegen mijn gezicht tot puin zouden slaan.

Had ik het daar nu maar bij gelaten.

Soms moet je accepteren dat je niets kunt beginnen, en dit was een van die momenten. Maar het maakte me zo kwaad dat hij zoveel geld verdiende door zijn eigen mensen af te zetten, dat er iets in mij knapte.

Ik greep zijn rechterkuit vast en liep naar de deur, waarbij ik hem met rolstoel en al achter me aan trok. Hij krijste en gilde dat ik moest ophouden, maar ik ging gewoon door. Toen we bij de deur kwamen, kon Crazy Dave zich niet langer aan zijn rolstoel vasthouden en viel hij op zijn achterste. Ik sleurde hem door de regen en liet hem pas los toen we bij zijn pausmobiel kwamen. Hij lag op het natte asfalt te spartelen en deed verwoede pogingen om zich op zijn ellebogen naar het huis terug te slepen.

Ik wist nog steeds niet waarom ik dat had gedaan. Het was onvolwassen en ongerechtvaardigd en ik schoot er niets mee op. Maar ach, zo had ik weer eens wat te lachen.

Jammer genoeg had ik nu zijn hulp weer nodig.

6

Ik sloeg rechts af, Broad Street in, langs de voorkant van het hotel richting de rivier de Wye.

Er was maar één ding 'crazy' aan Crazy Dave en dat was zijn bijnaam. Die had hij juist gekregen omdat hij niet gek was; hij was niet gekker dan een theekopje. Hij was zo iemand die een mop analyseerde en dan zei: 'O ja, ik snap het. Dat is grappig.' Maar het was dan ook niet zijn vak om werk te vinden voor komieken, ook al vonden we onszelf soms ontzettend grappig.

Er was altijd wel een of andere bemiddelaar actief geweest in Hereford. Het moest een ex-SAS-man zijn, want hij moest op de hoogte zijn van wie er meedeed en wie niet, en als hij dat niet was, moest hij iemand kennen die wel op de hoogte was. Toen Crazy Dave na zijn 22 jaren vertrok, ging hij als bemiddelaar optreden tussen ex-SAS-mannen en de particuliere militaire bedrijven en personen die bekwame mensen zochten. Dave verdiende zijn geld door de juiste persoon voor de juiste klus te vinden. Er zit een personeelsafdeling in elke civiele organisatie, dus waarom niet in een militaire? Per slot van rekening zou het zonde zijn om al die vaardigheden te verspillen die we op kosten van de belastingbetaler hebben opgedaan.

Daves onderneming paste perfect in de *Big Society* van premier Cameron. We halen de jongens in het leger; we betalen voor hun training; we betalen ze om te vechten en dan laten we ze gaan en gebruiken we hun vaardigheden in de buitenwereld. Sommigen van hen vulden zelfs een aangiftebiljet in.

Ik was op weg naar Bobblestock. Dat was een van de eerste nieuwe wijken geweest die aan de rand van de stad uit de grond waren geschoten toen premier Thatcher van ons allemaal huiseigenaren probeerde te maken. De huizen waren allemaal uit fabrieksbakstenen opgetrokken en zagen eruit alsof ze tegen elkaar aan waren gezet voor de warmte. In elk huis hadden ze 2,4 kinderen en een MPV op de oprit.

Crazy Dave woonde hoog op de helling. Hij had me trots verteld dat hij zijn huis in de derde fase van de wijk had gekocht. Om deze huizen van de andere te onderscheiden waren de kozijnen bruin in plaats van wit. Blijkbaar werden ze daardoor indrukwekkender.

Ik reed de wijk in. Er was niets veranderd in de vijf jaar sinds ik hem voor het laatst had gezien. Ik stopte voor zijn bakstenen, rechthoekige huis en was weer in de gelegenheid zijn garageaanbouw te bewonderen, die eruitzag alsof hij uit een doos in elkaar was gezet.

De laatste keer dat ik daar was, had het huis rechts van hem Byways geheten. Blijkbaar had Dave nieuwe buren. Nummer 53 heette nu Rose Cottage. Er was niks cottage-achtigs aan dat huis. Achter het raam bewoog vitrage. Misschien hadden ze het kortgeleden gekocht en moesten ze nog wennen aan de buurman in de rolstoel die op vreemde tijden bezoek kreeg van ruige types. Ze zouden wel denken dat het iets met seks te maken had.

Nummer 49, links, heette nog steeds The Nook. Crazy Dave's huis had natuurlijk alleen een nummer. Hoe crazy was dat? Voor het huis stond een gloednieuwe Peugeot Pausmobiel, precies twintig centimeter bij de trottoirband vandaan, of hoeveel centimeter de norm ook maar was. Omdat het een doodlopende straat was, had hij de laatste keer dat hij had gereden zelfs de moeite genomen de auto te keren, zodat hij al in de goede richting stond wanneer hij snel weg wilde rijden.

Het hele geval was omgebouwd en aangepast, tot en met hendels in plaats van pedalen. Ik zag tassen op de passagiersplaats en langs de zijkanten van de pausentroon achterin staan.

7

Ik liep het pad op naar de betonnen hellingbaan die in de plaats was geko-men van het trapje bij de voordeur. Ik zwaaide naar de kleine bewakings-camera die de voorkant van het huis bestreek. De deur zoemde. Ik duwde hem open en ging naar binnen.

Het huis was nog precies zoals ik het me herinnerde. Het rook nog alsof het net een goede beurt had gekregen met een paar blikken Pledge. Onder-aan de trap stond een traplift, en boven waren genoeg grijpstangen om een hele troep bavianen bezig te houden. In de gang zaten ook glanzende chro-men stangen tegen de muren. Een paar optrekstangen aan nylon webbing. Het zag eruit als de hemel voor een turner.

Mijn Timberlands piepten op het laminaat toen ik de huiskamer bin-nenliep, die zonder poespas was ingericht. Een gigantische tv, en dat was het wel zo'n beetje. De rest was open ruimte. Crazy Dave had geen fauteuil nodig.

Openslaande deuren kwamen uit op een tuin, waar je ook via een hel-lingbaan kon komen. Ik volgde een smal pad van gele betonklinkers uit een tuincentrum naar een dubbele deur in de garagemuur. De garage was tot kantoor verbouwd.

Crazy Dave zat achter zijn bureau, met binnen handbereik de belangrijk-ste hulpmiddelen die hij in zijn vak nodig had: twee plastic doosjes met systeemkaarten waarop de namen en gegevens stonden van meer dan hon-derd voormalige leden van Special Forces. Geen wonder dat de garage stalen rolluiken had en van zware beveiliging was voorzien. Voor mensen die wilden weten welke bedrijven welke dingen deden zouden die kaarten meer waard zijn dan een containerschip vol RPG's.

Ik deed de deur achter me dicht. 'Beter laat dan nooit.'

'Wat?'

'Het werd tijd dat je dat pad liet verharden. Die rolstoel van jou liet niks van het gras heel. Het was net of je door de Somme moest waden.'

Hij glimlachte niet.

'Blijf maar zitten, jongen.'

Weer geen glimlach.

Ik hield mijn handen omhoog. 'Dave, ik wil om een wapenstilstand vragen. Een punt erachter. Het spijt me wat ik heb gedaan. Ik ging in de fout. Zo simpel ligt het.'

'Ja, dat ging je zeker.' Hij aarzelde even. 'Maar weet je wat? Laat maar.' Hij sloeg op de armleuningen van zijn stoel. 'Als je in zo'n kloteding zit, besef je dat het leven te kort is om je druk te maken om zulke dingen. Dus zand erover. Wat kan het mij schelen? Ik leef toch midden in een soapserie?'

Dat was goed genoeg voor mij.

Waar de garagedeur had gezeten, zat nu een skeletwand. Er zaten geen ramen in, alleen drie tl-armaturen. De theespullen stonden nog op een tafel tegen de muur aan de andere kant. De Smarties- en Thunderbirds-mokken deden het nog goed. Ik vroeg me af of hij de paaseieren had gespaard die erin hadden gezeten.

Hij knikte naar de monitor van de bewakingscamera. 'Mooie wagen. Heb je daar iemand voor vermoord?'

'Jazeker.' Ik liep naar het bureau. 'Nou, hoe gaat het met je?'

De vorige keer dat ik Crazy Dave zag, was hij al tamelijk kaal geweest en had hij een snor gehad als Friar Tuck in een pornofilm uit de jaren zeventig. Al zijn haar was nu weg, maar de snor hing er nog.

'Beroerd.'

'Dat kan ik zien. Die Charles Bronson-look doet je geen goed.'

Hij pakte de armleuningen van zijn rolstoel vast, hees zich een paar centimeter boven de zitting en bleef daar hangen. Misschien had het iets met zijn bloedsomloop te maken, of met zere plekken die hij op zijn kont had gekregen. 'Ja, nou, we hebben allebei levenslang, nietwaar?'

Hij kwam met zijn hypermoderne kastanjebruine rolstoel om het bureau heen rijden. Het ding zag er gestroomlijnd uit. 'Maar ik kan tenminste nog op kroegentocht wanneer ik maar wil.'

'Kun je al een *wheelie* doen met dat ding?'

Hij zette hem in zijn achteruit, maakte een snelle beweging, en de voorwielen kwamen omhoog. Hij grijnsde als Evel Knievel. Toch wisten we allebei dat het nooit beter zou worden dan dit. Crazy Dave was invalide uit de SAS gekomen nadat een vrachtwagen uit Estland hem op zijn motor van de M4 af had gedrukt. Alsof dat nog niet erg genoeg was, had hij mijn Suzuki 650 geleend. Toen hij na zes maanden uit het Stoke Mandeville-ziekenhuis kwam, was hij nog niet in orde. Zijn benen waren nog steeds niet te gebruiken.

8

De volgende truc die hij uithaalde, was thee zetten voor ons beiden.

'Nou... Kom je hier met iets wat je weet of iets wat je wilt weten?'

'BB.'

'Krijgt de vrouw van de opdrachtgever weer een beurt?'

'Dat is niet mijn grootste probleem. Weet je wie die vrouw is?'

Hij draaide zich met een ruk naar me om, met een suikerzakje op zijn schoot. 'Ik ben er niet op dat niveau bij betrokken. De klus gaat via drie of vier tussenpersonen voordat ik ermee te maken krijg. Ze wilden een lijfwacht voor een moeder en een kind. Ik kies – ik koos – altijd de beste die op dat moment beschikbaar was.'

Ik schudde mijn hoofd. 'Jongen, hoe komt het dat jij de enige was...'

'... die hem werk gaf?'

Ik knikte. 'Hij bracht zelfs niks van die tsunamiklus terecht, terwijl daar toch niemand te neuken viel. Hoe kan hij jou onder druk zetten? Doet hij het ook met jou of zo?'

Hij draaide zich om naar de waterkoker en legde de suiker neer. 'Shit!'

'Daarmee raakte ik een gevoelige snaar, hè?'

De rolstoel ging met een noodgang naar de deur. 'Nee, shit, ik moet schijten.'

Ik volgde hem de tuin in.

'Hoor eens, Nick. Hij was na ongeveer zes maanden klaar met die piratenklus. Daar had ik helemaal niks mee te maken. Ik gaf hem een klus bij de oliemaatschappijen: de pijplijn in Georgië bewaken. Dat was een leuk karweitje in Tbilisi. Maar hij verknoeide het door ruzie met de opdrachtgevers te maken over onkosten.

Toen gaf ik hem een baan bij een Amerikaans gezin in Londen, en daar maakte hij een nog grotere puinhoop van. Ik geloof dat de man een computermagnaat was, downloads en dat soort dingen. Als de man van huis was, liep BB weer achter zijn pik aan. Hij dacht dat als hij het met de vrouw aanlegde ze van die kerel zou scheiden en hijzelf een heleboel poen in handen zou krijgen.

Jammer genoeg had hij intussen een hoop andere mensen tegen zich in het harnas gejaagd. Hij gedroeg zich daar alsof hij de leiding had. Het was een grote klus. Ze zaten met bijna dertig man in het team. Ze bewaakten het gezin in Engeland en de man wanneer die over de planeet vloog om zijn downloads of wat dan ook te verkopen.

Als iemand kwaad op hem werd, haalde BB de vrouw over om diegene te ontslaan. Hij gaf geen moer om die kerels. Hij had het alleen op het geld voorzien. De stomkop dacht dat hij dat geneuk van hem alleen maar stil hoefde te houden tot aan de scheiding en dat het dan allemaal goed zou komen.'

We kwamen bij de traplift. Zonder mijn hulp te willen accepteren zwaaide Crazy Dave zich uit de rolstoel en op de voetensteun van de traplift, en daarna hees hij zijn achterste in positie.

'Weet je wat BB's probleem is? Hij begrijpt niet dat die kerels die al dat geld hebben dat hij in handen wil krijgen zo rijk zijn, omdat ze intelligent zijn.'

Crazy Dave drukte op een knop. De motor bracht hem licht gierend naar boven. Ik volgde.

'Wat gebeurde er toen?'

'Hij kwam op straat te staan. Hij had geen geld, en hij had geen vrienden, want hij had iedereen zo rottig behandeld. Die kerel ziet het verschil niet goed tussen zijn pik en zijn hoofd.'

We kwamen op de overloop. De traplift stopte en hij greep weer een stang vast. Vanaf dat punt tot aan de badkamer hingen er stangen aan het plafond. Hij zwaaide aan zijn armen naar het eind van de overloop. Zijn benen bungelden en van tijd tot tijd streken zijn voeten over de vloerbedekking.

Crazy Dave hoefde het hele verhaal niet te weten. 'Jongen, ik moet weten of hij nog iets waard is. Als er gedonder komt, weet hij dan wat er moet gebeuren? De opdrachtgever heeft me gevraagd onderzoek naar hem te doen. Hij maakt zich grote zorgen over de bescherming van de jongen. Hij wil de beste man die beschikbaar is en als dat BB is, dan is het goed. Wat denk je?'

De laatste van de hangende stangen was zijn keerpunt boven het toilet zelf. Hij liet zich op de troon zakken, die voorzien was van armsteunen en een gecapitonneerde pvc-bril.

'Dat is geen probleem. Hij is goed, hij is een lul, maar hij is goed. Als hij dat niet was, had ik mijn bedrijfje al lang geleden moeten opdoeken.'

Crazy Dave trok zijn grijze trainingsbroek veel sneller omlaag dan eigenlijk nodig was. Met zijn andere hand probeerde hij de klittenband van zijn grotemensenluier los te trekken. 'Die rotdingen. Waarom maken ze de lipjes verdomme niet groter?'

De luier ging eindelijk uit, en hij slaakte een zucht van verlichting.

'Weet je, iedereen maakt hem het leven zuur omdat hij bij de reservisten heeft gezeten. Het heeft niks met neuken te maken. Ik was ook reservist, verdomme nog aan toe, en ik heb het toch niet zo slecht gedaan? Omdat hij een klootzak is, neemt niemand hem serieus. Maar ze vergissen zich. Als puntje bij paaltje komt, zorgt hij heel goed voor die vrouw en haar kind. Hij is meer dan capabel.'

Hij keek op voordat hij zijn lading dumpte. 'En nou wegwezen.'

Ik sloot de deur, maar bleef zo dichtbij dat ik kon horen dat zijn reet nog werkte, al waren zijn voeten en benen nutteloos geworden. 'Hé, Dave, waarom wil de gemeente nog steeds niet dat je beneden een wc hebt?'

Hij had twee jaar lang de ene na de andere aanvraag ingediend. Hij was zelfs in zijn rolstoel naar het gemeentehuis gegaan, maar dezelfde klojo had hem steeds weer afgewezen. Blijkbaar gebeurde dat nog steeds.

Hij lachte. 'Ongeveer drie jaar geleden heb ik toestemming gekregen, maar waarom zou ik? Ik ben het nu gewend om naar boven te gaan. Het is trouwens de enige lichaamsbeweging die ik krijg.'

'Heb je het echt opgegeven?'

'Ja. Weet je wat? Ik ga tegenwoordig elke middag een eindje rijden. En 's avonds laat soms ook. Ik wil alleen een beetje vrijheid, zoals ik vroeger op de motor had. Ik heb altijd al eens op de motor door Europa willen rijden weet je. Vol gas over de *Autobahn*. En dus dacht ik ongeveer een maand geleden: ach, met die wagen daarbuiten kom ik ook overal. Vanavond nog. En later ga ik naar Canada en neem daar een invalidenwagentje. Het is niet bepaald een motor, maar wat geeft het? Ik moet het doen voordat ik doodga in die verrekte rolstoel. Om vier uur vanmiddag vertrek ik naar Dover, dus nou moet je echt wegwezen.'

Ik had onwillekeurig een zeker respect voor hem. 'Veel succes, slingeraap.' Ik ging naar beneden.

9

Ik was de kroegen af gelopen en had mijn best gedaan om niemand tegen te komen die ik kende, behalve Janet. Ik had geen enkele behoefte aan 'Hé, wat doe jij hier?', 'Waar heb je gezeten?' en dat soort dingen. Ik moest in beweging blijven. Pas wanneer het niet anders kon, zou ik naar bekende gezichten uitkijken en op die manier proberen haar op te sporen. Als dat ook niet lukte, zou ik naar haar flat gaan en zitten wachten in de hoop dat ze daar nog woonde.

Ik was al in de meeste kroegen geweest waar mensen heen gingen voordat de wedstrijden begonnen. De laatste waren de Barrels, de West Bank en de Hop Pole geweest, en nu was ik op weg naar Saxtys. Dat was een wijnbar die al tientallen jaren in verschillende vormen in het stadscentrum had bestaan. Er zat ook een nachtclub bij en het zou typisch iets voor Janet zijn om daar haar vrijdagavond door te brengen.

Ik passeerde de glazen deur en liep tegen een muur van geluid op. Een heteluchtkanon blies over de drempel omlaag om het binnen warm te houden. De bar was bomvol: gestreken overhemden, schone spijkerbroeken, avondjurken. De lucht was zwaar van de parfum en eau de toilette. Ik baande me een weg door de menigte die de hele ruimte opvulde. De nachtclub was nog niet opengegaan, maar dat zou niet lang meer duren en Janet kon wel al zitten te wachten. Vrouwen als zij, vrouwen die dachten dat ze nog zestien waren, hoorden net zo goed bij deze stad als de kathedraal.

En daar was ze. Helemaal achterin, aan de bar, kort voordat die overging in zitjes. Zij en nog twee schapen die verkleed waren als lam. Ze stonden aan een tafeltje en praatten een eind weg.

De jaren waren Janet niet zo welgezind geweest als Tracy. Haar mouwloze blauwe jurk spande net een beetje te strak om haar lijf. Haar behabandjes waren te zien, en ook het vlees dat aan weerskanten uitpuilde. Haar haar was nog hetzelfde, onwaarschijnlijk sluik en veel te donkerbruin om natuurlijk te zijn. Haar mascara was met een troffel aangebracht, en ze was bepaald niet zuinig geweest met foundation en eyeliner.

Ik ging dichter naar de bar toe en kwam in haar gezichtsveld, maar ze had het te druk met babbelen. Als ze ooit een Hereford-variant op *The Only Way Is Essex* gingen verfilmen, zouden die drie vooraan staan in de rij voor de audities.

'Janet!' Ik deed mijn best om verrast te kijken. 'Janet!' Ik moest mijn stem verheffen. 'Hoe gaat het met je?'

Ze keek me aan met een blik van rot-op-wie-je-ook-bent. Ik droeg geen vrijdagavondkleren en ik was geen 25.

'Ik ben het – Nick.' Ik hield de glimlach op mijn gezicht en boog mijn hoofd nog steeds naar haar toe.

Nu herkende ze me eindelijk.

'Oké, Nick?' Ze begon te stralen. 'Hoe gaat het met je? Het is een eeuwigheid geleden!'

Het Hereford-accent klonk me altijd als zacht Welsh in de oren. Haar armen kwamen omhoog voor een omhelzing en mijn neus werd belaagd door Boots Special. Ze ging een stap achteruit, maar hield haar hand op mijn arm. Intussen keek ze nog eens goed naar me.

'Te lang geleden, Janet. Mongs begrafenis, denk ik. Je ziet er... heel... goed uit.'

Dat hoorde ze graag. Waarschijnlijk was ze het niet meer gewend om gevleid te worden door iemand die niet op een nummertje uit was. 'O, dank je, Nick. Ik moet er tegenwoordig wat meer op smeren om de rimpels te verbergen, maar het gaat wel.'

Haar vriendinnen trokken zich terug en praatten met een groep mannen die vrijdagavondoverhemden met scherp gestreken mouwen droegen. Ze had me niet aan hen voorgesteld. Dat was waarschijnlijk code voor 'rot op'.

We moesten dicht bij elkaar blijven om boven de muziek uit verstaanbaar te zijn. Mijn ogen traanden van de Boots Special.

'Nou, ben je weer getrouwd?'

Ze hield haar linkerhand omhoog. 'Op het moment niet. Maar ik ben een vier-bij-vier.'

'Een wat?'

'Vier kinderen bij vier echtgenoten. Ze zijn nu allemaal volwassen. Uit het nest gevlogen. Nu heb ik eindelijk tijd voor mezelf.' Ze keek me met een triest glimlachje aan. Daaruit leidde ik af dat die tijd voor haarzelf niet zo leuk was als ze deed voorkomen.

'Woon je nog aan de Ross Road? In die gemeentewoning?'

Ze pakte een glas op met vermoedelijk spritzer, witte wijn met spuitwater, en nam er slokjes uit tot het ijs omlaaggleed en tegen haar lippen kwam. 'En jij? Heb je een leuk meisje gevonden?'

'Hoezo? Bied je jezelf aan?'

Er kwam een vage blik in haar ogen. 'Nou...'

Ze begon bij te praten. Heb je die-en-die gezien? Dat soort onzin. De helft van de tijd wist ik niet over wie ze het had. Dit was niet meer mijn wereld. Toen ik uit Hereford was vertrokken om voor de Firma te gaan werken, was het voorbij. Ik kwam geen weekendjes terug. Hereford was verleden tijd. En na Londen was ik ergens anders heen gegaan, en daarna weer ergens anders. Ik was vertrokken. Ik zou misschien zelfs nooit zijn teruggekomen. Het enige wat ik had achtergelaten, was mijn rekening bij de Halifax-bank. Ik vroeg me af hoe mijn £ 1.52 door de recessie was gekomen.

'Heb je nog iets van BB gezien?'

Haar gezicht betrok. 'Nee, de klootzak. Hij sliep bij mij thuis de nacht voor de begrafenis en nam toen niet eens de moeite om naar de dienst te gaan. Wat een hufter.'

Ik manoeuvreerde haar naar de bar en bestelde nog iets te drinken. Er waren nog steeds een paar dingen die deze dame niet over haar kant zou laten gaan.

'En Tracy? De laatste keer dat ik over haar hoorde, zat ze in Frankrijk. Heeft ze iemand leren kennen?'

Er stond niets dramatisch op haar gezicht te lezen. 'Ja, het gaat goed met haar. Een of andere Rus of zoiets. Ze had weer eens geluk. Ik wilde daar ook heen om te kijken of ik er eentje kon krijgen. Ze is verliefd. Ze hebben een jongetje. Stevie... of zoiets. Ik denk dat hij een jaar of vier is... vijf... misschien zes. Eigenlijk hoor ik niet veel van ze.'

Blijkbaar vond ze dat niet zo belangrijk.

'Dat is geweldig nieuws, nietwaar? Dat ze gelukkig is?'

De barkeeper kwam veel eerder naar Janet toe dan we met onze plaats in de rij verdienden. Ze hoefde hem niet eens te vertellen wat ze wilde. 'En jij, Nick?'

'Ik neem alleen een jus d'orange.'

Ze kneep haar ogen halfdicht. 'Wil je nog steeds honderd worden?'

'Nee. Ik ken alleen een heleboel andere manieren om mezelf de dood in te helpen.' Ik glimlachte weer. 'Je hebt dus niets van Tracy gehoord?'

'Niets sinds ze geld heeft.' Ze boog zich een beetje dichter naar me toe. 'Jij zei steeds tegen haar dat ze hier weg moest gaan, nietwaar? Nou, heeft ze het niet ver gebracht?'

Ze trok haar neus op. Dat was geen mooi gezicht.

'Jij kunt het ook ergens anders proberen. Je zei dat je kinderen het huis uit zijn...'

De drankjes kwamen. Een mooiere toekomst kon niet tegen een grote slok spritzer op. 'Jij bent altijd goed voor haar geweest, hè, Nick? Ze gaf me weleens iets van het geld dat je stuurde, een enkele keer maar, als ik het moeilijk had.'

'Ja, en ik durf te wedden dat ze je nog steeds een paar pond stuurt, hè?'

Ze knikte, zij het afkeurend. 'Ja, maar niet zo veel. En ze zou best meer kunnen missen. Ik dacht dat ze misschien een huis voor me zou kopen, maar nee. Voor haar zou dat wisselgeld zijn. Maar wat krijg ik? Niets. En ik ben haar zús, verdomme nog aan toe.'

Janet nam weer een slok. Ze maakte de denkfout dat mensen die geld hadden, verplicht waren het te verkwisten. Ze was jaloers omdat Tracy het had, en kwaad omdat Tracy niet genoeg afschoof. Het geld was eigenlijk helemaal niet van Tracy, maar dat scheen niet bij haar op te komen. Ze wilde alleen maar graaien.

'Hoor eens, Janet, ik heb een afspraak met iemand in de Market Tavern. Ik probeer later terug te komen. Maar als ik het niet red, wat is dan je nummer?'

Ik haalde mijn telefoon tevoorschijn, nog steeds zo erg glimlachend dat mijn gezicht er pijn van deed. Ze maakte haar tasje open. Ik verwachtte geen huissleutels te zien. Ze werd altijd zo dronken dat ze die kwijtraakte en ze verstopte dus altijd een sleutel bij haar huis. Maar daar zag ik ze. En ik zag ook drie mobieltjes.

'Jezus, Janet. Ben je dealer of zo?'

Ze koos er een uit en zette hem aan. 'Ik heb alleen een ingewikkeld leven, Nick. Ik zit met twee mannen, en die moet je uit elkaar houden. Wat dat betreft, ben ik een beetje ouderwets.'

Ik gaf Janet mijn nummer zodra ze wist hoe haar lijst van contactpersonen in elkaar zat. 'Dit is mijn privételefoon. Ik bewaar hier eigenlijk niets op. Niet eens sms'jes of zo. Je weet nooit wie er stiekem een kijkje in neemt als je bezig bent je mooi te maken. Die lul van een BB zou er meteen in gaan kijken. Waarschijnlijk zou hij hem gebruiken om sms'jes naar al zijn vrienden te sturen om hun te vertellen wat hij ging doen. Als hij vrienden had.' Ze gaf me haar nummer. Het was een O2-nummer. Ik typte het in.

'Als je weer eens in de stad bent, Nick...' Ze omhelsde me met de telefoon nog in haar hand. Toen zette ze hem uit. 'Ik heb de pest aan die dingen.'

We gingen uiteen met een snelle kus op de wang. Haar vriendinnen maakten nu een praatje met een ander stel kerels met zorgvuldig geknipt haar en een vrijdagavondoverhemd. Ze koos er een die een heel strak overhemd met blauwe strepen droeg, en werd algauw helemaal door het gesprek in beslag genomen. Converseren was waarschijnlijk niet zijn sterke punt, maar hij wilde haar best zijn tatoeages laten zien. Hij liet zijn biceps opbollen door zijn bierflesje vast te grijpen alsof dat het laatste flesje op aarde was.

10

Ik baande me een weg naar buiten en sloeg rechts af om door Whidemarsh Street naar de Green Dragon te lopen.

Ant was de grootste van mijn komische duo, maar blijkbaar dacht hij dat hij onzichtbaar zou worden als hij een sigaret opstak in het portiek van Marks & Sparks. Hij had zijn favoriete winterjas nog aan. Ik keek niet uit naar Dec en zijn onopvallende kapsel. Die zou ergens aan de andere kant van de kroeg staan, voor het geval ik naar links was gegaan. De auto die me naar Hereford was gevolgd, was een Mercedes C-klasse. Blijkbaar waren ze bang dat ze de Porsche met een andere auto niet konden bijhouden. Maar hij was nu nergens te zien. Ze zouden mijn auto in de parkeergarage hebben zien staan en veronderstellen dat ik voorlopig nergens heen ging.

Ze hadden niet in mijn vliegtuig gezeten, en het volgende was vier uur later vertrokken. Niettemin hadden ze me na mijn gesprek met Jules bij mijn appartement kunnen oppikken en naar Hereford kunnen volgen. Frank nam die praatjes over 'kennis is macht' blijkbaar heel serieus. Hij wilde me niet gewoon mijn werk laten doen.

Ik liep bij Marks & Sparks vandaan, volgde de weg naar rechts en sloeg toen links af, Broad Street in. Onderweg ging ik online en zocht ik naar de pincode om toegang te krijgen tot de voicemail van O2-nummers. Ik vond hem op Google.

Eenmaal in het hotel terug, gebruikte ik de bijna overbodige munttelefoon om naar Janets mobieltje te bellen. Dat stond nog uit. Als ze had opgenomen, zou ik alleen maar 'Hallo' hebben gezegd en het midden in de nacht opnieuw hebben geprobeerd.

Ik drukte op de knop van het sterretje zodra hij op de voicemail overging. Ik werd hartelijk verwelkomd bij de voicemail van O2. Ik toetste 8705 in, de pincode die Google me had gegeven, en was binnen in minder tijd dan ik nodig had gehad om het elektronische slot in het Ararat Park Hyatt de baas te worden.

Een irritant opgewekte vrouwenstem vertelde me dat er drie nieuwe boodschappen en 24 oude waren. De stem nodigde me vervolgens uit om op 2 te drukken en ze te beluisteren.

De eerste was drie dagen oud: een woedende Jock, die schreeuwde dat geen van zijn telefoontjes was beantwoord op geen van haar telefoons, en dat hij dit mobieltje in haar tas had gevonden. Dus, ze kon oprotten, en trouwens, hij wilde ook zijn iPod-speakers terug. De volgende boodschap was een dag eerder ingesproken door dezelfde man. Hij was net in Hereford terug en wilde haar erg graag ontmoeten, en ja, hij wist van dit nummer, maar hij had haar gemist.

Ik wiste ze. Ik wilde niet dat ze wist dat ze waren beluisterd. Deze methode hadden een paar journalisten de laatste jaren gebruikt om mobieltjes van beroemdheden, koninklijke personen en politici te hacken. Als je niet de moeite nam om je pincode te veranderen, mocht je immers niet zeuren.

De volgende boodschap was vier dagen oud. 'Hallo, Janet. Gegroet. Ik heet Nadif. Je moet me bellen.' De stem was diep, langzaam en galmend. 'Dit is erg belangrijk. Je zus, haar kind en haar vriend... ze verkeren in groot gevaar. Ik kan je helpen. Alsjeblieft, je moet me bellen.'

Ik pakte het stompje van een hotelpotlood op het nachtkastje, noteerde het mobiele nummer op het schrijfblok en wiste deze boodschap ook.

Toen belde ik Nadif.

11

De telefoon ging een eeuwigheid over. Ik wilde het al opgeven toen er plotseling werd opgenomen door iemand met een diepe stem. Hij klonk behoedzaam, waarschijnlijk omdat ik NUMMER ONBEKEND had. 'Hallo...'

Ik draaide er niet omheen. 'Je hebt een boodschap ingesproken. Ik bel over Tracy... Janets zus. Ik heet Nick. Zijn ze in veiligheid?' Ik sprak kalm en respectvol, want ik wilde hem niet op stang jagen.

Hij sprak ook met een afgemeten stem. 'Ik doe heel erg mijn best ze in leven te houden. Waarom heb je zo lang gewacht? Wie ben je?'

'Ik ben een vriend van Tracy. Een heel oude vriend. Is haar zoontje veilig?'

'Ze zijn allemaal in veiligheid. Maar dat zijn ze niet lang meer. Alleen ik kan ze redden. Maar ik heb je hulp nodig. Alsjeblieft, je moet me helpen. Wil je me helpen?'

De wereld is vol opportunisten die na een ontvoering de telefoon pakken en beweren dat ze de enigen zijn die de gijzelaar terug kan brengen. Ze innen een voorschot en daarna hoor je nooit meer iets van ze. Ik moest weten of Nadif niet zo iemand was.

'Nadif, ik wil je helpen, maar voordat we iets kunnen doen, moet ik bewijs hebben dat ze in leven zijn. Kun je daarvoor zorgen? Kun je me bewijzen dat ze nog leven?'

'Ja, natuurlijk. Maar de mensen die hen vasthouden, eisen drie miljoen dollar. Heb je dat? Kun je hun dat geld brengen? Als je dat geld brengt, kan ik je helpen ze vrij te krijgen. Heb je dat geld?'

Mijn toon veranderde van positief en welwillend in angstig en zorgelijk. 'Nee. Ik bedoel, ja, misschien. Misschien, misschien. Ik weet het niet. Ik ben niet rijk, wij zijn geen rijke mensen. Maar we zullen het geld bij elkaar krijgen. Ik zal alles proberen. Ik zal al het mogelijke doen om aan dat geld te komen. Ik zal op de een of andere manier aan dat geld komen. Maar alsjeblieft, je moet me eerst bewijzen dat ze in leven zijn. Kan ik met ze praten? Alsjeblieft?'

Er volgde een korte stilte.

'Nick, wil je echt, echt dat ze naar huis komen?'

'Ja. Dat wil ik echt. Ik wil alles doen om ze terug te laten komen.'

'Dat is heel goed, Nick, want alleen ik kan voorkomen dat ze op een verschrikkelijke manier worden vermoord. Onthoud dat goed, mijn vriend. Ik zal bewijzen dat ze in leven zijn. Je komt morgen naar me toe. Dat wil je toch wel doen?'

Ik pakte het potlood weer op toen hij me zijn adres in Bristol gaf.

'Luister, ik ben daar nog geen twee uur vandaan. Als ik nu eens meteen kom? Dan kunnen we het proces in gang zetten. Alsjeblieft, Nadif, ik weet niet wat we zonder jou zouden moeten beginnen.'

Hij was het daarmee eens, en ik hing op. Ik pakte mijn sleutels en liep naar de parkeergarage.

Als je met zulke mensen te maken hebt, moet je je altijd onderdanig opstellen. Je moet hen voortdurend laten denken dat ze alle kaarten in handen hebben. Op dat moment was dat niet zo moeilijk.

12

Ik reed langs Ascari.

Misschien zou er iets voor te zeggen zijn geweest als ik de Porsche een maand geleden had verkocht, maar toen kon ik het niet over mijn hart verkrijgen. Ik had het prachtig gevonden de verkoper op zijn nummer te zetten toen ik hem kocht, en ik genoot nog steeds van het feit dat ik de eigenaar van die Porsche was. Ik was in mijn stinkende trainingspak met sportschoenen de showroom binnengelopen en de klootzak had spottend gekeken toen ik vroeg hoeveel die Porsche kostte. Toen had ik mijn portefeuille getrokken en gevraagd of ik cash kon betalen.

En trouwens, ik wist niet hoe het verder zou gaan met Anna en mij. Misschien had ze het licht gezien en was ze er al aan toe me aan de kant te zetten. Per slot van rekening was ze misschien te hoog gegrepen voor mij en had zij geen enkele haast om naar Moskou terug te gaan. Omdat ik niet wist wat ik daarvan moest denken, zei ik meteen tegen mezelf: nou en? Ik had die vrouw niet in bezit.

Maar om nou terug te keren naar een leven van zaterdagochtenden in mijn eentje in een cafetaria? Ik besefte opeens dat ik te oud werd voor die onzin.

Op dat late uur was er niet veel verkeer meer toen ik eenmaal de stad uit was, zeker niet op de route die ik volgde. Ik zou niet de grote snelwegen volgen, maar via Pontralis naar Wales gaan en daarna B-wegen volgen naar Chepstow, waarna ik de Severn Bridge zou oversteken om in Engeland terug te komen.

Ik wist dat ik op die manier flink gas zou kunnen geven. De snelheidscamera's waren de laatste jaren als paddenstoelen uit de grond geschoten, maar ik had een detector. Ik zou deze route met een blinddoek kunnen rijden. In een vorig leven reed ik altijd supersnel over deze zelfde wegen. Bristol werd als trainingsterrein voor clandestiene operaties in Noord-Ierland gebruikt en op die kleine B-wegen oefenden we technieken om hard te rijden. Soms was je binnen een uur van deur tot deur.

De wegen waren smal en bochtig, met hoge heggen aan weerskanten. Ant en Dec zouden de grootste moeite hebben me bij te houden, al zou het landschap in hun voordeel werken. Telkens wanneer ik een helling op ging, zouden ze de stralen van mijn koplampen kunnen zien.

Nu en dan zag ik op een lang recht stuk koplampen achter me. Ik kon het Frank niet kwalijk nemen. Ik had mij waarschijnlijk ook door iemand laten volgen.

13

Ik bereikte de ringweg van Chepstow en de oprit van de brug. Toen ik voor de vorstelijke tol van £5.70 in Engeland terugkeerde, was er een beetje meer verkeer. Ik nam de snelweg naar Bristol en zette niet koers naar Nadifs adres, maar naar het centrum van de stad. Ik zette de auto op de tweede verdieping van een parkeergarage en nam de trap.

Ik liet de auto daar niet alleen achter om het mijn achtervolgers moeilijker te maken, maar ook omdat ik geen valse verwachtingen bij Nadif wilde wekken. Als hij een Porsche voor zijn deur zag stoppen, zou hij een verkeerde indruk krijgen van Tracy's bankrekening. Bovendien wilde ik niet dat het ding op blokken in plaats van wielen stond wanneer ik weer buitenkwam. Als Franks jongens er nog waren, zouden ze dat laatste begrijpen zodra ze zagen waar ik heen ging.

Bristol is op vrijdag- en zaterdagavond nogal bijzonder. De stad is dan populair bij jongens die zich volgieten en ook steeds meer bij meisjes die hetzelfde doen. Mijn route naar de geldautomaat werd een grote slalommanoeuvre. Zigzaggend liep ik langs kebabverpakkingen en hier en daar een plens kots op het trottoir. Met mijn drie bankpasjes nam ik het maximum voor een dag op. Even later had ik vijftienhonderd pond in de zak van mijn spijkerbroek.

Er was een taxistandplaats voor winkelcentrum Broadmead en de bioscoop. Ik ging in de rij staan. Voor me stonden vier of vijf groepjes studenten. De rokken van de meisjes waren niet lang genoeg om hun kippenvel te bedekken, en ze hadden geen jas aan, want ze wisten dat die in de bars en clubs gestolen zou worden.

Toen het mijn beurt was, sprong ik in een oude Renault MPV. De weeïge geur van vanilleluchtverfrisser verhulde de stank niet van de sigaret die de chauffeur in strijd met alle voorschriften zojuist had gerookt. Hij was midden vijftig, met vet wit haar dat naar achteren was gekamd. Hij had geen gel nodig; een maand je haar niet wassen werkte ook. Aan zijn verbleekte tatoeages en grote ruwe handen was te zien dat als er geen recessie was uitgebroken hij meer op zijn plaats zou zijn geweest op een bouwterrein.

'Easton,' zei ik. 'Barratt Street in Easton.'

'Het is vijf pond extra als je naar klein Mogadishu wilt.'

Het was ver genoeg bij het centrum van de stad vandaan om een goede rit voor hem te zijn, maar zelfs onder zijn zware West Country-accent was te horen dat hij er niet blij mee was.

We hadden Bristol voor oefeningen gebruikt, omdat het dicht bij Hereford lag en de scheiding tussen de verschillende bevolkingsgroepen er even ver was gevorderd als in Belfast en Derry. De veilige wijken waren erg veilig; de gevaarlijke wijken waren erg gevaarlijk. Maar in tegenstelling tot de situatie in Noord-Ierland was de segregatie hier niet op religie gebaseerd, maar op geld. Veel huizen waren er slecht aan toe. De plaatselijke huisvestingsautoriteiten gebruikten ze als dumpterrein voor armen en misdeelden. In de jaren tachtig werd de St. Paul-wijk, in de buurt van het stadscentrum, berucht om zijn rellen en drugshandel. Het kwam allemaal door een gebrek aan kansen.

Easton was een Somalische getto geworden, en dat was geen toeval. Kerels uit Bristol waren de slavenhalers van het eerste uur geweest, honderden jaren had het in de haven gewemeld van de Afrikanen, Indiërs en Chinezen. Op de begraafplaatsen lagen hier en daar zwarte zakenlieden, en die graven dateerden uit de eerste helft van de achttiende eeuw.

Mijn iPhone trilde.

'Ik moet naar een geldautomaat,' zei ik tegen de chauffeur.

Hij bromde iets onverstaanbaars dat klonk als het bijten in grote rauwe wortelen, maar stopte voor een bankgebouw. Ik voegde nog eens vijftienhonderd pond toe aan het pak geld dat ik voor middernacht had opgenomen.

14

Toen we verder in de woonwijken kwamen, lagen er minder kebabverpak-kingen en plassen kots op straat. Alle verkeerslichten waren rood, maar we reden algauw tussen de rijtjeshuizen, allemaal met een kleine erker aan de voorkant. Het waren misschien mooie huizen geweest toen ze ten tijde van de Boerenoorlog waren gebouwd, maar Easton had duidelijk betere tijden gekend.

We volgden de spoorlijn, die hoog boven ons lag op een wal die was bekleed met vuile bruine baksteen. De straten waren maar net breed genoeg voor de MPV. Ze waren ontworpen voor een paar kolenwagens die op en neer kwamen rijden, niet voor de wereld van Grand Theft Auto. Er stonden auto's aan weerskanten van de straat, half op het wegdek, half op het trottoir.

We reden langs drie of vier moskeeën en eindeloze rijen vuilbruine hui-zen. Alle buurtwinkeltjes waren hamburgertenten geworden. Daarvoor zaten jonge ridders schrijlings op roestige mountainbikes te wachten tot ze een bestelling konden afleveren. Maar wat deze jongens met hun smette-loos witte hoge sportschoenen en honkbalpetten op de late avond bij je thuisbrachten, was geen pizza. Het was iets veel verslavenders.

We stopten op een kruispunt en hij wees naar rechts. 'Dat is Barratt Street. Ik kan daar niet in.'

Ik betaalde mijn zeventien pond vijftig met een briefje van twintig en zei tegen hem dat hij het wisselgeld mocht houden. Op de hoek stond een groot oud fabrieksgebouw dat tot sportschool was verbouwd. Er brandde licht op de eerste en tweede verdieping, maar er was niemand binnen. Ik liep de smalle, zwak verlichte straat in.

15

Er waren geen voortuinen als zodanig, alleen muurtjes die een meter of zo bij de ramen aan de voorkant vandaan stonden. Sommige waren betegeld, in andere schoot het onkruid uit het gebarsten beton omhoog. Voor een van de huizen lag een matras met colablikjes en McDonald's-verpakkingen. De meeste auto's aan weerskanten van de straat waren minstens vijf jaar oud. Ik liep langs een opgepimpte Peugeot 1.2 met 's werelds grootste uitlaat.

Ik rolde de drieduizend pond zo strak mogelijk op en schoof ze in de zak van mijn spijkerbroek.

Alle ramen waren op een gegeven moment voorzien van plastic of aluminium voorzetramen, het soort ramen waardoor je zeker wist dat je nooit kon ontsnappen als iemand je huis in brand stak. Het was gewoon de goedkoopste manier.

Langs elk tuinmuurtje stonden zwarte kliko's, en aan de muren hingen schotelantennes in dezelfde kleur.

Ik keek op mijn Breitling-horloge. Ik was in Moskou nogal met Anna aan het winkelen geweest en had gevonden dat het tijd werd om het eens wat serieuzer aan te pakken. Vreemd genoeg gaf dit horloge dezelfde tijd aan als elk ander horloge, maar ik kreeg nog steeds een kick als ik erop keek.

Het was vijf over halftwee.

Ik schoof de Breitling van mijn pols en stopte hem weg.

Nadif had tegen me gezegd dat ik naar de winkel van Ali moest uitkijken. Een auto reed voorbij, stopte op het kruispunt achter me en reed toen weg. Ik was onder de indruk. Franks jongens hadden me goed kunnen bijhouden.

Nu en dan schetterde er een tv en flikkerde er licht in een spleet tussen gordijnen. Het enige andere geluid kwam van treinen die voorbij ratelden aan het eind van de straat achter me.

In de tijd van koningin Victoria zouden in Ali's etalage waarschijnlijk keurige uitstallingen van koolteerzeep en potten jam te zien zijn geweest. Nu stond hij vol met Chinese potten en pannen en aanbiedingen van duizend theezakjes voor negenennegentig pence. Aan de afbladderende stickers was te zien dat je er ook je gas en licht kon betalen, kon faxen en fotokopiëren en simkaarten, Marsrepen en de *News of the World* kon kopen.

Het enige wat je niet in de etalage kon zien, was dat het een *hawala*-steunpunt was, maar ik twijfelde er niet aan dat je bij Ali terecht kon als je geld naar familie in Karachi, Dubai of Mogadishu wilde sturen. Je legde je geld neer en gaf hem een codewoord of telefoonnummer, en dan gaf hij dat over aan een steunpunt op de plaats waar het geld naartoe moest. Je favoriete oom ging daarheen, sprak het toverwoord en kreeg een bruine envelop met de plaatselijke valuta, minus een commissie uiteraard. De twee steunpunten regelden dat onder elkaar.

Op die manier werden al tientallen jaren miljarden en miljarden dollars over de hele wereld verplaatst. Om voor de hand liggende redenen is het de favoriete geldtransactiemethode van criminelen en terroristen, en het is een nachtmerrie voor politiediensten. Niet dat de bewoners van deze wijk de volgende 9/11-aanslag zouden financieren. Ze stuurden alleen een paar pond naar familieleden in hun thuisland, opdat die te eten hadden.

De winkel was dicht, maar het was mij ook niet om goedkope theezakjes te doen. Het ging mij om de blauwe deur links van de winkel, de deur van de bovenwoning. De smeedijzeren klopper had de vorm van een leeuwenkop. Ik tikte er drie keer mee. Ik keek niet of Ant en Dec in mijn nek ademden; ik zou Frank op de hoogte stellen zodra ik wist wat hij moest weten.

Achter dunne gordijnen op de eerste verdieping ging licht aan. Iemands silhouet bewoog door de kamer. Even later werden twee klaviersloten opengedraaid en moest ik een stap achteruit doen omdat de deur werd opengeduwd. Ik zag algauw waarom. Er zat een sierlijk smeedijzeren veiligheidshek achter, waarvan de eerste twee tralies waren vastgezet met een beugelslot voor een fiets.

Aan het ronde sleutelgat kon ik zien dat het een oud slot was. Waarschijnlijk was het een van Ali's koopjes en totale tijdverspilling. Voordat sleutelfabrikanten verstandig werden en platte sleutels op de markt brachten, vulden ik en een paar vrienden, toen we nog gewone soldaten in Tidworth waren, onze soldij aan door een keer mountainbikes uit sportwinkel Andover te stelen. We huurden een busje voor het weekend, gooiden er zo veel achterin als we konden stelen en verpatsten ze in de goedkope wijken van Londen.

Aan de andere kant van het hek leidde een steile, smalle trap met versleten bruine vloerbedekking naar het halfduister. Het rauhfaserbehang kon wel een likje verf gebruiken.

Mijn nieuwe beste Somalische vriend stond onder aan de trap met een glimlach waarop een dominee trots zou zijn geweest. Hij was ruim één meter tachtig en slank en had fijne trekken en hoge jukbeenderen. Het leed geen twijfel dat hij uit het land kwam waar Afrika en Arabië samenkwamen.

'Jij bent Nick.'

Zo'n zware stem zou je eigenlijk verwachten bij iemand die twintig kilo zwaarder was dan hij. Casanova in Moskou zou een moord hebben gepleegd voor zo'n stem.

Ik knikte. 'Nadif?'

16

Hij keek naar links en rechts aan mijn kant van het hek.
'Waar staat je auto?'
'Ik heb een taxi genomen.'
'Heb je geen auto?'
'Geen auto om trots op te zijn.'
'In wat voor auto rijd je, Nick?'
'Een oude gedeukte Renault. Hoezo?'
Hij knikte peinzend. 'Waar kom je vandaan, Nick?'
'Ik was vanmorgen in Hereford. Daar komt Tracy vandaan. Haar zus Janet – je hebt haar gebeld, nietwaar? – woont daar nog steeds.'
Hij knikte langzaam en maakte het beugelslot los. Het hek ging piepend open. Het zag eruit alsof het uit een tuincentrum kwam. Hij droeg een spijkerbroek, goedkope bruine pantoffels met een Burberry-ruitje en een grijze capuchontrui met een verbleekte zwarte ster op de borst. Het paste helemaal niet bij zijn postuur en zijn lange, dunne, delicate handen. Deze jongen had achter Jules aan over een catwalk van Calvin Klein kunnen lopen. Hij was in zijn hele leven nog nooit in de buurt van een bouwterrein of een vissersboot geweest.
Ik ging naar binnen. In het trappenhuis stonk het naar sigaretten en magnetronmaaltijden. Hij bleef naar me kijken toen hij beide deuren sloot. Ik liep naar de onderkant van de trap. Hij maakte een beleefd gebaar. 'Na jou, mijn vriend.'
Ik gaf pas gevolg aan zijn uitnodiging toen ik had gezien wat hij met de sleutels deed. Vanwege de voorzetruiten zou ik niet uit een raam kunnen springen als ik in de problemen kwam. Hij stopte ze nonchalant in zijn zak, als iemand die geen ontvangstcomité van zes vrienden op de boven-verdieping had zitten. Als ik me daarin vergiste, kwam ik er gauw genoeg achter.
De kamer boven was een puinhoop. Hij leek meer op het huurkamertje van een nerd dan op het hoofdkwartier van een ontvoeringsleider. Het enige nieuwe was de aluminium MacBook op de goedkope gefineerde tafel rechts van de deur. Daarnaast stond een faxapparaat uit het jaar nul.

Op de vloer lagen stapels oude nummers van *Newsweek* en makelaars-brochures. Twee stalen Parker-pennen lagen op een stapel opgevouwen regionale en landelijke kranten. Blijkbaar was hij van plan ze later te lezen of de kruiswoordpuzzels op te lossen. Twee asbakken, elk met maar een of twee peuken erin, stonden naast een velours fauteuil die een beetje velours tekortkwam. Op een al even aftandse tv stond BBC News 24 aan, maar dan zonder geluid. In Bahrein waren de Saoedische pantserwagens druk aan het werk.

Ik knikte in de richting van het scherm. 'Nog nieuws over Japan?'

'Niets goeds, Nick.' Hij schudde bedroefd met zijn hoofd en trok een houten klapstoel onder de gefineerde tafel vandaan. 'Maar laten we over andere dingen praten. Alsjeblieft, Nick. Ga zitten.'

Hij wachtte tot ik het deed en ging toen zelf in zijn fauteuil zitten, waar-na hij zijn kin op het bruggetje van zijn handen liet rusten.

'Nou, Nick, vertel eens. Kun je aan het geld komen? Dat is de enige manier waarop ik dat kleine kind kan redden, en die anderen ook, Tracy en Justin...'

'Ik zal mijn uiterste best doen.'

'Nick, je moet zo gauw mogelijk met dat geld komen. Alleen dan kan ik ze uit die hel krijgen. Ik maak me zoveel zorgen over hen. Je bent toch hun vriend? Houd je van ze? Houd je genoeg van ze om me te helpen ze vrij te krijgen?'

Mijn stoel kraakte toen ik achteroverleunde. Ik ving een glimp op van de keuken. Afwassen stond duidelijk niet hoog op Nadifs prioriteitenlijst. De man had wel wat anders aan zijn hoofd.

'Ja, natuurlijk. Tracy's zus en Justins familie hebben me gevraagd hen in veiligheid te brengen. Je zult me moeten helpen, Nadif. Drie miljoen dollar is zoveel geld... De familie zal tijd nodig hebben om dat bij elkaar te krij-gen. Ze zaten op een mooie boot, maar het zijn geen rijke mensen. Ik hoop dat je je invloed kunt gebruiken. Een man als jij geniet vast veel respect in Somalië...'

Dat hoorde hij graag.

'Maar eerst moet ik weten of ze in leven zijn. Hun families... Iedereen maakt zich grote zorgen. We kennen de mensen niet die hen hebben ont-voerd. Kun je regelen dat ik hen te spreken krijg? Alsjeblieft...'

Hij keek op de rode Swatch aan zijn pols en liet zijn handen op de arm-leuningen van de stoel zakken. 'Wil je thee, Nick?'

'Ja, graag. Dank je. Dankjewel. En kan ik dan alsjeblieft met ze praten?'

Hij stond op. 'Alles op zijn tijd, mijn vriend. Je moet geduld hebben. Zulke dingen kosten tijd.'

Hij verdween in de keuken. Tot nu toe ging het goed. Hij vond het pret-tig om de grote pief te zijn en waarschijnlijk ook om mij het gevoel te geven dat ik hem in de luren legde. Die kerels waren veel te slim om zich door vleierij te laten inpakken, hoezeer dat ook deel uitmaakte van het ritueel. Een Somalische taxichauffeur in Groot-Brittannië had bemiddeld om de ontvoerde Britse zeevaarders Paul en Rachel Chandler in hun eigen land terug te krijgen nadat ze in 2009 op hun jacht tussen de Seychellen en Tanzania waren gegijzeld. Wie weet was dat Nadif wel geweest. Wie het ook was geweest, hij had vast gebruikgemaakt van dezelfde meelevende manier van praten.

Hij schoof genoeg vuile afwas in de gootsteen opzij om een waterkoker te kunnen vullen. 'Nick, mijn vriend, hoeveel geld kun je onmiddellijk bij elkaar krijgen?' Zijn diepe baritonstem galmde door de kleine kamer. 'Ik denk dat we met een blijk van goede wil moeten komen. Maar ik moet ook weten of ik jou persoonlijk kan vertrouwen, voordat we verdergaan en je dierbaren proberen vrij te krijgen.'

17

Met het gerinkel van glazen en lepels op de achtergrond boog ik me naar voren en bladerde in de lectuur die ik om me heen had liggen. Er lag van alles, maar niets wat me iets kon vertellen over de plaats waar ze werden vastgehouden. De makelaarsbrochures gingen over huizen van rond de vijfhonderdduizend pond in het hele land. Schoolprospectussen nodigden plichtsgetrouwe ouders uit om er met een investering van bijna de helft van dat bedrag voor te zorgen dat hun kinderen het juiste soort das zouden dragen. Naast de Mac lag een lijst van plaatselijke kranten waarop Nadif had ingelogd. Sommige waren doorgestreept.

'Natuurlijk kun je me vertrouwen, Nadif. Daarom ben ik hier. We zijn wanhopig. Ik zal alles doen wat ik moet doen. Ik moet alleen met ze kunnen praten. Ik moet weten of ze in leven zijn.'

'Vertel eens, Nick, heb je een eigen huis? Net als je eigen auto?'

'Ik heb net een flat in Londen gekocht.'

'En de andere families? Hebben die een eigen huis?'

'Justins familie woont in een gemeentewoning.' Ik wist helemaal niks van ze af, maar dat zou ik niet toegeven en ik moest ervoor zorgen dat zijn verwachtingen niet te hooggespannen waren. 'Tracy's zus huurt haar huis. Ze heeft niet veel geld. Maar maak je geen zorgen, Nadif. We vinden wel een manier om het geld bij elkaar te krijgen.'

Er ontgaat mannen als Nadif niets. Het zijn onderhandelaars, de bemiddelaars tussen de gijzelaars en de clans. Hij zou dit tot een succes maken.

En als ik op de inhoud van zijn archief mocht afgaan, was hij veel meer dan alleen een bemiddelaar. Hij was ook de verkenner. Tijdens de onderhandelingen probeerde hij zo veel mogelijk te weten te komen over de mensen die zouden betalen. Hij moest ervoor zorgen dat ze tot op de laatste druppel werden uitgeperst. Als een familie beweerde al het mogelijke te doen om het geld bij elkaar te krijgen, ging hij naar het huis om te kijken of het wel te koop werd aangeboden. En als ze een aanbetaling niet konden voldoen, zei hij tegen ze dat ze de BMW's op de oprit moesten verkopen. Als ze zeiden dat ze dat probeerden, zei hij: 'Ik heb geen advertentie in de plaatselijke krant gezien. Misschien kunnen jullie beter naar een dealer gaan.' Of met de juiste mate van medegevoel: 'Jullie drie kinderen zitten op Marlborough. Zij hebben toch ook liever dat hun tante weer thuiskomt?'

Je kon erop rekenen dat Nadif zijn best deed om te helpen.

Ik vroeg me even af of die schoolprospectussen voor zijn eigen kinderen bestemd waren. Wanneer ze zoveel gijzelaars maakten als Jules zei, moesten ze wel goede zaken doen. Het stond vast dat hij niet in deze gribus woonde. Ik zag niet eens een bed. Waarschijnlijk woonde hij in de buurt van de universiteit in een villa die woningen van 500.000 pond in de schaduw stelde.

18

'Nick, mijn vriend, als blijk van vertrouwen tussen ons en de mensen die je dierbaren vasthouden... zou tienduizend dollar een passend bedrag zijn, denk ik. Dan kan ik gaan praten met de clanleider, een erg belangrijk man, zonder hem te beledigen. Ik kan nu meteen met hem praten en je met alle drie je dierbaren laten praten. Maar je moet weten dat een dergelijke dienstverlening geld kost. Ik begrijp dat je je zorgen maakt, maar ik moet eerst over die dingen praten.'

Tenzij hij me in de maling nam, was ik nu één ding wijzer: ze waren omhooggegaan in de voedselketen, van de ontvoerders naar een clan. De ontvoerders hadden de gijzelaars blijkbaar aan hun clanleiders overgedragen. Waarschijnlijk hadden ze alles gefinancierd met een lening van de dichtstbijzijnde krijgsheer. Wanneer aan hun eisen werd voldaan, zouden de piraten hun deel nemen en de lening terugbetalen, plus rente en welk percentage hij ook maar eiste.

Als er geen geld kwam, of als de gijzelaars doodgingen, zou de schuld blijven bestaan. Misschien moesten de kerels die Tracy hadden ontvoerd een bestaande lening afbetalen. Wat maakte dat uit? Mijn gedachten gingen in een kringetje rond en ik wist niet eens zeker of ze nog in leven waren. Dat was het enige waar het nu om ging.

Nadif kwam terug met een tinnen theepot en glazen op een dienblad, alsof hij in zijn oude land terug was.

'Nadif, ik heb me zitten afvragen hoe ik snel aan zoveel geld kan komen. Het is heel erg moeilijk. Maar ik heb wat geld meegenomen. Ik heb drieduizend pond bij me, bijna vijfduizend dollar. Misschien vind je dat genoeg om me nu met hen te laten praten.' Ik zweeg even. 'En hoeveel geld we uiteindelijk ook overeenkomen, misschien... misschien kun jij twintig procent krijgen wanneer ze worden vrijgelaten.'

Ik wist dat hij ongeveer vijf procent van de clan zou krijgen. En als hij met het geld de hawala-weg volgde, zou dat hem misschien nog eens vijf procent opleveren.

Hij ging weer zitten en schonk langzaam en vanaf vrij grote hoogte de thee in. Ze zeiden dat de zuurstof die de thee bij het inschenken opnam de smaak ten goede kwam. De damp kwam mijn kant op en rook naar appel.

Somaliërs zijn een beschaafd en oud volk. Zelfs wanneer ze in grote armoede leven, leggen ze veel beleefdheid en respect aan de dag. Eeuwen geleden schonken ze hun thee al op deze manier in, toen wij nog heksen verbrandden en op rapen kauwden. Tegelijk konden ze gruwelijk wreed zijn, al vonden ze dat vermoedelijk niet dramatischer dan wanneer een leeuw een antilope doodde. Ze beschouwden het niet als slecht of kwaadaardig maar als de normale gang van zaken.

Ik wachtte tot hij het ritueel van de thee had voltooid, en ook het ritueel om mij op zijn antwoord te laten wachten. Het werkte niet wanneer je je tegenover die mensen als een brutale klootzak opstelde. Het waren zakenlieden, en hun zaken waren toevallig de handel in mensen.

Hij was klaar met inschenken en bood me suiker aan. Ik deed drie theelepels suiker in de thee en roerde. Hij deed hetzelfde. Toen nam hij het glas voorzichtig tussen duim en wijsvinger en bracht een toost uit.

'Dat lijkt me een heel goed voorstel, Nick. Als je me dat geld nu betaalt, neem ik contact op en dan kunnen we eraan werken om je dierbaren terug te halen. Je kunt me in termijnen betalen terwijl de zaak loopt. Maar kan ik je vertrouwen?'

'Natuurlijk kun je dat.'

'Die mensen zijn erg gevaarlijk. Jij kunt geen zaken met ze doen. Alleen ik kan je dierbaren vrij krijgen.'

'Dat weet ik, Nadif.'

Ik haalde het rolletje geld tevoorschijn en legde het op de tafel. Het sprong open en verdubbelde in grootte. Mensen zijn altijd meer op een transactie gespitst wanneer ze geld fysiek in waarde zien toenemen.

We hieven ons glas, klonken en namen allebei een slokje thee.

Hij keek me aan. 'Weet je, mijn vriend, ik denk echt dat we je dierbaren weer veilig thuis zullen krijgen, en gauw ook.'

Er gleed mierzoete appelthee door mijn keelgat.

Hij nam weer een slokje en stond toen op. 'Wil je me even excuseren...'

Hij ging naar de keuken terug en ik keek zo goed mogelijk naar hem en zag dat hij zijn hand onder het aanrecht stak. Als een konijn uit een hoed toverde hij een mobieltje tevoorschijn, een oud grijs wegwerpding.

Hij keek weer op zijn horloge. Mogadishu ligt drie uur op ons voor. Het was daar heel vroeg in de morgen.

'Nadif, ben je niet bang dat de politie of de inlichtingendienst kan horen wat je zegt?'

Hij glimlachte terwijl hij een nummer intoetste. 'Maak je daar maar geen zorgen over. Niemand is bang dat hij wordt afgeluisterd. Er gebeurt niets. In Somalië is geen politie, geen regering, geen leger, niemand. En waarom zouden ze me hier in Engeland willen tegenhouden? Ik lever een dienst. Ik laat de dierbaren van mensen naar hen terugkeren. Ik help ze. Jullie overheid helpt ze niet. De Amerikanen kunnen ook meeluisteren als ze willen. Of ze naar mijn land terugkomen na wat hun de vorige keer is overkomen? Ik denk van niet, mijn vriend.' Ik kon de telefoon horen overgaan. 'Je ziet het: alles komt goed. Rustig maar.'

Hij bracht de telefoon naar zijn oor. Ik ving een paar lettergrepen in het Somalisch op. Nadif knipperde niet met zijn ogen.

Hij draaide zich om en keek me aan met de telefoon nog aan zijn oor. 'Nick, het kan even duren voordat je met ze kunt praten. Ze zijn verplaatst, voor hun eigen veiligheid.'

Ik wilde net mijn mond opendoen toen zijn hand omhoogkwam.

'Het geeft niet. Ik zal ervoor zorgen dat hun geen kwaad wordt gedaan. Vertrouw me, Nick. Alsjeblieft, wacht even.'

Hij praatte weer in het Somalisch. Hij klonk zo kalm als wanneer hij iets bestelde bij de jongens met de witte sportschoenen. Toen gaf hij de telefoon aan mij: 'Het is een boodschap voor jou, Nick. Niet praten. Alleen luisteren.'

Ik bracht de telefoon naar mijn oor. De lijn was verschrikkelijk slecht. Tussen het knetteren door hoorde ik vogels zingen. Een voertuig reed voorbij. Toen hoorde ik de stem van een vrouw. 'Ja, ja, natuurlijk zal ik...'

Er volgde geritsel, en toen gesnuif. 'Hier?'

Ik kon me niet inhouden. 'Tracy, met Nick...'

Nadif woof met zijn hand. 'Ze kan je niet horen, Nick. Het is een opname.'

Haar stem klonk dof en toonloos. Het was duidelijk dat ze iets voorlas. 'Help me. Ik ben erg ziek. Mijn gezondheid gaat erg achteruit door koorts en dysenterie. Ik moet naar een dokter. Ze geven ons geen medicijnen. Ik heb kiespijn. Mijn tand is lelijk gebroken en ik heb daar een infectie en een abces. Ik heb onmiddellijk hulp nodig. Alsjeblieft.'

Het klonk als een Nigeriaanse e-mailtruc.

Ze hield nog niet op. 'Mijn zoon heeft maagproblemen. Er is niemand die voor hem zorgt. Ik wil niet dat hij hier doodgaat. Alsjeblieft, laat mijn zoon hier niet doodgaan. Ik ben zo bang dat ik aan ziekten doodga als ik niet gauw hulp krijg. Ik weet niet hoeveel langer we dit nog uithouden. Alsjeblieft, laat iemand me helpen. Alsjeblieft.'

Haar stem trilde. 'Het is de mannen die ons vasthouden menens. Ze zeggen dat als het losgeld niet wordt betaald ze ons alle drie zullen vermoorden. Maar ik zeg je: we leven nu al in heel slechte omstandigheden en de kans is groot dat we aan een ziekte sterven. Mijn zoon Stefan zou dood kunnen gaan. Justin zou dood kunnen gaan. We zijn erg ziek.'

Er werd iets gemompeld door degene die de microfoon vasthield en ik hoorde het geritsel waarmee hij bij haar werd weggehaald. Er volgde een klik, en Nadif stak zijn hand uit. 'Alsjeblieft, Nick. Dank je.'

Ze wisselden nog een paar woorden en toen werd de verbinding verbroken. Hij legde de telefoon neer en slaakte een theatrale zucht. Toen keek hij me aan alsof hij het gewicht van de wereld op zijn schouders torste. 'Nick, dit zijn gevaarlijke mensen. Ik kan je helpen, maar je moet voor het geld zorgen. Op welke manier dan ook.' Hij bracht zijn handen weer bij elkaar, alsof hij aan het bidden was. 'Mijn vriend, ik heb mijn deel gedaan. Ik zal ervoor zorgen dat je morgen met haar kunt praten. Dat zal ik regelen. Geef je me dan opnieuw een blijk van goede wil, Nick? Ik help jou. Nu moet jij mij helpen. Ze moeten worden betaald, dan komen je dierbaren vrij.'

Hij stond op en zocht in een zak naar een kaartje. Daar stond alleen een mobiel nummer op, net als op dat van Frank. In tegenstelling tot dat van Frank was zo'n kaartje als dat van Nadif in benzinestations te koop voor twee pond per twintig stuks.

'Ik kan je helpen, Nick. Maar jij moet mij helpen voorkomen dat die krankzinnige mensen je dierbaren kwaad doen. Ga naar huis en bel me morgenmiddag om twaalf uur. Ik beloof je dat ik dan goed nieuws heb.'

19

Ik vond het nummer van een minitaxibedrijf bij het station. Vijftig minuten later reed ik in de Porsche over de ringweg en volgde ik borden naar de brug. Ik zette de bluetooth aan en synchroniseerde de iPhone, waarbij ik ook naar de lichten in mijn spiegeltje keek.

Ik oefende het toespraakje dat ik de volgende dag voor Nadif zou houden in mijn hoofd. Ik zou hem bellen met goed nieuws. Ik kon in de komende twee dagen misschien dertigduizend dollar bijeenbrengen. Zou dat een blijk van goede wil zijn? En binnenkort bracht ik mijn flatje op de markt, al had ik het nog maar net gekocht.

Misschien kon ik er een beetje winst op maken, zou ik tegen hem zeggen, maar ik moest een hypotheek van ruim honderdduizend pond terugbetalen. Op die manier zou ik nog eens 45.000 pond kunnen loskrijgen, maar gezien de huizenmarkt zou dat tijd kosten. Misschien kon ik proberen een tweede hypotheek te krijgen. De families van Janet en Justin deden erg hun best geld bij elkaar te krijgen. Ik toonde vertrouwen; ik toonde betrokkenheid. Ik zou hoe dan ook het geld bij elkaar krijgen.

Intussen moest Nadif hen in leven houden. Hij moest me met hen laten praten. Iemand met zoveel invloed als hij moest me daarbij kunnen helpen.

Volgens mijn Breitling was het net vijf uur in de ochtend geweest toen ik de stad verliet en op de snelweg kwam. Ik belde Frank en verwachtte dat hij in gesprek zou zijn. Ant en Dec zouden hem nu bellen om te zeggen dat ik op de terugweg naar Hereford was.

Ik moest zijn verwachtingen blijven bespelen, al was het alleen maar omdat ik niet wilde dat hij op eigen houtje ging opereren. Hij volgde al alles wat ik deed. Wat zou hij nog meer kunnen doen? Als mensen zich niet aan de regels houden, komen er gijzelaars om het leven.

Zijn telefoon was nog maar twee keer overgegaan toen er een blaffende stem uit de speakers kwam: 'Ja?'

'Alles wijst erop dat ze nog ademhalen. Ik heb contact gelegd met iemand die waarschijnlijk kan bemiddelen.'

Er volgde een korte stilte.

'Heb je met hen gesproken? Regel de uitwisseling. Ik kan het geld klaar hebben in...'

'Stop. Zo werkt het niet. Waar ben je? We moeten elkaar ontmoeten. Ik moet je vertellen wat er gebeurt en wat we nu moeten doen. Dat doe ik niet door de telefoon.'

Er volgde weer een stilte.

'Hoe gunstig lijkt het? Kun je ze terughalen?'

Of hij had me niet gehoord, of hij luisterde niet.

'Dat vertel ik niet door de telefoon. We moeten elkaar ontmoeten.'

'Ik ben in Frankrijk. Ik stuur mijn vliegtuig naar Londen.'

'Kun je niet naar mij toe komen? Dat gaat vlugger. De klok tikt.'

Er volgde een lang stilte.

'Er gebeurt hier iets wat ik niet kan afzeggen. Wanneer kun je op het vliegveld zijn?'

'Over een uur of drie. Eerder als ik op het vliegveld van Bristol word opgepikt.'

'Waar?'

'B-R-I-S-T-O-L. Dat ligt in het zuidwesten van Engeland.'

'Er zal iemand bellen om dat te regelen.'

'Nog één ding...'

'Wat?'

'Roep je jongens terug. Je hoeft me niet te laten volgen. Ik laat ze alleen maar bij me blijven omdat ze van jou zijn. Het zou voor mij veel gemakkelijker zijn als je ze terugroept. Ik zal je niet teleurstellen, want ik zal haar niet teleurstellen. Ik laat ze niet in de steek. Dus wil je ze terugroepen? Ze kunnen het alleen maar bederven.'

Het duurde even voordat hij dat ook had verwerkt.

'Ik laat je niet door iemand volgen, Nick. Waarom zou ik? Waarom denk je dat ik jou heb uitgekozen? Je zegt dat je ze kunt afschudden, dus doe dat maar. Op welke manier dan ook. Ik wil niet dat mijn vijanden zich hiermee bemoeien.'

Hij verbrak de verbinding.

Ik nam de volgende afslag en reed terug in de richting vanwaar ik gekomen was. Ik belde Nadif. Zijn telefoon stond uit. Tenminste, dat hoopte ik.

Franks vijanden waren nu mijn vijanden. Waarschijnlijk had hij er een heleboel, maar de enigen die ik kende, kwamen uit Tbilisi.

20

Het was al licht toen de taxi me afzette. Ditmaal liet ik me door de chauffeur naar het andere eind van Barratt Street rijden, zodat ik de laatste drie blokken kon lopen. Toen we langs de afslag kwamen, keek ik naar links. Twee mensen in werkkleding stapten in hun auto.

'Stop hier maar,' zei ik tegen de chauffeur.

Ik betaalde hem en liep terug naar Ali's winkel. Algauw zag ik de etalage op dertig meter afstand aan mijn linkerkant. Het beetje zonlicht dat er was, glinsterde op de etalageruit en op het dak van een auto die ernaast stond. Er was nergens een glanzende, gehuurde Mercedes C-klasse te zien.

Ik haalde mijn iPhone tevoorschijn en probeerde Nadif nog een keer te bellen, terwijl ik me al omdraaide naar de blauwe deur.

Ik pakte de klopper in de vorm van een leeuwenkop vast om er een paar harde tikken mee te geven, alleen om hem te laten weten dat ik er was. De deur ging een paar centimeter open.

Zo nonchalant als ik kon liet ik de klopper los en ging een stap opzij om door de opening te kunnen kijken. Met mijn vinger duwde ik de deur een beetje verder open. Het beugelslot was dicht. Ik kon een eindje de trap op kijken, voor zover dat nodig was. Bovenaan was nog net een voet met een Burberry-pantoffel zichtbaar. Ik hoopte dat de rest van hem er nog aan vast zat.

Ik trok de blauwe deur naar me toe tot het leek of hij dicht was. Twee in felle kleuren gehulde Afrikaanse vrouwen kwamen de winkel uit, beladen met melk, brood en kranten. Ze liepen me voorbij en praatten in een dialect dat ik niet kende. Ik bleef waar ik was, alsof Nadif op het punt stond open te doen. Twee treinen passeerden elkaar aan het andere eind van de straat. Het verkeer vloog voorbij op de verhoogde weg, een paar honderd meter bij me vandaan.

Zodra de vrouwen weg waren, stapte ik het trottoir weer op en ging ik Ali's winkel binnen. Die stond vol met plastic dingen waarvan ik nooit had geweten dat ik ze nodig zou hebben: kattenvoer en blikken frisdrank met rare namen; plastic bloemen en flessen schoonmaakmiddel met Griekse etiketten. Ik ging meteen naar de kinderafdeling. Voor een pond kocht ik een pak met twaalf viltstiften, een beetje dikker dan normale balpennen, in een plastic hoes met een afbeelding van Shrek op de voorkant. Op weg naar de kassa pakte ik ook een stel afwashandschoenen.

De vrouw achter de toonbank was druk aan het telefoneren over de onlusten in Libië, terwijl ze tegelijk tekens zette op te bezorgen kranten die vol stonden met nieuws over die onlusten. Haar zwager woonde met zijn gezin in Benghazi en ze maakte zich de grootste zorgen. Ik onderbrak haar niet. Met een meevoelend glimlachje legde ik een munt van twee pond op de toonbank en stopte de dingen zelf in een draagtas.

Zodra ik buiten was, scheurde ik Shreks hoofd er met mijn tanden af en haalde ik een viltstift tevoorschijn. Toen ik bij Nadifs deur kwam, had ik ook de dop eraf gehaald. Ik keek niet of ik Ant of Dec zag, of iemand anders. Ik moest er normaal uitzien. Ik stond met mijn rug naar voorbijgangers toe. Ze zouden niets over me kunnen vertellen, behalve mijn lengte, haarkleur en kleren.

Ik zette de deur ver genoeg open om het beugelslot bloot te leggen. Dit was niet het moment om te treuzelen. Ik stak het open eind van de viltstift in het ronde sleutelgat, pakte het hek met mijn linkerhand vast, duwde tegen de stift en liet hem draaien. Twee keer draaien en het slot viel open.

Ik duwde het metalen hek open en glipte naar binnen. De buitendeur deed ik achter me dicht. Terwijl ik de afwashandschoenen aantrok, keek ik naar het beetje wat ik van Nadif kon zien. De enige contactpersoon die ik had, was nu verleden tijd. Ik liet de verpakking in de draagtas vallen, die ik vervolgens in mijn sweatshirt stopte.

Nadifs lichaam, of wat ervan over was, kwam in zicht toen ik de trap op liep. Hij lag languit op de kleine overloop. Er lag niet zoveel bloed op de vloerbedekking, maar zijn sweatshirt was ermee doordrenkt. Er was een theedoek in zijn wijd open mond gedrukt, waarschijnlijk om te voorkomen dat hij buiten het huis te horen was toen een van zijn stalen Parkerpennen door zijn rechtertrommelvlies en in zijn hersenen werd gedreven.

De kamers waren overhoop gehaald. Mijn pakje geld lag verspreid over de vloer, evenals als de kranten en boeken en het scherm van de Mac. Ze waren op iets belangrijkers uit geweest.

Ik voelde in Nadifs zakken of hij de sleutels en zijn mobieltje nog had. De sleutels waren er nog, maar het mobieltje was weg. De afwashandschoenen waren nu nat en rood en ik tilde zijn rechterarm op en draaide hem om. Hij was zeven of acht keer met een smal mes in het onderste deel van zijn buik gestoken. De darmen puilden naar buiten. Ant en Dec draaiden er niet omheen. Ze wisten precies hoe ze iemand maximale pijn konden toebrengen.

De tweede stalen pen zat in zijn linkeroog. De oogbal zat nog op zijn plaats, maar het glasvocht was eruit gelopen.

Waarom hadden Ant en Dec de deur niet op slot gedaan? De sleutels zaten in de zak van Nadifs spijkerbroek, in een dikke plas bloed. Ze zouden wel hebben gedacht dat de deur vanzelf in het slot zou vallen en hadden pas beseft dat je het met een sleutel moest doen toen ze het beugelslot al dicht hadden gemaakt. Of misschien kon het ze gewoon niet schelen.

Ik ging terug en deed beide deuren op slot. Vanwege die rottige voorzetramen kon ik niet op een andere manier ontsnappen, maar als Ant en Dec besloten terug te komen, had ik tenminste een paar minuten de tijd om te bedenken hoe erg ik de zaak had verknoeid.

Ik klom over Nadif heen, waarbij ik het bloed zo veel mogelijk vermeed. Hij stonk nog niet, maar dat zou niet lang duren.

Eerst het belangrijkste. Ik keek in de keuken. De theepot stond niet op het blad, maar de glazen waren er nog wel. Zij gingen ook in de draagtas die ik in mijn sweatshirt had. Op een ervan zat mijn DNA.

Ik ging op mijn knieën zitten en trok de troep onder het aanrecht vandaan, dat wil zeggen, de dingen die Ant en Dec er nog niet onder vandaan hadden gehaald toen ze het huis doorzochten. Nadif had de vorige avond niet veel tijd nodig gehad om dat telefoontje te pakken. Het moest binnen handbereik zijn.

Ik duwde tegen de panelen aan de zijkanten en achterkant van de kleine ruimte en trok toen de ooit witte formicaplaat aan de onderkant omhoog. Ik werd beloond met een tupperwarebakje waarin zich drie kleine grijze mobieltjes en een lader bevonden. Er zaten ook vijf Lebara-simkaarten in, nog vastgekleefd aan hun plastic verpakking ter grootte van een creditcard. Die dingen zijn goedkoop. Immigranten gebruiken ze om naar hun familie thuis te bellen. Of naar hun clanleiders.

Ik zette de telefoontjes aan. Er zaten simkaarten in en ze hadden een bereik van ongeveer twee staafjes. Ik keek op mijn iPhone om de nummers op te zoeken.

Ik belde Crazy Dave met een van de telefoontjes. Zijn telefoon ging enkele keren over en toen kreeg ik zijn voicemail. Ik verbrak de verbinding. Ik belde opnieuw. Ook nu werd er niet opgenomen.

Toen probeerde ik Janet. Ik kreeg meteen de voicemail en verbrak de verbinding.

Toen toetste ik Jules' nummer in.

Zijn apparaat ging drie keer over.

'Nog iets over die namen ontdekt?'

Hij aarzelde nog meer dan de vorige dag. 'Nog niet, maar ik ga het elke dag na.'

'Oké, wil je dat blijven doen? Ik moet nu gaan, maar ik wou het even vragen.'

Het had geen zin hem te waarschuwen. Ant en Dec wisten niet van hem af. Ze waren niet op tijd in Engeland geweest om te zien dat ik hem in Cheapside ontmoette. Maar in Hereford waren ze wel in de buurt geweest. Zelfs wanneer ze me niet met Janet hadden gezien, zouden ze nu haar nummer hebben. Dat moest in het mobieltje zitten dat verdwenen was. Mijn nummer zouden ze niet hebben. Dat was geblokkeerd. Maar waren ze me naar Crazy Dave gevolgd? Dat moest wel.

Ik hoopte dat Janet op dat moment wakker werd in het bed van iemand anders aan de andere kant van de stad, en dat Crazy Dave in zijn pausmobiel over een *Autobahn* denderde.

Ik drukte op de toetsen van alle drie de telefoontjes om bij de uitgaande gesprekken te komen. In alle gevallen betrof het internationale gesprekken naar één land. De code was 252. Dat moest Somalië zijn. Ik zou dat gauw genoeg weten, maar ik zocht nu naar een gesprek dat om ongeveer twee uur die nacht was gevoerd. Op het derde telefoontje vond ik het. Weer 252.

Ik zette het telefoontje uit en stopte het in mijn broekzak, waarna ik de draagtas uit mijn sweatshirt viste en de andere twee apparaatjes aan de Shrek en de verpakking van de afwashandschoenen toevoegde. Ik moest mijn sweatshirt in mijn spijkerbroek stoppen om te voorkomen dat de draagtas eruit zakte.

In een van de huizen in de buurt krijste een baby en een moeder krijste net zo hard terug.

Ik pakte een lelijk gevlekte, bijna stijve theedoek om het beugelslot en de rasterdeur af te vegen. Ik had medelijden met Nadif. We hadden alleen maar een kop thee met elkaar gedronken, maar ik mocht die arme stumper wel.

Ant en Dec wilden hebben wat ik had. Dat waren blijkbaar de enige dingen van waarde in die ravage, nu de Mac het loodje had gelegd. Ik was in elk geval niet van plan daar te blijven rondhangen voor het geval er nog meer te vinden was. Dat telefoonnummer was het enige wat ik nodig had.

Ik maakte het veiligheidshek open en haalde de buitendeur van het slot. Ik bleef even aan de binnenkant van de drempel staan, luisterend of ik stemmen of voetstappen hoorde.

Niets.

Ik moest het erop wagen.

Ik maakte de deur ver genoeg open om door de opening te kunnen glippen, deed beide deuren weer op slot en veegde de buitenkant zo goed mogelijk af. De theedoek en afwashandschoenen gingen ook weer in de draagtas.

Met mijn hoofd omlaag en mijn handen in mijn zakken, liep ik terug in de richting vanwaar ik gekomen was. Ik wist niet waar ik heen ging en dat kon me ook niet schelen. Ik wilde alleen maar in het labyrint van straten en steegjes verdwijnen.

21

Toen ik weer in de Porsche zat, reed ik over de Severn Bridge naar Wales. Bij een benzinestation had ik een dun groen fleece jasje en een trui van blauw acryl gekocht.

Op de zitplaats naast me had ik de zak met dingetjes. Dankzij de Tiptronic-versnellingen in de auto kon ik me op de mobieltjes concentreren. Ik zette ze allebei aan om te kijken welke ik had gebruikt om Janet en Crazy Dave te bellen. Die met het Somalische nummer hield ik in mijn zak.

Ik was algauw door Chepstow en op de weg naar Pontralis. De auto zigzagde tussen het verkeer door. Ik moest kilometers maken met één hand op het stuur.

Ik belde Crazy Dave.

Nog steeds niets.

Ik zette Radio Wyvern aan. Hereford lag nu ongeveer vijftien kilometer voor me. Ik kreeg het nieuws van negen uur. Geen droevige berichten over een gewelddadige moord op een vrouw in Hereford of een invalide man in de vroege uurtjes van de ochtend.

Ik probeerde Crazy Dave nog een keer. Ditmaal kreeg ik een kiestoon. Buiten Groot-Brittannië.

'Wat?'

Simon en Garfunkel jammerend op de achtergrond. Iets over Cecilia die hun hart brak.

'Dave, met Nick.'

'Wat is er?'

'Waar ben je?'

'Dat heb ik je verdomme toch verteld? Wat wil je?'

'Niets, vriend.'

'Nou, rot dan op.'

Janets telefoon ging weer regelrecht naar de voicemail. Misschien deed ze wat Cecilia had gedaan.

Ik stak de brug over naar Ross-on-Wye, en toen ik even later in Hereford was, parkeerde ik bij de Asda-supermarkt aan de rivier. Het was vijf minuten lopen naar de flats. Ik had het al een miljoen keer gedaan voordat de oude SAS-basis in Stirling Lines had plaatsgemaakt voor een dure woonwijk.

Ik belde Janet nog een paar keer met Nadifs mobieltje, maar dat had hetzelfde resultaat. Als ze niet thuis was, moest ik gaan zoeken.

De St.-Martinskerk stond ongeveer halverwege. Veel van mijn vrienden lagen daar begraven. Ik dacht altijd aan hen als ik voorbijkwam, maar vandaag niet. Ik moest nog eens met Crazy Drave praten.

'Wat?'

'Dave, weer met mij.'

Bob Dylan had het van Simon en Garfunkel overgenomen.

'Ja?'

'Janet? Je weet wel, Tracy's zus? Weet je waar ze werkt of waar ze vandaag zou kunnen zijn?'

Dave aarzelde geen seconde. 'Wie denk je dat ik ben? De beroepengids?'

'En haar vriendinnen, ken je die?'

'Ik probeer hier een nieuw leven op te bouwen. Weet je nog wat ik heb gezegd?'

'Nee, wat dan?'

'Dat je moet oprotten.'

De flats, een verzameling rechthoekige blokken van drie verdiepingen, stonden heuvelopwaarts, rechts van me. Het gras eromheen was keurig bijgehouden. De roomkleurige muren zagen er netter uit dan ik me herinnerde.

Janet woonde op de begane grond, helemaal rechts en aan de achterkant. Er was geen Mercedes C-klasse te zien. Dat verbaasde me niet. Die zou hier veel te veel opgevallen.

Twee kinderen schopten een bal over en weer terwijl hun moeder de buitendeur probeerde open te maken. Ze was beladen met boodschappen en een wandelwagentje en moest haar knie gebruiken. Over haar schouder riep ze: 'Blijven jullie buiten?'

Ze gaven geen antwoord, bleven alleen maar tegen de bal trappen. Dat was hun antwoord en ze begreep het.

Ik versnelde mijn pas, maar bleef uit haar gezichtsveld. Een vreemde die het blok binnenging, zou meteen in de gaten lopen.

Ik pakte de stalen handgreep toen de deur achter haar dichtging en hield hem enkele seconden open om moeder de tijd te geven de hal te verlaten.

Ik nam de gang naar rechts. Ik ging naar de laatste deur aan de linkerkant.

Het gebouw had duidelijk een facelift gehad. Felle lichtstrips lieten de pasgeverfde muren goed tot hun recht komen. De deuren uit de jaren zestig, met matglazen ruiten, waren vervangen door massief houten deuren met trendy stalen beslag.

Ik klopte zacht op Janets deur. Er was geen bel. Daarvoor zat er een intercom bij de buitendeur. Er was ook geen brievenbus.

Ik klopte opnieuw, ditmaal een beetje harder en met mijn oor tegen het hout. Het hardste wat ik hoorde, was een gedempte schreeuw van de twee kinderen buiten.

Nog een keer kloppen. Weer niets.

Ik liep naar buiten. De voetballers zaten met de bal tussen hen in op het gras. Ik keek om me heen. Ze kon daar nergens een stel sleutels hebben verstopt.

Ik liep om het gebouw heen naar de achterkant. Haar gordijnen waren dicht. Er was geen teken van leven. Misschien was ze de vorige avond inderdaad met iemand meegegaan.

22

Tussen het woud van schotelantennes langs de muur zaten twee kleine nestkastjes. Een daarvan hing naast haar slaapkamer, als ik het me tenminste goed herinnerde.

Ik stak mijn hand in het gat van het nestkastje, tastte in het rond en hoorde een metalen tik. Oude gewoonten zijn hardnekkig. Het ene voorwerp was een plastic afstandsbediening om de buitendeur open te maken, het andere was een gewone sleutel.

De voetballers waren eraan toe om onder de douche te gaan. Ik liep ze voorbij en drukte op de afstandsbediening. De deur ging open. Even later maakte ik langzaam de deur van Janets flat open. Ik riep niet. Zodra ik zag hoe de flat eraan toe was, wist ik dat ik niet hoefde te roepen. Het halletje lag bezaaid met jassen en kranten. Alle laden van het dressoir dat ze voor de kleren van de kinderen gebruikte – de kleren die niet in de slaapkamer pasten – waren eruitgetrokken.

Ik sloot de deur met mijn elleboog en liep naar de slaapkamer.

Haar jurk en ondergoed lagen op de vloer, naast haar schoenen. Daarnaast lagen een spijkerbroek en een overhemd met een blauw streepje. De eigenaar daarvan lag nog in bed. Het dekbed waarop hij lag, zat onder het bloed. Hij had steekwonden in zijn hals en borst.

Ik liep naar de huiskamer. Die was overhoop gehaald. Janet zat naakt op de vloer, haar bovenlijf half over de bank heen. Ze was al heel wat jaren niet meer zo mooi geweest als haar zus en nu zag ze er nog veel slechter uit. Haar rug zat onder de steekwonden en kneuzingen. De vloerbedekking was doorweekt met bloed. Net als bij Nadif was er een theedoek in haar mond geprop. Haar gezicht was donkerpaars en gezwollen. Er zaten scheuren in de huid boven en naast haar ogen. Een deel van een oor lag naast haar op het kussen. Het bloed dat over haar hals en schouders had gelopen, was droog.

Ze hadden geen van beiden ook maar een schijn van kans gehad.

Ik liep terug naar de slaapkamer en schopte tegen haar tasje om na te gaan of de telefoons er nog in zaten. Ze waren er niet meer.

Ik ging naar de voordeur en keek de gang in voordat ik de deur sloot met de mouw van mijn gloednieuwe fleece jasje over mijn hand.

Buiten waren de kinderen nergens meer te bekennen. Ik liep de helling af naar het parkeerterrein bij de supermarkt.

Hoe hadden Ant en Dec in godsnaam kans gezien op beide plaatsen hun werk te doen? Misschien waren ze mij naar Nadifs huis gevolgd, hadden ze hem te grazen genomen en hadden ze Janets naam gezien toen ze in zijn mobieltje keken. Of misschien hadden ze ons samen gezien in Saxtys. Eigenlijk maakte het niet uit hoe ze het gedaan hadden, wat uitmaakte was dat ze capabel waren en zelfvertrouwen hadden, en dat maakte hen gevaarlijk.

Ik had medelijden met Janet, en nog meer met Blauw Streepje. Die had alleen maar een nummertje willen maken. De Jock op haar voicemail zou het ook moeilijk krijgen. De politie zou zijn kwaaie telefoontjes op Janets andere telefoons vinden en dan had hij heel wat uit te leggen. Weer zo'n arme stumper die bij toeval in deze nachtmerrie verzeild was geraakt, maar hij leefde tenminste nog.

Ik reed de stad uit. Ik wilde zo gauw mogelijk buiten de bebouwde kom zijn.

Op een parkeerplaats naast de moddervlakten sprong ik uit de Porsche, waarvan ik de motor liet draaien, en haalde ik Nadifs eerste twee telefoons uit elkaar. In hun geheugen zat niet zijn gesprek van twee uur 's nachts, maar wel de nummers die ik zelf had gebeld. Ik haalde de batterijen eruit en veegde ze af aan mijn fleece jasje. Ik klauterde tegen de oever op en door de heg. Ik schopte met mijn hak een gat in de modder aan de andere kant, stampte de telefoontjes daarin en veegde de natte aarde eroverheen.

Zodra ik weer in de Porsche zat, zette ik Nadifs overgebleven mobieltje aan en drukte op de *redial*-toets voor het nummer in Somalië.

De telefoon aan de andere kant ging enkele keren over, en toen hoorde ik een hard gekwetter in het plaatselijke dialect. Het enige wat ik daaruit kon afleiden, was dat de man die opnam erg oud was. Ik wachtte tot hij even stil was om op adem te komen.

'Spreekt u Engels?'

Nog meer gekwetter. '*Italiano?*'

'Nee. Engels?'

Plotseling kwam er een stroom van scheldwoorden. Het klonk alsof alle mensen die om de oude kerel heen stonden te horen kregen dat ze verdomme hun bek moesten houden. Ik hield de telefoon bij mijn oor vandaan. Toen was er een ritselend geluid, alsof het mondstuk over een baard streek. Ik kreeg een nieuwe stem aan de lijn, een veel jongere stem.

'Ja.' Hij zweeg even. 'Waar is Nadif? Dit is Nadifs telefoon. Waar is Nadif?' Hij had een zacht Amerikaans accent, meer *Twilight* dan *Friends*.

'Nadif is vermoord. Ik weet niet wie het heeft gedaan, en ik weet ook niet waarom. Dat wil ik uitzoeken. Maar ik heb hulp nodig. Ik heb hulp nodig van iemand met macht en invloed. Ik wil ervoor betalen dat mijn vrienden worden vrijgelaten. Nadif zou me helpen, met zijn machtige vriend. Bent u zijn machtige vriend?'

'Ja. Alleen ik kan u helpen uw vrienden vrij te krijgen. Hoe heet u? Wie zijn uw vrienden?'

'Ik ben Nick. Mijn vrienden zijn een man, een vrouw en een kind, een jongetje. Ze heten Justin, Tracy en Stefan.'

Hij kwam meteen ter zake. 'Hebt u het geld, meneer Nick? Hebt u drie miljoen Amerikaanse dollars?'

'Ik probeer het bij elkaar te krijgen. Kan ik alsjeblieft met hen praten? Ik moet weten of ze ongedeerd zijn.'

En toen was het opeens alsof we het eerste deel van het gesprek niet hadden gehad. 'Nadif, waar is Nadif?'

'Nadif is dood. Ik weet niet wie hem heeft vermoord.'

Hij dacht daar even over na. Ik hoorde nog meer geritsel. 'U belt morgen opnieuw. Zelfde tijd.'

De verbinding werd verbroken.

Ik wachtte dertig seconden en belde opnieuw. Niets. Hij had zijn telefoon uitgezet.

Deel V

1

Courchevel 1850, Franse Alpen

16.32 uur

Het landingsgestel van de Bell 222-helikopter zakte op het asfalt en de piloot zette de motoren uit. De rotorbladen van roestvrij staal en fiberglas kwamen geleidelijk tot stilstand. Ik zette mijn koptelefoon af en wachtte tot de deur openging.

De Bell vloog heen en weer tussen Genève en Courchevel en kon acht passagiers vervoeren, maar Franks mensen hadden hem exclusief voor mij geboekt. De piloot zei dat hij instructie had zo lang te wachten als ik wilde. Daarna was hij, zodra hij merkte dat ik geen Rus was, begonnen te praten en hield daar niet mee op tot we geland waren. Liever dertig minuten van dat gepraat, dacht ik, dan tweeënhalf uur door de bergen rijden met een auto, duellerend met Peugeot-bestuurders met kamikazeneigingen.

Als ik de piloot mocht geloven, was het een heel vreemd seizoen geweest. De winter was een maand te vroeg begonnen, met zware sneeuwval in oktober. De lente was ook voortijdig aangebroken. De zon had bijna voortdurend geschenen en er waren weken van bizar warm weer geweest. Daarna had december zo ongeveer de beste sneeuw van het seizoen gehad.

'Maar weet u hoe ik me dit seizoen vooral zal herinneren? Als het seizoen waarin de sneeuw niet viel. We wachtten in januari, februari en nu in deze maand tot de grote lading sneeuw kwam, maar die kwam niet. Daarom zijn we blij dat we in de Trois Vallées wonen.'

'Waarom?'

'We hebben verstandige bestuurders, die veel in sneeuwkanonnen, reservoirs en pisteonderhoud hebben geïnvesteerd.'

'Kunstmatige sneeuw, dat klinkt niet erg milieuvriendelijk.'

'Het is economievriendelijk. Zonder die kunstsneeuw zouden de Russen niet met hun blingbling zijn gekomen.'

'Zijn ze goed voor de zaken?'

'Tegenwoordig zíjn ze de zaken.'

Ik stapte een landschap in dat volgens mij wit genoeg was. Dat pisteonderhoud moest wonderen hebben gedaan.

Ik keek langs een steil oplopende startbaan van niet meer dan 525 meter. Aan het eind was er een verticale afgrond. Het was gemakkelijk te zien waarom het vliegveld van Courchevel als een van de gevaarlijkste ter wereld werd beschouwd. Je kon er niet keren, had de piloot gezegd. De helling moest een landend vliegtuig vertragen.

'Werkt het?'

'Niet altijd.'

Daar kwam dan nog een gevaarlijke aanvliegroute door diepe dalen bij die alleen door speciaal gecertificeerde piloten kon worden gevlogen, terwijl de weersomstandigheden vaak ijzig waren, met zwart ijs en dikke sneeuw. Bijna nergens op de wereld was het zo moeilijk om te landen. Straaljagers konden er niet komen. Grotere propellervliegtuigen als de Twin Otter en de Dash 7 wel, maar die waren geleidelijk verdwenen. Kleinere Cessna's en helikopters hadden het overgenomen.

Een chauffeur van begin twintig begroette me en leidde me naar een auto. Hij was goed gekleed: zwart pak, overhemd en das. Zijn Ray-Ban Aviator-bril met gouden montuur glinsterde in de zon.

Toen ik achterin ging zitten, moest ik onwillekeurig glimlachen. Onderweg naar het vliegveld van Bristol had ik naar Talk Radio geluisterd. De bezuinigingsmaatregelen van de Britse regeringscoalitie waren niet goed gevallen. De benzineprijzen gingen met de dag omhoog en dat gold ook voor het aantal werklozen. Al met al was het weer een grauwe, sombere dag in het geplaagde Groot-Brittannië geweest. Maar in een parallel universum bleek dat Franks privévliegtuig een G6 Gulfstream was, meer een lijntoestel dan een privévliegtuig, en nu was ik op de *altiport* geland en was ik in een zwarte Mercedes-limousine met getinte ramen op weg naar een van de duurste wintersportplaatsen ter wereld, waar ik een ontmoeting zou hebben met een van de rijkste mannen ter wereld.

Volgens een folder die ik in de Gulfstream had gelezen was Courchevel 1850 het hoogste en meest befaamde van de vier centra van de wintersportplaats. Die centra onderscheidden zich van elkaar door hun hoogte in meters. Het was ook het deel waar de miljonairs zaten. 1850 lag in werkelijkheid 1747 meter boven de zeespiegel, maar de mensen daar wilden aartsrivaal Val-d'Isère graag naar de kroon steken. Iedereen wilde een deel van de Russische taart, en de Russen gingen altijd naar de grootste, hoogste en duurste wintersportplaatsen en eigenlijk naar alles met -ste op het eind. In Courchevel zouden ze niet teleurgesteld raken: vijfsterrenhotels die 35.000 dollar per nacht in rekening brachten, chalets van 190.000 dollar per week en restaurants die meer Michelinsterren per hoofd van de bevolking hadden dan waar ook op de planeet. Wanneer er sneeuw lag, waren ze hier, als ze tenminste niet in Moskou waren om geld te verdienen, of in Londen om het uit te geven. En waar de Russen waren, volgden de nouveaux riches uit de opkomende economieën in Oost-Europa, Azië en Zuid-Amerika.

Ik was in Genève geland en regelrecht naar de Bell gegaan. Het toestel waarvoor het helikopterbedrijf had gekozen, had me een grote kick gegeven. Het had een hoofdrol gespeeld in *Airwolf*, een van mijn favoriete tv-series toen ik nog een kind was, en het zag er nog ongeveer hetzelfde uit: marineblauw, rank en dreigend, zoals het laag tussen de bergen door vloog.

Er hadden ook folders over te koop staande huizen in de Gulfstream gelegen. Toen ik achter in de luxe limousine met airconditioning en leren bekleding zat, wist ik dat ik langs chalets reed die minstens vijf miljoen dollar kostten. We waren een wereld verwijderd van de groezelige, afbladderende krotten die ik in Easton had achtergelaten. Hier stonden ook geen aftandse Ford Focussen. Alle andere voertuigen op de weg waren Range Rovers of Cayenne 4x4's. Blijkbaar kon je elke kleur krijgen die je maar wilde, zolang het maar zwart was.

We reden langs wandelaars. Ze lieten ratachtige hondjes uit die Prada-jasjes droegen in dezelfde kleur als die van hun baasjes. Dit was een bling-blingparadijs in het wit.

Zelfs mijn jonge chauffeur zag er zo goed uit dat het leek alsof hij helemaal niet meer hoefde te ademhalen. Zijn Aviator-bril had geen vingerafdrukken; hij hoefde zijn korte, met gel bedekte haar nooit te fatsoeneren. Mijn eigen haar daarentegen was vettig en mijn ogen voelden zo moe aan dat ik waarschijnlijk veel van Dracula weghad. God mocht weten wat hij van zijn passagier dacht die op de achterbank zat en zijn leer besmette.

'Bent u hier voor het feest, meneer?'

Zijn Engels was duidelijk en afgemeten.

'Nee, alleen voor een kort bezoek. Wiens feest?'

'Dat weet ik niet precies, maar ze zeggen dat het vijf miljoen euro kost. Cirque du Soleil is helemaal uit Canada overgevlogen.'

'Dat is me het feest wel. Hebt u er veel werk door?'

Ik merkte dat ik het taxipraatje maakte dat ik meestal voor Londen bewaarde.

'Er komen driehonderd mensen, zeggen ze.'

'Vast niet voor het skiën.'

Er lag sneeuw om het dorp van bonbondooshuizen heen, maar je zag het ook overal langs de hellingen druipen. Nu we lager kwamen, zag ik grote rotsmassa's hun best doen om in zicht te komen.

Hij keek voor de honderdste keer op zijn navigatieschermpje. 'Het is nu niet ver meer, meneer.'

2

We stopten voor een gigantisch klassiek Zwitsers chalet dat eruitzag alsof het uit de graniethellingen erachter was gehouwen. Het licht hellende dak en de brede overhangende dakranden waren met sneeuw bedekt. Het pad was pas geruimd.

'Bent u de nieuwe eigenaar, meneer?'

Ik keek naar het stukje paradijs van drie verdiepingen alsof ik me probeerde te herinneren of ik dit chalet of het volgende had gekocht, en droomde een beetje weg voordat ik tot de realiteit terugkeerde. 'Nee, vriend, ik niet. Hoeveel heeft het opgebracht?'

'22 miljoen dollar. Vorige week pas. Ze zeggen dat het een zwembad heeft.'

Voor dat geld zou ik ook een grotere oprit hebben geëist. Er stond alleen een glanzende zwarte Range Rover met Franse nummerborden en getinte ruiten en verder was er ook geen ruimte meer.

'Ik zal het je vertellen wanneer je me terugbrengt. Je blijft hier wachten?'

'Ja, meneer. Ik ben geboekt tot u wilt vertrekken. Net als de helikopter.'

Ik maakte het portier open. De koude, frisse lucht sloeg me tegemoet. Ik vond dat wel prettig. Het maakte me een beetje wakker. 'Hoe heet je, vriend?'

Hij draaide zich op zijn stoel om en glimlachte onder zijn zonnebril. 'Jacques.'

Ik boog me naar hem toe. 'Doe je dit nog maar kort, Jacques?'

Hij knikte enthousiast, als een jong hondje. 'Mijn derde dag.'

'Probeer niet met de gasten te praten, Jacques. Deze mensen houden daar niet van.'

Hij keek geschrokken. 'Meneer, het spijt me, ik...'

Ik stak mijn hand op. 'Ik vind het geen probleem, Jacques. Je lijkt me een beste kerel en het zou heel erg zijn als je zo'n baan verloor. Je kunt beter je ogen en oren de kost geven. Misschien kom je er dan precies achter wat er hier gebeurt.'

Hij liet dat op zich inwerken.

'De man in dat huis, Jacques, kan dat kopen omdat hij weet dat kennis macht is. Dat heeft hij me zelf verteld. Dus als je luistert, kijkt en leert terwijl je rijdt, hoef je niet van "hen" te horen wat er aan de hand is. Dan zijn zij juist afhankelijk van jou. Begrijp je dat?'

Hij knikte.

'Tot straks dan, Jacques.'

De grote houten deur stond op een kier. Ik duwde hem verder open. De hal was leeg. Er woonde hier niemand. Toch was het bepaald geen rustieke skihut. Het interieur zag eruit alsof het uit een penthouse in Manhattan was gehaald. Strakke, moderne lijnen. Een symfonie van glas, staal en donkergrijs marmer. Van het oorspronkelijke huis was alleen de voorkant nog over.

Ik zag nu dat de hal niet helemaal leeg was. Casanova en zijn vriend Dzjengis stonden daar te wachten. Ze keken niet verrast toen ze me zagen. Er kwam geen enkele reactie. Frank had ze blijkbaar duidelijke instructies gegeven.

Ik knikte hen toe. 'Goedemiddag, jongens.'

Ze knipperden nog niet eens met hun ogen bij wijze van antwoord. Dzjengis wees alleen naar boven. Ik liep over de marmeren vloer naar de imposante trap van glas en staal.

Terwijl ik de trap beklom, hoorde ik de echo van opgewonden, schelle stemmen. Ze spraken Engels met een zwaar Frans accent. Er werd enthousiast gepraat over hoe prachtig de nieuwe kleuren zouden staan. Ik kwam op de eerste verdieping en liep in de richting van de opgetogen stemmen. Ik passeerde een grote dubbele deur en kwam in een kamer met een hoog plafond die als trouwzaal een goed figuur zou hebben geslagen. De hoge ramen keken uit op de mensen die hun hond uitlieten op het bergpad.

De parketvloer was bedekt met lappen stof en grote behangstalenboeken. Frank droeg een spijkerbroek waarin vouwen gestreken waren, en een wit overhemd met open boord onder een gele golftrui. Hij keek naar de kleuren en patronen die bij zijn voeten lagen. Misschien deed hij dat om zijn gedachten af te leiden van zijn problemen, of misschien was hij weer de Terminator.

De schelle stemmen behoorden toe aan een man en een vrouw die eruitzagen alsof ze aan zo'n make-overprogramma zouden moeten deelnemen. Ze praatten tegen elkaar alsof ze de enigen in de kamer waren en Frank de cameraman was.

'Alles ziet er zo fantastisch uit in dit licht.'

Frank keek op toen ik naar hem toe kwam lopen. Aan zijn gezicht was te zien dat hij beslist niet zo enthousiast was als zij. Trouwens, het licht was beroerd: daar zorgde het wolkendek wel voor.

Met die Zenith Class Traveller aan zijn pols deed hij aan gewichtheffen. Ik had zelf ook overwogen er een te kopen in de horlogewinkel in Moskou, totdat ik het prijskaartje zag. Er zaten geen edelstenen op, niets wat glinsterde. Het was gewoon een praktisch stuk metaal met veel kleine wijzer-plaatjes. Ik wist niet hoe ze konden rechtvaardigen dat het 475.000 pond kostte. Voor die prijs zou het ook thee moeten zetten.

Frank volgde mijn blik. 'Jij hebt verstand van horloges. Ik heb er een zwak voor.'

Hij draaide hem heen en weer aan zijn pols. 'Maar weet je, je kunt er gemakkelijk aan komen. In tegenstelling tot fatsoenlijke huizen onder de 30 miljoen dollar hier in Courchevel.' Hij keek om zich heen. Ik kon niet nagaan of het hem daar beviel of niet.

'Ben je hier voor het verjaardagsfeest, Frank? Of is het je eigen feest?'

Hij liet zijn horloge van bijna een half miljoen op mijn schouder rusten.

'Als dat zo is, zeggen ze dat het je vijf miljoen euro kost. Ze zeggen ook dat Cirque du Soleil helemaal uit Canada wordt overgevlogen om hier hun kunsten aan een paar touwen te vertonen.'

Hij knikte langzaam. Ik kon nog steeds niet nagaan wat er in dat hoofd van hem omging.

'Ik ben maar een gast. Ik behoor tot de 10 procent van de wereldbevol-king die 80 procent van de planeet in bezit heeft. Je zou denken dat we als individuele personen opereerden, maar triest genoeg zijn we gewoon een kudde.'

Zijn hand verliet mijn schouder en gebaarde in de enorme kamer naar niets in het bijzonder. 'Dit? Ik moest er uiteindelijk een hebben. Dat moe-ten we allemaal.'

Hij kreeg een grote glimlach van de twee, die nu grote stukken behang tegen de muur hielden en 'ooo' en 'aaah' zeiden. Blijkbaar waren het bin-nenhuisarchitecten.

Op deze manier kwamen we niet verder. Ik kon niet zien of Frank zich alleen maar groothield of zijn problemen goed kon verdringen. In beide gevallen moest ik hem bij zijn positieven brengen. Ik had antwoorden nodig.

Ik wees naar een deur.

3

Ik leidde hem naar een brede gang met nog meer marmer onder onze voeten.

'Waar is die andere Brit uit Moskou?'

Frank keek om zich heen. Hij wilde hier niet graag praten. Rechts van ons waren hoge deuren die op kamers met uitzicht op bergen, bomen en sneeuw zouden uitkomen. Hij aarzelde.

'Heeft dit huis een zwembad?'

Hij knikte en liep door de gang. Terwijl ik hem volgde, trilde mijn iPhone in mijn spijkerbroek, maar dat werd overstemd door het piepen van mijn Timberlands op het marmer.

Aan het eind van de gang kwamen we bij een lift van glas en staal. Nu sprak hij eindelijk. 'De andere Brit is weg.' Hij drukte op een knop. 'Ik had hem niet meer nodig. Hij had niet in zo'n positie moeten komen. Ze deugden geen van tweeën.'

We gingen soepel naar beneden.

'Hoezo? Je had ze op me afgestuurd om me op de proef te stellen. Dat hebben ze gedaan.'

We passeerden de begane grond en Frank keek naar de glazen wand. 'Maar niet goed genoeg. Als ze goed waren geweest, hadden ze je gemakkelijker kunnen oppikken.'

'Maar dat zou hebben betekend dat ik niet de man was die je moest hebben.'

'Inderdaad. Maar ze zouden je hebben gedood zodra je hen in gevaar bracht. Iemand moet verliezen. Er moet altijd iemand verliezen.'

De lift stopte. Frank gaf met een gebaar te kennen dat ik als eerste moest uitstappen. 'Wees nou maar blij dat jij het niet was.'

De deur ging automatisch achter hem dicht.

'Italiaans design, Duitse hydraulica. Huizen die met precisie zijn gebouwd en Zwitserse horloges; dat zijn mooie dingen om te hebben, Nick. Maar er zijn altijd betere voorbeelden. Er is altijd iemand met meer macht dan jij. Iedereen heeft een meerdere.'

Hij klemde zijn kaken op elkaar alsof die gedachte ondraaglijk voor hem was. Afgezien daarvan was het onmogelijk iets van zijn gezicht af te lezen. Al dat gepraat over horloges, liften, zelfs zijn personeelsbeleid... het leek wel of hij wist wat ik hem kwam vertellen en alles deed om dat te voorkomen.

We liepen door een kort gangetje. Onze voetstappen galmden.

'En wie is jouw meerdere?'

'Vladimir Vladimirovitsj Poetin, premier van de Russische Federatie, voorzitter van zowel Verenigd Rusland als de raad van ministers van de Unie van Rusland en Wit-Rusland. Een buitengewoon machtig man.'

'En wie is zijn meerdere?'

'Mensen als ik, die chalets kopen in dit dorp. Als hij weer tot president wil worden gekozen.'

Op dat moment maakte Frank weer een stel deuren open en daar bleek een enorm zwembad achter te liggen dat het hele souterrain van het huis besloeg. Het was uit de berghelling gehouwen en zodanig afgewerkt dat het op een rotsbassin aan de Stille Oceaan leek. Het water was kristalhelder. Alleen aan een tafeltje was te zien dat daar ooit mensen waren geweest. Daarop lagen een stel potloden en een kleurboek waarin een tekening van een roze en geel elfje half was ingekleurd.

Frank keek ernaar en keek toen mij aan. 'Evengoed word ik nog steeds in gijzeling gehouden door Afrikaanse vissers. Je hebt nieuws voor me. Iets wat je wilt vertellen.'

Het was geen vraag.

'Ze zouden nog in leven kunnen zijn. Ik heb een bandopname van Tracy gehoord. Die was niet voor mij gemaakt. Het was een algemene boodschap. "Help ons, we verkeren in moeilijkheden." Dat is goed nieuws. Ik hoorde auto's. Dat betekent dat ze veilig aan land zijn gekomen. Maar er zijn dingen misgegaan.'

'Hoe dan?'

'De twee mannen die me sinds Moskou hebben gevolgd. De twee van wie ik dacht dat ze voor jou werkten.'

Ik vertelde het hem.

4

Met een ijzig gezicht nam hij de informatie in zich op. Hij knipperde niet eens met zijn ogen toen ik hem vertelde dat Tracy's zus dood was.

'Wat ga je daaraan doen, Nick? Zij zijn jouw probleem. Stefan is het mijne.'

'Zijn het Georgiërs?'

'Misschien. Je hebt heel hard gewerkt om dat over mij te weten te komen. Vijanden planten zich voort als ratten.'

'Dan is het dus ook jouw probleem. Ze moeten weten dat Tracy en Stefan zijn ontvoerd. Ze moeten zich afvragen of ze eerder bij hen kunnen komen dan jij. Dan worden het hun gevangenen en kunnen zij hen gebruiken als pressiemiddel. Ze kunnen dan bijvoorbeeld eisen dat je het zuiden niet meer steunt.'

Frank de machine bleef staan luisteren en staarde met een vage blik naar de granieten muur.

'Ze moeten me hebben gevolgd omdat ze niet weten welke clan de drie ontvoerden in handen heeft. Ze zullen wel hopen dat ik hen naar Tracy en Stefan zal leiden, dan kunnen zij zich ermee bemoeien en hen van me afpakken. Dat zou ik doen.'

Hij knikte erg langzaam.

'Maar dat is niet het belangrijkste, Frank.'

Hij keek om. Hij kneep zijn ogen halfdicht.

'Het belangrijkste is: hóé kunnen ze het weten? Zoals ik al zei, is dat jouw probleem. Was het de bemanning? Of die twee kerels van wie je je hebt ontdaan?'

Hij schudde zijn hoofd. 'Die bemanning werkt al jaren voor me. Ze weten dat ze alleen in leven blijven als ze me trouw zijn. Die twee anderen wisten niets.'

'En de jongens hierboven?'

'Dat zijn de enigen die ik vertrouw. Ze zijn ook peetvaders van Stefan. Nee, ze moeten het ergens anders te weten zijn gekomen.' Hij porde met zijn vinger naar me. 'Maar dat kan wachten. Hoeveel willen ze?'

'Drie miljoen Amerikaanse dollars.'

Hij porde weer met zijn vinger. Zijn stem bulderde tegen de granieten muren. 'Geef ze wat ze willen. Ik wil Stefan hier veilig terug hebben. Ik wil dat hier een eind aan komt voordat iemand anders hen te pakken krijgt.'

'Nee, Frank. Zo werkt het niet.'

Zijn ogen brandden zich in de mijne. Ik vroeg me af wanneer hij de woorden 'Nee, Frank' voor het laatst had gehoord. Hij was gewend het alfamannetje te spelen en dat moest ik zien te doorbreken.

Hij porde een derde keer. Zijn hele gezicht was strakgespannen; dat was een natuurlijke reactie als mensen op het punt stonden te gaan vechten of gewoon heel bang waren.

'Doe wat ik zeg!'

Hij schreeuwde opnieuw, ditmaal zo woedend dat hij bijna door het lint ging. Het geluid galmde als de donder door het zwembad. *'Doe wat ik zeg! Je zult betalen wat ze...'*

Casanova en Dzjengis kwamen met getrokken pistolen naar binnen. Blijkbaar verhief Frank nooit zijn stem, behalve wanneer zich een probleem voordeed. ·

Ik bleef stokstijf staan en stak mijn armen uit om te laten zien dat ik geen bedreiging vormde. Frank zwaaide met zijn handen naar hen. Alles was in orde.

Ze deden de deuren zachtjes achter zich dicht.

'Frank, ik wil ze ook terug hebben. Tracy was de vrouw van mijn beste vriend. Haar zus was een vriendin van me. Ik heb je verteld dat ze dood is, maar ik heb je niet verteld hoe ze is gestorven.'

Ik stak mijn hand omlaag en pakte twee van de kleurpotloden van de tafel. Ik hield ze aan weerskanten van zijn hoofd. 'Ze was gemarteld, Frank. God mag weten waarom, want ze wist niets. Misschien deden ze het voor de lol. Maar ze hielden een potlood op deze manier vast en ramden het in haar oor. Dwars door haar trommelvlies heen. Kun je je voorstellen hoeveel pijn dat doet? Kun je je voorstellen hoe hard ze moet hebben geschreeuwd? En toen deden ze hetzelfde aan de andere kant. En toen ze niet praatte, omdat ze hun niets te vertellen had, of misschien omdat ze genoeg plezier hadden gehad voor één ochtend, sloegen ze beide potloden tot in haar hersenen. Ze moet met verschrikkelijke pijn zijn doodgegaan, Frank. Je zou dat je ergste vijand niet toewensen, laat staan je zoon. Maar als we dit verkeerd aanpakken, zou dat wel kunnen gebeuren.'

Ik hoefde niets meer te zeggen. Plotseling kon hij het zich allemaal heel goed voorstellen. Zijn oog trilde. Nou, dat was tenminste iets.

Hij zocht naar de juiste woorden. 'Zeg tegen ze... Als ze mijn zoon iets aandoen, verklaar ik ze de oorlog. Zeg dat tegen ze.'

Zulke boodschappen zouden de dood van zijn zoon tot gevolg hebben.

'Nee, Frank. Dit is geen Zwitsers horloge. Niet alle onderdelen werken perfect. Het is niet zomaar een zakelijke transactie. En, Frank...'

Ik liet dat in de lucht hangen terwijl hij strak naar zijn eigen spiegelbeeld in het water keek.

'Ik moet alles weten. Ik moet weten of er iets is wat de onderhandelingen kan beïnvloeden en dus ook gevolgen kan hebben voor Stefan en Tracy. Ik moet alles weten wat jij weet, Frank.'

Hij keek langzaam op. We keken elkaar recht in de ogen.

'Heeft de bemanning je verteld dat die twee het met elkaar doen?' vroeg hij.

'Nee. Doen ze het?'

'In alle huizen. Zelfs op de boot. Mijn volgers installeren de camera's en verzamelen de opnamen voor me. Er zit er vast nog wel eentje op de boot. Kennis is macht, Nick. Net als jij moet ik alles weten wat voor mij van belang kan zijn.'

De barst in zijn bepantsering werd groter, en het was niet Tracy.

'Ik wil mijn zoon terug. Doe het op jouw manier. Als het misgaat, doe ik het op mijn manier. Ik moet en zal mijn zoon terugkrijgen. Ik zal mijn zoon... hier... bij mij... hebben.'

'En Tracy? Wat gebeurt er met haar, als Stefan hier is? Heeft ze nog een leven als ze terugkomt?'

Hij perste zijn lippen op elkaar. 'Ik ben geen onmens, Nick. Als ik dat was... nou, dan zou ik geen probleem hebben. Natuurlijk zal ze een leven hebben. Ze is de moeder van mijn zoon. Hij is haar redding.'

Zijn hand kwam omhoog en wees in de richting waarin Casanova en Dzjengis waren gelopen. 'Die twee zou ik mijn leven toevertrouwen. Anderen betaal ik voor hun tijd, en verder niets. En jij... ik geloof dat ik je kan vertrouwen met wat je nu weet. Doe ik er goed aan je te vertrouwen, Nick?'

Dat verdiende geen antwoord. 'We beginnen met een redelijk bedrag. Dan gaan we over op een langzamer tempo. We onderhandelen tot we op ongeveer 10 procent van het door hen geëiste bedrag zitten. Laten we zeggen, driehonderdduizend dollar. Niet meer dan vierhonderdduizend. Minder dan je voor dat horloge hebt betaald. Maar het gaat niet om het geld. Het gaat om wat ze verwachten. Als we met grote bedragen smijten, zijn ze alle drie dood.'

Ik gaf hem nog een seconde de tijd. 'Heb je die flat voor me?'

Zijn ogen waren weer wazig. De machine in zijn hoofd vertelde hem dat ik gelijk had. Het gaf hem alleen geen goed gevoel. Hij keek me weer aan. 'Ja. Vandaag. Je krijgt later de details.'

'Ik heb ook wat geld nodig. Amerikaanse dollars.'

Hij knikte.

'Ik wil dat niet contant hebben. Ik wil alleen dat het beschikbaar is.'

'Wat je maar wilt. Wanneer vertel je me hoe het gaat?'

'Als ik iets heb om je te vertellen.' Ik zweeg even en vroeg toen: 'Wat gebeurt er met Justin?'

Frank wreef met duim en wijsvinger over de rug van zijn neus. 'Ik denk niet eens aan hem. Hij is waardeloos, net als die twee andere Britten die voor me hebben gewerkt.'

'Nee, deze is goed in zijn werk. Hij pakt het goed aan. Hij laat jou erbuiten en houdt die twee daardoor in leven. Als de Somaliërs wisten wie Tracy en Stefan waren, zou de zaak heel anders liggen. Als ze daarachter komen, verkeren moeder en zoon in nog groter gevaar dan nu al het geval is, want als de Georgiërs het horen, zitten we allemaal diep in de stront. Voorlopig houdt Justin het geheim om een paar dagen extra betaald te krijgen. Dus als hij terugkomt, moet hij worden betaald en weggestuurd. Oké?'

De machine deed er een hele tijd over om dat te verwerken. Ik wachtte tot zijn hand naar beneden ging.

'Ja, natuurlijk. En nu hebben wij allebei zaken te doen. Verschillende zaken.'

Het horloge van bijna een half miljoen rustte weer op mijn schouder toen we naar de lift terugliepen. Duitse hydraulica en Italiaans design brachten ons soepel naar de begane grond. Zijn twee volgers stonden daar te wachten. Hij begon me naar de buitendeur te leiden.

'Het telefoonnummer dat je van me hebt, is voor jou alleen. Ik zal altijd opnemen.'

We kwamen bij de drempel en gaven elkaar een hand. Hij wendde zich af. Ik moest er zelf maar uit komen. Hij liep met Casanova en Dzjengis naar de trap.

Ik haalde mijn mobieltje tevoorschijn. Het gemiste gesprek was van de makelaar van wie ik een paar jaar geleden mijn flat in de Docklands had gekocht.

Ik opende de voicemail. 'Meneer Stone, met Henry. Ik heb de boodschap gehoord die u heel vroeg hebt ingesproken over de vraag of we een appartementje van u willen verkopen. Dat zou ons een genoegen zijn. Wilt u me terugbellen om de zaak te bespreken?'

Tegen de tijd dat het bericht was afgelopen, had ik de deur geopend. Ik stapte naar buiten. Het was kouder geworden. En Jacques wachtte.

5

Ik sprong in de warme Mercedes. Jacques keek heel professioneel naar voren. Mond dicht, beide handen op het stuur.

'Weet je wat, vriend? Rijd me de helling af naar het dorp, dan vertel ik je of het huis een zwembad heeft of niet. Ik kan net zo goed een beetje rondkijken voor ik vertrek, misschien zie ik iets wat ik wil hebben.'

Hij knikte. We reden naar het centrum van het dorp. Overal om ons heen waren hellingen; Alpen met besneeuwde toppen, zo ver als het oog reikte. Geen hamburgerrestaurants. Geen winkels waar je avondkleding inclusief handschoenen kon huren. De namen van de winkels waren hetzelfde als in GUM: Prada, Gucci, Versace.

We kwamen langs parkeerplaatsen met munttelescopen op stalen statieven. In vroeger tijden zouden de toeristen naar de verre bergtoppen of skiërs op de piste hebben gekeken. Tegenwoordig vergaapten ze zich waarschijnlijk aan de miljoenen kostende huizen en de Russen die erin verbleven. In elk geval ging ik dat wel doen.

'Zet hem hier even neer, Jacques. Ik wil nog een laatste keer naar het huis kijken.'

Hij stopte op een van de parkeerplaatsen en ik stapte uit. Ik keek naar de muntgleuf. Er moest twee euro per twee minuten in.

'Heb je wat geld, vriend? Ik betaal je terug zodra ik bij een bank ben geweest.'

Hij haalde een grote plastic zak uit een zijvak. 'Parkeren is hier heel duur.'

Hij gaf me de hele zak. Nu wist ik hoe de koninklijke familie zich voelde als ze een eindje gingen wandelen. Ik gooide geld voor tien minuten in de gleuf.

Dat roze en gele elfje konden niet van een jongen zijn geweest. En als het toch zo was, werd het tijd dat Stefan met Action Man of dat soort dingen ging spelen. Er was dus waarschijnlijk een klein meisje. En als er een klein meisje was, was er ook een moeder.

Ik richtte de telescoop op de omgeving van het chalet. Frank had verveeld naar die binnenhuisarchitecten gekeken. Hij zou straks weer weggaan. Ik bewoog de kijker over de weg naar het hoger gelegen terrein. De kans was groot dat hij niet hier in het dorp zat. Het dorp was bestemd voor de rijken, maar zoals overal op de aarde zaten de superrijken hoger op de helling, aan de kant van het dal waar de zon graag langdurig scheen.

Ik bewoog de kijker heen en weer tot ik het chalet vond waarvandaan we zojuist waren vertrokken. De Range Rover was weg. Ik haalde mijn ogen van de kijker weg en keek links en rechts naar de weg. De zwarte vlek reed in de richting van de altiport over een van de hoger gelegen wegen. Ik stopte voor alle zekerheid nog wat meer geld in het apparaat en volgde de weg naar boven tot ik de Range Rover weer in zicht had.

Hij verdween telkens achter chalets, rotsmassa's en bomen aan mijn kant van de weg.

Hij reed langs een rij van vier grote chalets en kwam nu niet meer tevoorschijn. De chalets waren kolossaal. De overhangende daken raakten bijna de grond. De tuinen helden naar mijn kant af.

Er waren drie figuren te zien in de witte uitgestrekte tuin van het tweede chalet van rechts. Twee kleine figuren in roze skipakken. Ik kon hun gezichten niet onderscheiden. Ze sprongen boven aan de helling op een slee. Beneden stond een volwassene in een wit skipak te wachten. Ze had lang donker haar.

Ik tuurde naar de vier chalets en weer over de weg naar links. Nog steeds geen zwarte vlek.

De slee kwam beneden aan. De vrouw begon hem naar boven te trekken. De kinderen draafden achter haar aan door de sneeuw. Toen bleef ze opeens staan. Ik tuurde naar haar. Ze keek langs de helling omhoog. Ze zwaaide. Ik bewoog de telescoop om te zien waar ze naar keek. Een man in een spijkerbroek en een rood jasje zwaaide vanaf de veranda naar haar terug.

De kinderen kwamen in zicht. Ze draafden de vrouw voorbij en naar de man omhoog.

Ik keek weer naar hem. Het was Frank.

De twee roze skipakken renden algauw de veranda op. Er volgden grote omhelzingen en kussen. Het witte pak klom de veranda op en liep naar hem toe. Ze kuste hem op de mond.

De twee kinderen vlogen hen voorbij. Ik bewoog de telescoop. Casanova en Dzjengis kwamen in zicht. Dzjengis deed alsof hij met hen bokste terwijl ze tegen hem op sprongen.

Ik wist nu de andere reden waarom Frank niet wilde dat iemand iets van Tracy en Stefan wist, inclusief zijn vrouw. Ik had in de dagen dat ik cultuur snoof lang genoeg door galerieën gelopen en genoeg Russische familieportretten gezien om te weten dat mannelijke nakomelingen een streepje voor hadden.

De Tretjakovgalerij was het eerste museum waar Anna me heen had gesleept. 62 zalen, 150.000 kunstwerken. Dat was een week die ik nooit terug zou krijgen. Het meeste was als een waas aan me voorbijgetrokken, maar je kon onmogelijk over het hoofd zien dat het allemaal om de zoon ging. De eerstgeboren zoon was heer en meester, de enige die telde. De meisjes mochten alleen erven als er geen mannelijke nakomelingen in de weg zaten.

Stefan zou de taak hebben Franks pas opgerichte dynastie voort te zetten. Hij zou de eerste van een nieuwe generatie Russische miljardairs zijn die niet veel wisten van de reis die hun vaders vanuit het oude Rusland hadden moeten maken, zoals de Amerikaanse *robber barons*, de Rockefellers en de Vanderbilts, een sluier hadden getrokken over wat ze hadden gedaan om hun fortuin in de wacht te slepen.

Ik zag hen in het chalet verdwijnen en wachtte een paar minuten, maar er kwam niemand naar buiten. Ik sprong weer in de Mercedes en wees de helling op. 'Die chalets daarboven, zijn die gehuurd?'

Jacques draaide zich om op zijn plaats achter het stuur. 'Ja. Voor het feest. Alle hotels in Courchevel zitten vol.'

'Laten we naar de helikopter teruggaan. Maar niet zoals we gekomen zijn. Door het dorp. Vind je dat goed?'

'Ja, natuurlijk.'

Hij reed verder de wintersportplaats in.

'O ja, Jacques, ga je het me niet vragen?'

'Ik heb een nieuwe regel, meneer. Ik spreek alleen als er tegen me wordt gesproken.'

'Ga je gang. Voor deze ene keer.'

'Dank u, meneer. Nou, heeft het een zwembad?'

Deel VI

1

Het lawaai van de 675 pk Pratt & Whitney-motor van de Cessna Cargomaster, de motor waar we bijna bovenop zaten, vulde de hele cockpit. Als ik geen koptelefoon had gedragen, had ik geen woord van Joe's tirade kunnen horen.

De Indische Oceaan lag tweeduizend meter onder ons. Met onze snelheid van 125 knopen zou het nog twintig minuten duren voordat we in Mogadishu waren. We hadden de brandinglijn van de Somalische kust naar het noorden gevolgd. Het land was iets kleiner dan Texas, maar het had meer dan drieduizend kilometer kust, ongeveer evenveel als de hele oostkust van de Verenigde Staten. Genoeg ruimte om gekaapte schepen te parkeren, en schepen waren er daarbeneden genoeg te zien. Olietankers en vrachtschepen deinden op de golven. Kleine bootjes waren langszij gebonden. Roestige wrakken lagen op het strand.

Het weelderige Keniaanse landschap hadden we meer dan een uur geleden achter ons gelaten. Bijna op het moment dat we de grens overstaken was het terrein veranderd in stof. Zo ver als het oog reikte, was er niets anders te zien dan zand en stugge oude struiken. Meer naar het westen lag Ethiopië, met nog meer van hetzelfde. Ten noorden van Somalië lag de Golf van Aden. Het land had veel onbenut ijzererts, gas en olie in de grond zitten. Tot nu toe hadden de clans het te druk met geld verdienen aan de zee, maar het was ongetwijfeld alleen maar een kwestie van tijd voordat ze met mijnbouw begonnen.

De eenmotorige Cessna was in feite een cockpit met een heel groot ruim op zijn rug. FedEx gebruikte die toestellen in dit deel van de wereld omdat ze bestand waren tegen het ruige terrein. Mannen als Joe gebruikten ze om naar de ergste plaatsen van Afrika te vliegen en daar dingen op te pikken of af te leveren, maar in tegenstelling tot FedEx zou Joe nooit om een handtekening vragen.

In mijn deurvak zat een koptelefoonsnoer. Dat leidde waarschijnlijk

172

helemaal naar het aluminium rolluik dat ook als ladingdeur fungeerde. De luiken waren oorspronkelijk ontworpen voor parachutesprongen; ze waren tijdens de vlucht gemakkelijk open te maken. Joe dropte niet alleen dingen en lichamen, hij dropte ze vooral op plaatsen waar landen een slecht idee was.

Hij kwam uit Zimbabwe. Zijn accent was zo hard en verweerd als zijn huid. 'Malindi, hartstikke goed, man. Ik ben daar nu tien jaar. Die verrekte Mugabe is gek. Mijn boerderij is verdeeld onder oorlogsveteranen. Het zijn tieners, man. Die hebben nog nooit een oorlog gezien. Ze weten niet eens hoe ze iets moeten verbouwen, laat staan dat ze kunnen vechten. Ik ben verrekte blij dat ik daar weg ben.'

Ik had geen bezwaar tegen die tirade van hem, maar hij nam vaak beide handen van de stuurknuppel weg om zijn woorden kracht bij te zetten. Deze keer hield hij tenminste één vinger bij de knoppen.

Joe liep tegen de zestig, en hij was klein – ongeveer één meter zestig – maar hij had handen die veel te groot waren voor de rest van hem. Door te veel jaren in de zon had hij kloven in zijn gezicht waar rimpels zouden moeten zitten. Het borsthaar dat uit de bovenkant van zijn groene polo-shirt kwam was grijs, maar het haar op zijn hoofd was gitzwart. Het paste bij de Ray-Ban Aviator-bril die hij droeg om zijn ogen te beschermen tegen de weerkaatsing van de zon op de zee.

Malindi ligt aan de Keniaanse kust. Vroeger gingen veel Europeanen daarheen op vakantie, tot een paar jaar geleden, toen door etnisch geweld honderd mensen dood op straat kwamen te liggen in Mombasa. Nu waren de hotels leeg en woonden er alleen mensen als Joe.

Zijn handen kwamen weer van de stuurknuppel af. 'Ja, man, verrek, ik wou dat ik jaren geleden uit Zimbabwe was vertrokken.'

Dat was de derde keer in een uur en tien minuten dat hij dat zei. Zijn vrouw had willen blijven, zelfs toen Mugabes vechtersbazen de eigenaren van naburige boerderijen in elkaar sloegen. Ze kwam nog uit het oude Rhodesië en was een blanke Afrikaanse van de vierde generatie. Maar op een dag was Joe voor zijn werk weg geweest en trof hij haar bij thuiskomst dood aan. Het was geen moord. Ze was gestorven aan een ziekte waarvan ik nog nooit had gehoord. Of misschien had Joe het verzonnen.

Uiteindelijk had hij de puinhopen van Zimbabwe verlaten, alleen met de kleren aan zijn lijf. Het leven in Kenia was in het begin moeilijk geweest, zei hij, maar tegenwoordig had hij het naar zijn zin. Hij was daar een van de vele expats die allerlei karweitjes opknapten voor de prijs van een biertje en iets te eten. En als ik mocht afgaan op de conditie waarin zijn vliegtuig verkeerde, was zijn barrekening hoger dan zijn onderhoudsrekening.

Joe legde eindelijk weer beide handen op de stuurknuppel en keek om zich heen om te zien of er nog meer vliegtuigen in de lucht waren. Dat zag er tenminste professioneel uit. Toen we in Malindi opstegen, hadden we over het vliegveld getaxied, maar waren we niet eerst even gestopt op de startbaan. Hij had de motor geen toeren laten maken, de kleppen niet getest, niets van dat alles. Het leek er zelfs op dat hij niet eens naar de windrichting had gekeken. Zodra hij op de strip was gekomen, had hij ons de lucht in gebracht zonder achterom te kijken.

'Ben je vaak in Mogadishu geweest, Joe?'

'Te vaak. Maar nooit in de stad, man. Dat laat ik aan jullie ontvoerings-jongens over. Ik blijf op het vliegveld en kom het toestel niet uit. Die flip-flops daar halen je hele vliegtuig binnen een uur uit elkaar.' Hij boog zich naar me toe alsof hij ging schreeuwen, maar dat deed hij niet omdat de intercom er was. 'Jij bent gek. Waarom neem je geen wapen mee?' Hij tikte met zijn linkerhand op de AK die tussen onze zitplaatsen omhoogstak, boven op de noodkist met vuurpijlen en dergelijke. 'Koop het mijne, man. Driehonderd dollar. Een koopje.'

Ik lachte. 'Zo werkt het niet. Ik kan daar niet met wapens op afgaan. Het is de bedoeling dat ik de aardige man ben die als bemiddelaar optreedt.'

Dat was alles wat Joe van me wist. Ik was de zoveelste onderhandelaar die hij naar Somalië bracht om de zoveelste gijzelaar te redden. Frank had hem ingehuurd. Frank had ook beloofd een paar kerels met het geld te sturen. Ze zouden in Nairobi wachten totdat ik contact had gelegd met de clan of subclan, of wie ze ook maar waren, en de overeenkomst had geslo-ten. Het geld zou worden overgedragen op de plaats waar ik het wilde hebben. De clans hadden mensen in Nairobi. Het kon daar worden over-gedragen of naar Mogadishu worden gebracht. Mij maakte het niet uit.

Joe was nu in de stemming voor oorlogsverhalen. 'Vorig jaar pikte ik een Canadese vrouw op. Ze kon niet eens water drinken, man. Ze was kapot. Haar handen trilden aan een stuk door. Ze hadden haar totaal kapotge-maakt.' Hij trok een grimas. 'Die verrekte flipflops, man. Het zijn beesten. Als ze niet tegen iemand anders kunnen vechten, vechten ze tegen elkaar. Ze zijn gewoon gek op vechten. Dat is het clansysteem. Ze zijn stapelgek.'

Hij duwde de knuppel een beetje naar voren, en terwijl het witte zand beneden ons dichterbij kwam, werden we heen en weer geschud. De zee glansde blauwgroen. Brekers vormden schuimkoppen evenwijdig met de kust.

'Ken je de flipflops? Ken je de clans, man?'

'Ik weet er iets van.'

'Ze hebben daar een gezegde.' Zijn rechterhand kwam omhoog in de ruimte tussen zijn hoofd en het scherm, zodat zijn vingers aanhalingste-kens konden maken. 'Mijn broer en ik tegen mijn vader. Het huisgezin van mijn vader tegen het huisgezin van mijn oom...' Hij draaide zich naar me toe en schudde zijn hoofd. 'Onze twee huisgezinnen tegen de rest van mijn familie. Mijn familie tegen mijn clan. Mijn clan tegen andere clans. En mijn natie tegen de wereld.'

Hij lachte in zichzelf. 'Het zijn net die verrekte *Sopranos*, maar dan met deze rotdingen.' Hij tikte op het magazijn van de AK. 'Kom op, 275 dollar, man.'

'Ik zou niet eens weten hoe ik hem moet gebruiken.'

Hij keek voor zich uit. We daalden wat meer. Hij lachte. Zijn linkerhand maakte een wegwuivend gebaar. De kloven bij zijn wangen verdwenen achter de zonnebril. 'Maak dat een ander wijs, man. Ik heb genoeg van jullie kerels in Nairobi gezien. Kom niet met die onzin aanzetten.'

Joe had me opgepikt in Nairobi. We waren in oostelijke richting naar Malindi gegaan om daar brandstof te tanken en daarna de kust te volgen naar Mogadishu. Hij wist niet wie ik zou ontmoeten en wie ik wilde ophalen. En dat wilde hij ook niet weten. Ik vond dat prima.

Ik pakte de roestvrijstalen thermosfles en schroefde de dop eraf. Het was instantkoffie, zoet en met poedermelk. Ik schonk een kop in en bood hem Joe aan. Hij schudde zijn hoofd. Hij praatte met iemand over de radio en concentreerde zich op zijn aanvliegroute.

Er ging weer een huivering door de Cessna heen en ik hield het kopje tegen mijn borst. Ik deed mijn ogen dicht en probeerde een beetje rust te nemen. Het waren een paar drukke dagen geweest en de komende dagen werden waarschijnlijk nog erger. Zodra we niet meer zo schudden, nam ik een slokje koffie.

Het was de tweede dag van de geallieerde luchtoperaties boven Libië. Ik had vanuit Nairobi naar Anna gebeld om haar te vertellen wat er was gebeurd en om na te gaan of ze nog ongedeerd was. Alles was gebombardeerd. In Syrië werd de toestand steeds erger. Ik verwachtte dat ze zou zeggen dat ze nog langer wilde blijven en ook nog naar Damascus wilde gaan.

2

Het vliegtuig kreeg weer een fikse duw van de wind en Joe zei opeens in mijn koptelefoon: 'Het is een beerput, man. Moet je nou toch eens zien.' Ik deed mijn ogen open. Links lag de woestijn. Rechts lag de oceaan, glinsterend in de zon. Het was of ik naar een brochure voor verre vakanties keek. Jammer genoeg lagen tussen het water en het zand de ruïnes van Mogadishu. De stad leek net een grote schroeivlek. Er hing een waas van smog overheen.

Het vliegveld bevond zich aan het zuidelijke eind van de stad. De start- en landingsbaan lagen evenwijdig met de zee, bijna in het water. Toen we door het hittewaas omlaag kwamen, zag ik dat de gebouwen allemaal laag waren, met daken van mediterrane pannen en roestige golfplaat. Alleen de moskeeën leken hoger. 'Mogadishu,' zei Joe, 'de wereldhoofdstad van dingen die naar hun moer gaan.'

Joe drukte op een paar knoppen en haalde een paar schakelaars over in reactie op wat de toren te melden had. Niet dat hij aandachtig luisterde. 'Meer dan een miljoen mensen, man, en ze schoppen elkaar allemaal ver- rot. Weet je dat de Britten en Italianen het hier vroeger voor het zeggen hadden? Het moet hier heel mooi zijn geweest, man. In Malindi zijn kerels die zeggen dat het vroeger een paradijs was.'

Wat er voorbij de landingsbaan lag, kon je moeilijk een paradijs noemen. Afbrokkelende grauwe restanten van een betonnen pier staken de zee in. Daarachter lagen schepen voor anker, enigszins beschut tegen de zee. Roestende scheepswrakken staken als rotte kiezen uit het strand. Meer landinwaarts was een sloppenwijk ontstaan. Het leek net de grootste schroothoop van de wereld, en niet alleen omdat de daken van golfplaat waren.

Op weg naar de landingsbaan zwenkte het vliegtuig naar links en rechts. De branding sloeg op stranden die bedekt waren met troep. Ze deden me denken aan de stranden in Libië. De zee mocht er dan uitnodigend uitzien: dit was geen vakantiebestemming. De kust was er om boten de zee in te laten gaan, en verder niets.

Ik wist iets van de geschiedenis van Somalië. Ik wist dat het in 1960 onafhankelijk was geworden van Italië. De Italiaanse bestuurders droegen de macht over en het land werd de republiek Somalië. In het Afrika van de jaren zestig werd veel socialisme in de praktijk gebracht. Het continent was een plaatsvervangend speelterrein van de Koude Oorlog. Oost en west vochten om overheersing. De Sovjet-Unie had al vaste voet gekregen in het Somalische leger en werd in de jaren zeventig de dominerende buitenlandse mogendheid. De Russen bewapenden en trainden het leger en gaven ontwikkelingshulp. Somalië werd erg pro-Sovjet, zoals ook veel andere Afrikaanse landen in die tijd.

De relatie met de Verenigde Staten was belabberd. De Amerikanen hadden de hulp opgeschort en daarna waren de onderlinge gevechten begonnen. De Somaliërs konden zich blijkbaar niet losmaken van de situatie waarover Joe het had gehad; iedereen vloog iedereen naar de keel. Er werd gevochten tussen clans, tussen overheidsgroepen en guerrillabewegingen, en tussen het hele land en het buurland Ethiopië. De oorlog breidde zich uit naar het noorden van Kenia. Onbekwame overheden en welig tierende corruptie maakten alles nog erger.

Eind jaren zeventig had de Sovjet-Unie het land ook aan de kant gezet. Plotseling had Somalië niets meer en leden de mensen honger. Ze moesten met hangende pootjes om hulp vragen aan het Westen. De regering stelde niets meer voor. Na nog een rondje onderlinge gevechten en burgeroorlogen hadden de clans in 1991 de macht overgenomen. Zodra ze dat hadden gedaan, begonnen ze tegen elkaar te vechten. Alleen al in dat jaar stierven er honderdduizenden Somaliërs. Geweld, ziekte en hongersnood waren genadeloze vijanden. De helft van de kinderen onder de vijf was gestorven en 45 procent van de bevolking vluchtte naar naburige landen. Van de overgebleven 55 procent balanceerde een kwart op de rand van de hongerdood.

In 1992 bemoeiden de Verenigde Staten zich met het land. Het begon allemaal met operatie Restore Hope. Het eindigde met het beruchte *Black Hawk Down*-incident. Daarna trokken de Verenigde Staten zich volledig uit het land terug en was er geen hoop meer voor Somalië. De clans bleven elkaar bestrijden en ik nam aan dat ze dat zouden blijven doen tot er niemand meer over was.

Het vliegtuig hobbelde over een stuk vuil beton met rubbervlekken. De zee bulderde tegen de afschermende rotsen rechts van me. Geiten probeerden bessen los te trekken van struiken links van me.

De terminal lag voor me, met het enige luchthavengebouw daar onmiddellijk voor. Het zag er precies zo uit als ik had verwacht: een laag betonnen gebouw van twee verdiepingen in sovjetstijl. Daarentegen had ik niet verwacht dat het in zo'n goede conditie zou verkeren. De witte verf en de glaswanden glansden in de zon.

Joe had op mijn reactie gewacht. 'Ik weet het, man. Geweldig, nietwaar?

Tot vorig jaar was het net als de rest van de stad, maar de Verenigde Naties hebben er geld in gestoken om het weer te laten functioneren.'

Op een spandoek onder de verkeerstoren stond: SKA. WIJ DOEN MOEILIJK WERK OP MOEILIJKE PLAATSEN.

Ik kende SKA. Ze hadden hun hoofdkantoor in Dubai en hadden ook het contract om te proberen de vliegvelden van Bagdad en Kabul weer te laten functioneren. Het understatement van de boodschap stond me wel aan. Het was subtieler dan *Waar rottigheid is, is geld te verdienen* en *Geef oorlog een kans.*

Ik kon meer van de landingsbaan zien toen we waren gedraaid en erlangs keken. Wat ik voor rotsen had aangezien die de rand bij de zee afschermden, bleek beton te zijn waarvan al brokken in zee waren gevallen. Misschien werd dat de volgende fase van de wederopbouw.

We taxieden dichter naar de terminal toe. Er stond daar een gammel uitziend Russisch passagierstoestel. Een heleboel mensen stonden met een massa bagage in de schaduw van de vleugel. Ik wist niet of ze in- of uitstapten.

Daarachter stond een oude militaire hangar. De golfplaten waren weggerukt. Het frame was roestig. Binnen stond een al even roestige MiG-jager uit de jaren zestig, met een grote ronde inlaat aan de voorkant. Waarschijnlijk had hij nog boven Vietnam tegen de Amerikanen gevochten. Nu stond hij op blokken, alsof de wielen gestolen waren.

Het toerental liep terug en de propeller vertraagde toen we er bijna waren. Joe keek vol walging om zich heen, alsof hij daar voor het eerst was. 'Kijk nou eens waar je heen gaat, man. Dit is de gevaarlijkste stad van de wereld.'

'Ik weet het,' zei ik.

'Weet je zeker dat je de AK niet wilt? Ik doe je dat verrekte ding cadeau. Zonder zo'n wapen ben je dood.'

Ik schudde mijn hoofd. 'Juist met zo'n wapen zou ik dood zijn.'

De propeller draaide nog een paar keer rond en kwam toen trillend tot stilstand.

'Heb je echt nog mijn nummer, man?'

Hij had het me op een kaart gegeven en erop toegezien dat ik het in mijn iPhone invoerde. Hij had zelfs gewild dat ik het in een plastic capsule in mijn reet bewaarde.

'Ja, ik heb het.'

'Dit kloteland heeft negen mobiele netwerken. Je kunt van overal in dit verrekte land bellen, man. Niet te geloven, hè? Die flipflops houden nooit op met praten.'

Hij knikte naar iets achter me. 'Veel succes.'

Ik draaide me om en zag waar hij naar keek. Drie *technicals*, twee met 12.7mm zware machinegeweren op de laadbak, kwamen onze kant op. Een technical is een truck of jeep met een machinegeweer of ander geschut in de laadruimte. Daar reden er heel wat van rond in Somalië.

'Ik moet die rotzakken driehonderd dollar betalen alleen om hier te mogen landen. Mijn belastingen voor de clan.' Hij haalde een bruine envelop tevoorschijn en gaf hem aan mij. 'Geef jij het maar aan die schoften. Ik wil liever niet met ze praten. Hopelijk zie ik je gauw terug, man. Vergeet niet: nooit de flipflops kwaad maken.'

3

Er zaten zes of zeven mannen achter in elke technical, met hun benen bungelend over de zijkant. Twee van hen stonden rechtop om de machinegeweren te bemannen. Die geweren, het equivalent van onze .50 Browning, konden door lichte bepantsering of het motorblok van een vrachtwagen heen dringen en op een kilometer afstand een gat ter grootte van een mensenhoofd in een muur schieten.

Ze waren het standaardwapen in Afrika, Zuidoost-Azië, Irak en Afghanistan. De Russen begonnen ze in de jaren dertig te maken om er machinegeweermunitie van Vickers mee af te schieten. We hadden in de Tweede Wereldoorlog miljoenen patronen aan de Russen geschonken om de Duitsers op hun kop te geven. Ze bleven ze maken tot in de jaren tachtig. Van sommige schenkingen krijg je uiteindelijk spijt.

De zon brandde door mijn T-shirt met lange mouwen en roosterde mijn nek. De uitlaat van de Cessna zette de oven nog een paar graden hoger en vulde bovendien mijn neusgaten met de stank van Jet A1-vliegtuigbrandstof.

Ik pakte mijn rugzak. Daar zat niets meer in dan een tandenborstel, een Power Monkey-zonnelader die ik in een Millets-winkel had gekocht, en een telefoonlader voor in het stopcontact. Op mijn lichaam had ik alleen mijn paspoort en tweeduizend dollar in vijftigjes, geld om blijk te geven van mijn goede trouw en om weg te kunnen komen. Ik droeg mijn paspoort en geld tegenwoordig als een Amerikaanse toerist in Mexico, namelijk in een waterdichte zak om mijn hals. Daar viel veel voor te zeggen. Ik kon het altijd voelen en hoefde nooit bang te zijn dat mijn zweet de bankbiljetten nat zou maken.

Joe maakte zich nog steeds zorgen. Hij boog zich naar me toe en riep: 'Weet je zeker dat je geen AK wilt, man?'

Ik schudde mijn hoofd.

'Ik wacht op je telefoontje. Maar, kerel, zet een beetje vaart achter die onderhandelingen, als je wilt blijven ademhalen.' Hij wees naar het wapen. 'Laatste kans...'

Ditmaal trok ik alleen mijn wenkbrauwen op.

'Je bent knettergek, man. Veel succes!'

Ik sloot de deur van de Cargomaster en hij taxiede naar de brandstof-truck. De chauffeur daarvan begon hem opdringerig te wenken, als een winkelier in een souk. Alsof Joe ook ergens anders heen kon gaan voor zijn brandstof.

De stank van de brandstof was nu weg, daarvoor in de plaats kwam de zwavelige lucht van rottend vuilnis en verbrand rubber. In combinatie met de hitte was die stank zo zwaar dat ik hem bijna op mijn tong kon proeven.

De technicals waren zwart of misschien blauw, dat was moeilijk te zien onder de lagen roest en stof. Uit de twee wagens met de 12.7's kreunde en krijste Arabische muziek.

De meeste hoofden die in de laadbakken op en neer deinden, hadden veelkleurige doeken om hun hoofd, zoals bendeleden in Los Angeles heb-ben. Sommige benen die over de zijkant hingen, droegen broeken, veelal spijkerbroeken; andere waren bloot, met wondkorsten en geschaafde knieën. Het schoeisel varieerde van sportschoenen tot plastic schoenen en flipflops. Een mix van T-shirts, voetbalshirts en weggevertjes uit het disco-tijdperk maakte de modieuze Mogadishu-look compleet. Sommigen droe-gen een zeildoeken mouwloos vest over hun AC Milan- of Newcastle-shirt; anderen hadden gewoon een extra magazijn in een borstzakje geschoven. Rugzakken zaten vol RPG-patronen.

Die jongens schenen het belangrijker te vinden elkaar het leven zuur te maken dan mij. Ze zogen op hun tanden en hadden een schittering in hun ogen. Ik moest meteen weer aan het schoolplein uit mijn jeugd denken, aan de dagen dat ik nog de moeite nam op school te verschijnen. Het waren geen blije herinneringen. Ik vroeg Sharon King minstens twee keer of ze met me uit wilde, maar ik maakte geen schijn van kans. Ik was blank en ik zag er niet goed uit.

Ik keerde tot de realiteit terug en besefte dat ze allemaal twee dingen met elkaar gemeen hadden. Het eerste was een AK. Welk type, welke stijl je ook noemde: ze hadden hem. Ten tweede hadden ze allemaal een opzichtige zonnebril. Gespiegeld, stervormig, *wraparound* of John Lennon: alle mis-lukte producten uit China hadden hier een nieuw thuis gevonden. Elton John en Dame Edna Everage zouden groen van jaloezie zijn.

Een vrij groot aantal van hen babbelde in portofoons die ze in hun hand hadden. Joe had gelijk. Ze waren inderdaad praatgraag. Een Nokia-ringto-ne uit de jaren negentig mengde zich in de herrie.

Niet een van die kerels was ouder dan 25. Dat kwam niet doordat ze zo jong carrière hadden gemaakt: de meeste ouderen waren waarschijnlijk dood. En ze grijnsden als idioten. Hetzij ze waren blij me te zien, hetzij ze waren zo stoned als een garnaal.

Ik vond het vooral zorgwekkend dat hun nerveuze energie niet voortkwam uit een gebrek aan moed maar uit een overdaad daarvan. Hun tanden waren zwart en oranje gevlekt van jarenlang op hun favoriete qatbladeren kauwen. Waarschijnlijk werden ze met voedsel en drugs betaald, net als de opstandelingen in Irak, of overal waar behoefte was aan strijders die goed gevoed, roekeloos en dom waren.

De jongens zwegen toen de passagiersdeur openging van de technical die het dichtst bij me stond, de wagen zonder machinegeweer. Er kwamen twee rode leren schoenen tevoorschijn, gevolgd door een broek en een schoon blauw overhemd, dat in de broeksband was gestopt maar waarvan de knopen open waren, als dat van een pornoacteur uit de jaren zeventig. De eigenaar zette zijn wraparoundzonnebril af en verwelkomde me met een Colgate-glimlach en een warme handdruk. Zijn vingers en rechterduim waren bekleed met dik goud.

'Aha, meneer Nick. Ik ben het. Awaale.'

De man die me ontving alsof we oude vrienden waren, was ongeveer even lang als ik, maar broodmager. Dat laatste paste wel bij het *Twilight*-accent dat ik op het mobieltje had gehoord. Hij had diep ingevallen wangen, een sikje op zijn smalle kin en de houding van iemand die al op de wereld rondloopt sinds de zestiende eeuw.

Ik zette mijn zonnebril ook af. Hij stak me zijn andere hand toe, maar niet alleen om die van mij te schudden.

'Hebt u de luchthavenbelasting, meneer Nick? Anders kan uw vriend niet opstijgen.'

Ik had de vorige dag uit Nairobi gebeld, iets wat Awaale niet had verwacht. Ik had tegen hem gezegd dat niemand van ons tijd wilde verspillen en dat ik dus naar Mogadishu zou komen om zaken te doen. Hij belde terug nadat hij met de baas had gepraat. Het idee stond hem wel aan. En hier was ik dus. Hij wist niet dat ik ze in elk geval daar weg kwam halen, met of zonder glimlach en handdruk. Maar deze manier was beter en veiliger voor ons allemaal.

Ik gaf hem de envelop. Hij liet me los om hem open te maken en het geld te tellen. Niemand ging ergens heen voordat hij het juiste bedrag in handen had. De jongens achter hem gaven sigaretten aan elkaar door en praatten weer in hun portofoons.

Ergens in de verte was een salvo automatisch vuur te horen, gevolgd door een harde knal op nog geen kilometer afstand. De vogels sprongen op uit de bomen, maar niemand anders trok zich er iets van aan.

Hij was klaar met tellen en wees naar de technical met dubbele cabine waarmee hij was aangekomen. 'Het betekent ook dat u vandaag geen visum nodig hebt.'

Ik knikte bij wijze van dank. 'Krijg ik ze nu te zien?'

Hij glimlachte terug en klopte me op de rug, opnieuw als bij een oude vriend die hij na lange tijd terugzag. Hij maakte het achterportier voor me open. De koude lucht kwam me tegemoet.

'Binnenkort, meneer Nick. Eerst drinken we thee en praten we over hun vrijlating. U hebt het geld?'

'Een deel ervan. Ik doe mijn best. De families doen hun best. We hebben wat geld bij elkaar gekregen.'

Zijn grijns werd breder. Hij wist dat ik blufte. Er kwam geen drie miljoen. We speelden allebei het spelletje mee.

Ik stapte in de technical met airconditioning.

'Is dit de eerste keer dat u in mijn land bent, meneer Nick?'

'Het heeft niet bepaald een goede reputatie als vakantiebestemming, hè?'

Hij lachte. Nadat hij iets in de plaatselijke taal naar zijn mannen had geroepen, sprong hij voorin. De bestuurder droeg een groen overhemd in militaire stijl. Hij liet de wagen een wijde boog beschrijven en reed achter de eerste technical aan langs de terminal. De andere jongens volgden ons. Het was een konvooi.

Het dashboard en stuur waren bedekt met op maat geknipt vilt om te voorkomen dat ze smolten in de Afrikaanse zon. De hele cabine rook naar sigaretten. Alle oppervlakten waren aangekoekt met een laagje stof en nicotine.

Awaale praatte zonder me aan te kijken. Hij leunde alleen een beetje achterover om zich boven de muziek uit verstaanbaar te maken.

'Ik denk dat u zich vergist, meneer Nick. Ik denk dat we de toerist hier veel te bieden hebben. Dat zal ik u laten zien.' Hij sloeg op de schouder van de bestuurder en praatte in het Somalisch tegen hem. Ze konden er allebei hartelijk om lachen.

'Krijg ik Tracy, Justin en Stefan vandaag te zien? Ik moet weten dat ze ongedeerd zijn.'

Hij stak zijn hand op. 'Ja, natuurlijk. Geen probleem. Maar later.'

Ik boog me naar voren. 'Zijn ze ongedeerd? Op de opname zei Tracy dat ze ziek was.'

'Ja, alles gaat goed. U brengt de drie miljoen, en u neemt ze mee terug naar hun dierbaren. Gemakkelijk.'

Hij drukte het mobieltje tegen zijn oor en begon te praten. De blije toon was uit zijn stem verdwenen.

4

Zodra we het luchthaventerrein hadden verlaten, zag ik alleen nog stof, puin en verval. Zelfs de afslag naar de grote weg bestond uit niet meer dan een partij betonblokken en zandzakken. Twee jongens leunden er loom tegenaan. Er zat er ook een op een afgebrokkelde muur. Alle borden waren met de hand geverfd, zelfs dat met VEILIGHEID erop. Niemand liet zich ergens iets aan gelegen liggen.

We kwamen op een brede boulevard. Ik kon niet nagaan aan welke kant van de weg ze in dat land reden. De bestuurder wist dat blijkbaar ook niet. We hobbelden over de resten van de middenberm en vervolgden onze weg tegen het verkeer in. Langs alle randen van het afbrokkelende asfalt lagen bergen van schimmelend vuil en de roestige resten van uitgebrande auto's.

Er kwamen vier groene BTR-troepentransportwagens van Russische makelij op ons af, gepantserde wagens waarvan de gigantische benzinemotoren wolken uitlaatgas de wereld in braakten. Er staken veel gehelmde hoofden uit de bovenkant.

Niemand keurde de achtwielige monsters een tweede blik waardig toen ze naar de kant van de weg gingen en daar stopten. We reden ze voorbij. De zwarte letters op de zijkant van de wagens maakten duidelijk dat het VN-troepen uit Oeganda waren. Niet dat ik nog troepen kon zien. De helmen waren in hun pantserwagens teruggetrokken en kwamen pas weer tevoorschijn toen wij voorbij waren.

Awaale zag me in het spiegeltje kijken en tikte op mijn schouder. 'Ze zijn niet lastig, meneer Nick. Ze willen alleen maar naar huis terug en niet doodgaan in het stof.'

Hij leunde achterover, en de bestuurder en hij lachten ten koste van Oeganda.

Elk gebouw dat meer was dan een lege huls of een berg grauw puin, zag eruit alsof er nog mensen in woonden. De reclames op de muren waren verbleekt of weggeschoten met AK- en 12.7-patronen.

Elke open ruimte stond vol met geïmproviseerde onderkomens, ronde hutten van takken die waren afgedekt met vodden, of hutjes van allerlei stukken hout en roestige golfplaat.

Ik zag nu waar de smog vandaan kwam. Overal brandden autobanden. Ze joegen zwarte rook over de daken.

Overal in de straten zag je mensen die maar wat rondhingen. Wat viel er ook te doen? De meeste vrouwen droegen een zwarte of knaloranje boerka en hadden schurftige kinderen bij hun voeten. Oude mannen in wijde katoenen gewaden en met versleten plastic sandalen hurkten neer in de onregelmatige schaduw van de acacia's. De Italianen moesten die bomen jaren geleden hebben geplant, en ze hadden de strijd nog steeds niet helemaal opgegeven. Telefoonpalen stonden scheef in allerlei standen; de draden bungelden hier en daar een meter omlaag.

Er reden wel wat voertuigen over de weg, maar die vertraagden ons niet. Een wagen vol geiten kon niets beginnen tegen een 12.7-machinegeweer. Alle muren zaten vol gaten en putjes van RPG's en geweerpatronen. Na jaren van gevechten tegen de overheid, tegen de Amerikanen en ten slotte tegen elkaar was de hele stad kapotgeschoten. En de rode woestijn bleef proberen de stad weer op te eisen.

Awaale praatte nog steeds in zijn mobieltje. Hij maakte nu een opgewektere indruk. In het spiegeltje zag ik de oude glimlach op zijn lippen. Algauw haalde hij een Marlboro uit het pakje in zijn borstzak en stak hem aan. De wagen hobbelde over de weg, bijna in het ritme van wat mij steeds maar hetzelfde, nooit eindigende lied op de radio leek.

Plotseling waren de straten verstopt met auto's en technicals. Roestige, brandstof lekkende dieseltrucks en aftandse oude Franse sedans uit de jaren zeventig deelden de ruimte met gloednieuwe Mercedessen. Hongersnood of feestmaal: dit leek meer op het Afrika dat ik kende. Kinderen renden door steegjes, hun loopneuzen verstopt met stof. Vlees hing aan kramen, met zwermen vliegen eromheen. Langs de weg zaten verveelde mannen en vrouwen gehurkt naast bergen gekneusd fruit. Een man onder een strandparasol verkocht alleen maar batterijen.

De gebouwen verkeerden hier in betere staat en waren ook iets groter: twee, drie en vier verdiepingen met op de buitenmuren snorrende airconditioners, waar water uit liep dat vlekken maakte op de toch al lelijk gevlekte witte verf. Dat was niet het enige waaruit bleek dat dit het deel van de stad was waar het geld zat. De reclames waren hier niet verbleekt en in de etalages lagen de nieuwste BlackBerry's en iPads.

Meters bij de gloednieuwe Mercedessen in het verkeer vandaan zaten mannen met wapens over hun knieën in oude leunstoelen. Waarschijnlijk bewaakten ze de hawala-kantoortjes. De meeste mensen hier waren voor hun overleving afhankelijk van geld dat familie in het buitenland opstuurde. Een miljoen Somaliërs waren het land ontvlucht. Samen stuurden ze ongeveer twee miljard dollar per jaar naar de arme stumpers die waren achtergebleven. Ik vroeg me af of Ali in Barratt Street hier ook iets aan verdiende.

De jongens in de leunstoelen hadden concurrentie genoeg. Iedere man die je zag, had een AK of een licht machinegeweer uit het Oostblok. De vlotste jongens droegen RPG's in hun oude zeildoeken rugzakken.

5

We kwamen langzaam vooruit door de chaos, elke tien seconden stoppend en rijdend. De bestuurder van de technical voor ons kreeg er uiteindelijk genoeg van. Zijn schutter, die de beste zonnebril van allemaal had – grote blauwe gespiegelde sterren in een wit montuur – bracht het wapen omhoog en loste twee lange salvo's 45 graden de lucht in. Zodra de mensen beseften dat ze niet werden aangevallen, gingen ze gewoon verder met hun leven, maar de vogels kwamen niet meteen terug.

We hobbelden van de ene kuil in de andere. Mijn hoofd schudde naar links en rechts. Awaale klapte zijn telefoon dicht en schoof hem onder zijn pakje Marlboro. We gingen weer wat harder rijden en hij tuurde naar links en rechts.

'Waar komt u vandaan, meneer Nick?'

'Londen. En u? Waar hebt u zo goed Engels geleerd?'

'Van mijn vader.' Hij wees voorbij de reusachtige slang van illegale bedrading die van paal tot paal over de straat hing naar een gebouw van vijf verdiepingen met luiken voor de ramen. Op de muur tegenover ons was een kolossale tv geverfd, met daarnaast de woorden VIP INSTITUTE.

'Kijkt u daar eens, meneer Nick. Weet u wat dat gebouw is?'

'Ik neem aan dat we daarheen gaan om Tracy en de twee anderen te ontmoeten.'

Hij hield zijn hoofd schuin naar de bestuurder en vertelde hem over mijn domheid. Hij moest boven de muziek uit schreeuwen. Ze grinnikten allebei weer.

'Nee, meneer Nick. Dat is het Olympic Hotel. *Black Hawk Down*, hebt u de film gezien? Mijn vader is beroemd.'

'Ik heb hem niet gezien, maar ik ken het verhaal.'

We kwamen ter hoogte van het gebouw. Een lekkende regenpijp had de kuilen in de weg met water gevuld. Honden dronken eruit alsof ze in geen dagen iets hadden gehad.

'Hier begon de aanval. De Amerikanen kwamen generaal Aidid gevangennemen, maar het was een val. De generaal was een groot man.'

De bestuurder keek nu ook naar links en rechts. De jongens achterin waren nerveus. Iedereen was gespannen.

'Weet u van generaal Aidid en de val?'

Ik knikte. Generaal Mohammed Farrah Aidid was niet echt een generaal geweest, maar een krijgsheer die in 1992 de macht over de stad had. Het was niet de bedoeling van de Amerikanen geweest dat hun operatie Restore Hope hun grootste militaire fiasco werd sinds hun mislukte poging in 1980 om gijzelaars uit de ambassade in Teheran te redden. De operatie had tot doel gehad de hongersnood te verlichten door een corridor tot stand te brengen waar de hulp doorheen kon. De clans hadden het land onder elkaar verdeeld. Omdat er geen centraal gezag was, dreigde het hele land te verhongeren. De hulpkonvooien werden overvallen. De clans voedden zichzelf en hun machine, zoals Joe's vriend Mugabe nog steeds aan het doen was in Zimbabwe. Wie het voedsel beheerste, beheerste het volk.

De Amerikanen begonnen iets te bereiken. In 1993 nam de hongersnood af. George Bush senior kwam zelf kijken hoe groot het succes was. De Amerikaanse troepen verwachtten dat ze weg zouden gaan en dat de vn het na een lange overgangsperiode zouden overnemen. Het Pakistaanse leger en een handjevol anderen kwamen naar het land om het goede werk voort te zetten. Maar er was een probleem. Aidid was kwaad omdat de andere clanleiders hem op een zijspoor hadden gezet. Hij vond het tijd worden om iedereen te laten zien wie de baas was. In juni van dat jaar werden 24 Pakistaanse vn-soldaten in een hinderlaag overvallen en afgeslacht. Van sommigen werden de ingewanden eruitgehaald; anderen werden de ogen uitgestoken.

Plotseling waren de Amerikanen niet meer met een humanitaire missie bezig. Ze waren in oorlog. De soldaten die de hongerigen waren komen voeden, waren weer strijders geworden. De volgende paar maanden werden één lang straatgevecht. Het aantal slachtoffers liep aan beide kanten hoog op.

De animo van de Amerikanen nam af. Ze zochten naar een uitweg. Op 3 oktober dachten ze dat ze de oplossing hadden. Ze hadden gehoord dat Aidid in het Olympic Hotel zat. Delta Force – de D Boys – viel het gebouw aan. Het was een hinderlaag. Twee Black Hawk-transporthelikopters werden midden in de stad neergehaald met RPG's. Er braken vuurgevechten uit toen Amerikaanse troepen de bemanningsleden in veiligheid probeerden te brengen. Negentien Amerikaanse soldaten kwamen om en 84 raakten gewond, samen met een onbevestigd aantal clanstrijders. De Amerikanen zeiden dat het er meer dan duizend waren; de clans hielden het op 113.

De wereld zag de straatgevechten en de gewonden niet, maar wel een Black Hawk-piloot die in zijn onderbroek en met touwen om zijn enkels door de straten werd gesleept. Die beelden waren dagenlang te zien op CNN en alle grote Amerikaanse tv-stations. Bill Clinton had inmiddels het presidentschap overgenomen van Bush senior. Hij begreep niet hoe een humanitaire operatie op een volslagen ramp kon uitlopen. Hij beval de Amerikaanse troepen daar weg te gaan. En daarna voelde hij er weinig voor om nog iemand te helpen. Zodoende kon de Rwandese genocide in 1994 plaatsvinden, en het bloedbad in Srebrenica in 1995. Niemand in het Witte Huis wilde dat er nog een dode Amerikaan door de straten van een buitenlandse stad werd gesleept.

We hotsten langs het hotel en verlieten de grote weg om door een stinkend labyrint van modderige hutten van steen en vodden te rijden. Er leefden daar honderdduizenden mensen. Uitgemergelde honden loerden in de schaduwen. Kinderen met misvormde hoofden en ledematen bevolkten de onregelmatige onverharde straten en met cactussen omzoomde paden. Grote gezwellen hingen aan hun lichamen.

Hoogspanningskabels bungelden gevaarlijk laag over de openingen tussen de huizen met golfplaten daken. Overal zag je puin, vieze rommel en natuurlijk brandende autobanden.

Puin, rommel en rokende autobanden lagen ook om een grote kunstmatige heuvel heen die zich op ongeveer tweehonderd meter afstand verhief. Op de top van die heuvel stond een enkele hut met een kar ervoor. Blijkbaar had daar de koning gewoond.

De bewoners trokken zich terug zodra ze de technicals gierend tot stilstand zagen komen. Achter de rasters in oude stalen deuren verschenen gezichten. Een hond blafte naar de laadklep van de wagen voor ons en werd algauw weggeschopt door een van de jongens met sportschoenen.

Awaale sprong eruit. 'Kom, meneer Nick.' Hij gaf me een teken dat ik moest volgen. Aan weerskanten schreeuwden kinderen. We liepen door een smal steegje. Het verkeerslawaai werd gegons in de verte. Vogels kwetterden. Het leek wel een zondags wandelingetje, totdat een salvo automatisch vuur in de verte de betovering verbrak.

'Waar gaan we heen?'

'Ik wil je laten zien wat de toeristen missen.'

6

We bevonden ons naast vier huizen zonder bovenverdieping die jaren geleden waren kapotgeschoten en uitgebrand. In het midden daarvan stond een bosje knalgroene cactussen, ongeveer zo groot als een tennisbaan. Ze kwamen tot boven je hoofd en sommige hadden rode bloemen.

Awaale stond er trots bij. 'Deze plaats is door mijn vader beroemd gemaakt.'

Ik wist dat ik bewondering zou moeten hebben voor het cactusbosje van zijn vader, maar ik kon me niet helemaal beheersen. 'Denk je dat hier drommen toeristen op afkomen? Awaale, ik heb daar nu echt geen tijd voor, vriend. Ik moet nu naar Tracy en...'

Zijn hand kwam omhoog.

Ik maakte hem kwaad. Ik moest me inhouden.

'Alles op zijn tijd, Nick. Kijk nog eens goed.' Hij boog zich vanuit zijn taille naar voren en ik deed dat ook. Hij wees. 'Lager.' Het was duidelijk een bevel, geen verzoek. Ik knielde in het zand. Onder het baldakijn van stekels zag ik nu rollen scheermesprikkeldraad rondom een chaos van verwrongen metaal. Toen zag ik initialen van het Amerikaanse leger, zwart op donkergroen.

Het karkas van een Black Hawk.

'Je vader...?'

'Mijn vader heeft dat toestel neergeschoten. Het was het eerste. Mijn vader is beroemd.'

Hij draaide zich om en schreeuwde, een van de jongens kwam aangerend met een RPG.

'Hij gebruikte een van deze dingen.' Hij liet het wapen op zijn schouder rusten en richtte het op de hemel. 'Mijn vader: een groot man.'

Ik keek weer naar de wrakstukken onder de cactussen. Een machine die vele miljoenen had gekost, uitgeschakeld door een granaat van 310 dollar.

De Black Hawks hadden laag over de stad gevlogen, met scherpschutters aan boord om de aanval op het Olympic Hotel te ondersteunen. De inlichtingenjongens hadden vastgesteld dat RPG's die vanaf de grond werden gelanceerd geen bedreiging voor de Black Hawks vormden. Ze dachten dat als iemand het wapen op de lucht richtte, zoals Awaale deed, de terugslag zo hard zou zijn dat de schutter werd uitgeschakeld. De clans zouden er nooit vanaf een dak mee schieten, want dan zouden ze meteen te zien zijn en met machinegeweren worden neergemaaid. Maar Aidid wist beter, hij wist dat hij de Amerikanen het diepst kon treffen door hun helikopters neer te schieten. De Black Hawks waren te vergelijken met de Apaches in Afghanistan. Ze stonden symbool voor de macht van de Verenigde Staten en de hulpeloosheid van de clans.

Aidid had zijn hinderlaag goed voorbereid. Hij had islamitische fundamentalistische soldaten uit Soedan het land in gesmokkeld, strijders die in Afghanistan tegen Russische Hind-gevechtshelikopters hadden gevochten. Ze lieten mannen als Awaales vader zien hoe je de RPG zo kon aanpassen dat je er vanaf de straat mee kon schieten. Je hoefde alleen maar een paar gebogen buizen aan het eind te lassen om de terugslag af te leiden: vandaar die extra tien dollar boven op de oorspronkelijke kosten van driehonderd dollar per granaat.

En nog iets anders. Omdat RPG's bij inslag ontploffen is het moeilijk met zo'n granaat een snel bewegend doel te treffen. De 'adviseurs' zetten timers op de detonators om ze midden in de lucht te laten exploderen. Op die manier hadden ze geen voltreffer nodig om een Black Hawk neer te halen. De moedjahedien leerden Awaales vader en zijn vrienden ook dat de staartrotor van de helikopter de kwetsbaarste plek is. Ze leerden hen te wachten tot de Black Hawk was overgevlogen en hem dan van achteren te beschieten.

De hele operatie om Aidid uit het Olympic Hotel te halen had niet meer dan dertig minuten mogen duren, een gebruikelijke tijd voor een Special Forces-operatie. In plaats daarvan was de operatie na het neerhalen van de Black Hawk geëscaleerd tot achttien uur van stadsgevechten. Amerikaanse eenheden hadden geprobeerd zich naar binnen te vechten om de bemanningsleden en schutters te redden. Toen haalde een tweede RPG van 310 dollar een tweede Black Hawk neer en was de nachtmerrie compleet. Voor de actie van die nacht werden twee postume Medals of Honor toegekend. Aidid bleef buiten schot. Pas drie jaar later werd hij tijdens clangevechten in de stad gedood.

Ik stond op en veegde het zand van mijn handen. 'Waar is je vader nu? Leeft hij nog?'

'Hij is taxichauffeur in Minneapolis.'

'Ben je met hem meegegaan?'

Hij knikte.

Nu wist ik waar het accent vandaan kwam. De Verenigde Staten hadden hun hulp aan Somalië stopgezet, maar ze hadden het land niet helemaal de rug toegekeerd. Terwijl het cactusbosje groeide en bloeide, hadden de Verenigde Staten hun grenzen opengesteld voor vluchtelingen, vooral degenen met geld of een goede opleiding. Verreweg de meesten van hen gingen bij hun landgenoten in Minneapolis wonen. Algauw bezat die stad de grootste Somalische populatie ter wereld buiten Somalië zelf. Zelfs Easton kon daar niet tegenop.

Ik stond daar te kijken terwijl de RPG werd teruggegeven. Als Awaale de waarheid sprak, reed de man die de eerste Black Hawk neerhaalde nu in een taxi om Amerikanen van het vliegveld naar huis te brengen. Zijn oorlogsverhalen maakten vast geen deel uit van zijn taxipraatjes.

'Waarom glimlach je, Nick?'

'Je moet wel erg trots zijn.'

'Natuurlijk ben ik dat.'

Er waren kreten te horen. Hij keek abrupt opzij. De glimlach verdween van zijn gezicht. Hij schreeuwde terug.

'We moeten gaan, Nick.'

Hij wachtte niet op mijn antwoord. Hij liep al naar de technical toe. Ik hoefde niet te weten wat er aan de hand was. Ik hoefde alleen maar te weten dat als hij vluchtte ik ook vluchtte.

7

De mannen maakten zich druk, maar niet omdat ze bang waren. Het was nog erger. Ze hyperventileerden bijna van opwinding.

Ik hoorde kreten en gejammer uit gebouwen daar in de buurt. De mensen die in hun huizen waren teruggevlucht, wisten wat er te gebeuren stond.

We renden door een reeks smalle steegjes. Awaale had het zo druk met tegen zijn mannen schreeuwen dat hij niet op mij lette. Niemand van hen zocht dekking.

De schaduwen aan onze linkerkant werden langer, ik kon steeds maar net zien wat er in de openingen tussen de gebouwen gebeurde. Er was nog ongeveer een uur daglicht.

De mannen werden met de minuut opgewondener. Ze brulden naar elkaar en in hun portofoons en mobieltjes. Wie het ook was met wie ze praatten, het was één grote razernij van qat, adrenaline en testosteron.

Ik moest boven het lawaai uit schreeuwen: 'Awaale, wat gebeurt er?'

Ik was in een portiek aan de linkerkant van het steegje gedoken, voor zover dat me enigszins kon beschermen. Ik dreunde met mijn rug tegen een stalen deur die stevig vergrendeld was.

Awaale stond aan de andere kant van het portiek en praatte druk in zijn portofoon. Hij stak zijn hand op om me het zwijgen op te leggen.

Twee straten verderop, op het kruispunt met wat er van de echte straat was overgebleven, stopte een technical waarvan ik hoopte dat hij van ons was. Het machinegeweer zwaaide naar links, naar de grote straat, en begon te vuren.

Iedereen sprong in het rond en nam erg slechte schietposities in op het kruispunt. De hele wereld daverde van het lawaai. De mannen staken hun wapens om hoeken en schoten op God mocht weten wat. Ze besproeiden half Mogadishu met kogels.

Sommige jongens renden de straat over, schietend vanaf de heup. Een van hen struikelde, verloor een flipflop, rolde om, schoot, stond op en rende door. Het thuisteam juichte. Er maakte zelfs iemand een foto met zijn telefoontje. Ik vroeg me af of die foto op Facebook zou verschijnen.

Twee andere jongens namen redelijk goede schietposities in op de hoek van het gebouw, losten ieder een salvo, hielden daar toen mee op en haalden hun Marlboro's tevoorschijn. Ze namen een paar trekken, staken hun wapens weer om de hoek en vuurden er weer lustig op los.

God mocht weten waar die twee andere technicals nu waren. Met een beetje geluk waren ze in de buurt gebleven. Ik had ze nodig. Ze moesten me naar de plaats brengen waar Tracy en de anderen werden vastgehouden.

Een man met een RPG sprong van de achterkant van de technical die ik kon zien. Hij kwam op het open terrein van het kruispunt, lanceerde een raket en rende terug. Alle anderen keken toe en rookten. Ik snapte niet waarom hij niet vanuit dekking had kunnen schieten.

Ik hoorde gerommel, heel dichtbij, gevolgd door het ratelen van een 12.7. Ik hoopte dat het er een van ons was.

Net links van me stuiterde een groene lichtspoorkogel tegen het beton en vloog de lucht in. Ik zag de stuwstof opbranden. Ze schoten op iets, maar ik wist niet wat het was. Het lawaai was oorverdovend. Beide technicals openden het vuur weer. Er siste nog een RPG door de lucht.

Ik rende naar Awaale toe. 'We moeten hier weg, vriend. Ik heb een afspraak. We kunnen ze niet eeuwig laten wachten.'

Hij trok zich er niets van aan. Alle anderen praatten druk in de portofoons. Ze schreeuwden en wezen naar iemand anders.

De tweede technical verscheen. Hij reed door de straat naar ons toe, met maar een paar centimeter ruimte aan weerskanten, remde en reed terug. De jongen schoot met het machinegeweer in een van de steegjes. De chaos was nu compleet. Niemand beheerste de situatie. Iedereen deed maar wat.

Maar dat er op ons geschoten werd, was een ding dat zeker was. De kogels sloegen gaten in het pleisterwerk van de gebouwen aan het kruispunt.

Er volgde weer een hard woesj-geluid, links van me in de verte. Een RPG-granaat vloog dwars door de hoofdstraat, over het kruispunt en tegen iets aan wat verderop lag. Het was de moeder van alle explosies. Op een paar blokken afstand ging een wolk van stof en puin omhoog, waarna de brokstukken neerregenden op de daken van golfplaat.

Er werd gejuicht en gelachen.

'Awaale, wat zijn we in godsnaam aan het doen?'

Hij keek me aan alsof ik niet goed snik was. 'We zijn aan het vechten, Nick! We vechten tegen Lucky Justice. We moeten altijd vechten tegen zijn clan. Dit is onze stad. Dit is de stad van de generaal. Mijn vader is hier beroemd.'

Alles goed en wel, maar Awaales vader was zo verstandig daar dertienduizend kilometer vandaan te zijn.

Ik rende over het zand, greep Awaale vast en trok hem een portiek in.

Aan de andere kant van de stalen deur ging een hond over de rooie. Ik hield Awaale stevig vast om er zeker van te zijn dat ik zijn aandacht had. Als zijn mannen nog meer munitie verspilden en als Lucky's mannen dat niet deden, liep dit slecht af.

'Wat mij betreft, mag je tegen ze vechten wanneer je maar wilt, kerel, maar ik moet mijn vrienden zien. Ik moet je wat geld betalen. Daarvoor zijn we hier, weet je nog wel? We moeten verder.'

Awaale had het te druk als commandant te velde. 'Ja. Ja. Gauw.' Hij praatte meteen weer in zijn portofoon. Het was de vraag of er iemand luisterde.

Plotseling hoorde je overal ringtones. De jongens pakten hun mobieltjes. Vier van hen kwamen aangerend vanaf de linkerkant van het kruispunt. Blijkbaar kwamen ze uit de derde technical. Ze droegen een lichaam. Dat was vergeefse moeite. Zelfs op deze afstand kon ik zien dat die man dood was.

8

Verderop schoten een paar kerels weer RPG's af. Het was niet bepaald zo dat ze nauwkeurig mikten. Ze hadden die dingen nog geen seconde op hun schouder. Ze kwamen gewoon even uit hun dekking tevoorschijn en haalden de trekker over.

De 12.7 stond nu op het kruispunt. De schutter kon hem niet beheersen. Lichtsporen begonnen horizontaal, gingen dan de lucht in en beschreven een boog in de richting van een denkbeeldige Black Hawk.

Andere jongens van Awaale namen positie in achter het voertuig. Als de generaal hun alles had geleerd wat ze wisten, was het geen wonder dat hij dood was. Op deze manier gaven ze de vijand alleen maar iets om op te mikken, zodat hij zijn vuur kon concentreren. Als die grappenmakers dachten dat tien millimeter staal het vuur kon tegenhouden, moest de qat nog sterker zijn dan ik had gedacht. Voertuigen kunnen je uit het zicht houden; ze kunnen je niet tegen vuur beschermen.

Er vlogen nog meer kogels over de weg op de technical af. Ze troffen de gebouwen aan het kruispunt. Er volgde een RPG, ditmaal veel hoger. Het rookspoor ging drie meter hoog over de technical heen. Toen nog een. Niemand zocht dekking. Ik zag een granaat over de straat stuiteren. Hij explodeerde ergens net uit het zicht.

Onze technical besloot weer dekking te zoeken. Ik wist niet waar de andere twee waren. Ik greep Awaale weer vast. Dit was een patstelling; geen van beide partijen kon dit winnen. 'Awaale, blijven we hier tot we geen munitie meer hebben? Of tot we allemaal dood zijn? Hoe werkt dat, vriend?'

Hij praatte weer druk in zijn portofoon. Niemand gaf antwoord. De hond achter de deur was nu helemaal gek geworden. Hij graaide woest met zijn klauwen over het staal. Een radio met Arabische muziek stond keihard aan. 'Awaale, vriend. Stop. Kijk me aan. Ik kan je helpen. Wil je laten zien wat een geweldige vechter je bent? Net als je vader?' Ik wachtte niet op een antwoord. 'Laat me met een machinegeweer daarheen gaan.' Ik wees achter het huis, naar het hoge terrein voorbij de plaats waar de Black Hawk was neergestort. 'Ik ga precies na waar Lucky's mannen zitten. Dat vertel ik je, en dan kan ik je dekkingsvuur geven, zodat je een omtrekkende beweging kunt maken om bij ze te komen. Oké? Dan kunnen we dit afwerken. Je hakt ze in de pan, en we kunnen verder.'

Zijn portofoon zakte naar zijn borst.

'Kom mee.' Ik ging op mijn knieën zitten. Nu bevonden we ons op gelijke hoogte met de hond, die nog woester bleek te kunnen worden. 'Kijk. Zo kunnen we het doen.'

'Hoe... hoe?'

Ik streek een stukje zand glad en maakte er met mijn vinger een kruis in om het kruispunt aan te geven. Ik porde naar de linkerkant van de horizontale lijn. 'Daar zijn we nu, oké?'

'Ja.'

'En Lucky is ergens hierboven...'

'Ja. We gaan hem vermoorden.'

Ik zette mijn plan uiteen en legde uit dat we buiten elkaars vuurlijn moesten blijven. Hij keek me aan alsof ik hem het grote geheim van het universum had uitgelegd. 'Nick, wat is dit goed!'

Ik knikte. 'Maar we moeten het doen voordat het donker is. Geef me een portofoon die werkt. Geef me die daar. Pak jij er een van de jongens. Breng de technicals hierheen. Zeg tegen ze dat ik hier de leiding van heb. Oké?'

'Oké, oké.' Hij sprong overeind, klaar om in actie te komen.

Ik greep zijn been vast. 'Weten de bestuurders van de technicals waar ze straks heen moeten? Ik moet die gijzelaars naar huis brengen.'

'Ja, ja.' Hij was buiten mijn bereik. Hij rende al.

Geweldig. Wanneer het helemaal misging, had ik tenminste vervoer om bij de ontmoeting te komen. Nu wilde ik alleen maar dat hier een eind aan kwam, hoe dan ook, anders zouden we hier de hele godganse nacht zitten.

9

Het duurde niet lang voordat de technical die had geschoten op me af kwam denderen. De schutter moest zich uit alle macht vasthouden toen de wagen over de kuilen hotste en een gigantische stofwolk opjoeg. Ik kon het kruispunt niet eens meer zien.

Ik hield hem net op tijd aan. Hij ging veel te snel. Aan de wilde ogen van de bestuurder te zien zou hij pas in Malindi zijn gestopt.

Ik maakte het portier open. 'Spreek je Engels?'

De man was door het dolle heen. Ik keek achter hem. De schutter was er net zo aan toe. Ik liet hun de portofoon van Awaale zien. 'Laten we gaan.'

De bestuurder rolde met zijn ogen. 'Radio, radio!' Hij wees omlaag. Er stond al een portofoon bij zijn voeten, ook een apparaat uit de jaren negentig, zo groot als een baksteen. Misschien had Awaale hem naar binnen gegooid.

Ik drukte op de rode knop van de mijne. 'Awaale, Awaale...'

Er volgde een klik; blijkbaar was aan de andere kant ook op een knop gedrukt. Er kwam opeens geweervuur uit het apparaat. Awaale schreeuwde op de achtergrond en ik hoorde gegiechel.

Ik probeerde het nog een keer. 'Awaale!'

Er volgde geritsel. 'Ik ben het, Nick. Ik ben hier, ik ben hier.'

'Goed zo. Wacht tot ik op het hoge terrein ben. Zodra ik begin te schieten, laat je je mannen naar de linkerkant van het kruispunt gaan en zorg je dat je ter hoogte van hen komt. Zodra je daar bent, laat je het me weten, oké? Heb je dat begrepen, Awaale?'

'Ja, ja, Nick, geen probleem.'

'Goed.'

'Ja, ja. Oké.' De verbinding werd verbroken.

Ik gaf de bestuurder een teken dat hij opzij moest gaan, achter het stuur vandaan. 'Schiet op.' Ik glimlachte. 'Hup hup.'

Ik reed op het Black Hawk-monument af en nam het pad daarachter, dat naar het hutje op het hoge terrein leidde. De zon stond laag en wierp heel lange schaduwen. Het zou nog hooguit een halfuur licht zijn.

Ik ging langzamer rijden toen ik bijna boven aan de helling was. Ik wachtte niet op de andere technical. Het was al ingewikkeld genoeg met die gekke kerels. Ik had één voertuig, en daar moest ik het mee doen.

Ik begon de heuvel op te rijden. Ik wilde zo veel van het terrein beneden ons in het zicht hebben dat we de 12.7 konden gebruiken terwijl de rest van ons in dekking bleef. Anders zouden we een te makkelijk doelwit vormen.

Ik manoeuvreerde de technical rechts van de hut in de juiste positie, sprong eruit en liep gehurkt naar voren.

Ik drukte op de rode knop. 'Awaale, Awaale, ik heb ze. Ik kan zien waar ze zijn.'

'Waar zijn ze? Waar zijn ze?'

'Waar ben jij?'

'Wij zijn op het kruispunt. We wachten.'

'Oké. Kun je me goed horen, Awaale? Kun je me horen?'

Hij schreeuwde boven het geweervuur uit. Ik zag vuurflitsen in de verte, waar Lucky's bende er lustig op los schoot in de vallende schemering.

'Ik hoor je.'

'Oké. Als je vanaf het kruispunt vijf blokken omhooggaat – ik herhaal, vijf blokken – kom je bij een volgend kruispunt, en daar zitten ze. Ik zie één technical – ik herhaal, één technical – met een machinegeweer. Maar hij wordt niet gebruikt, Awaale. Hij staat daar alleen maar. Ik zie alleen vuur van gewone geweren. Begrijp je dat?'

Ik kreeg geen antwoord.

'Awaale? Awaale?'

'Ja, ik begrijp het, Nick.'

'Oké. Zodra ik begin te schieten, gaan jullie aan de linkerkant door de straat. Ze zijn vijf blokken bij jullie vandaan.'

Geen antwoord.

'Awaale?'

Geen antwoord. Verdomme. Ik liep naar de technical, sprong op de laadbak en schreeuwde tegen de schutter. Ik wees naar de smalle groene metalen munitiekistjes. 'Jij laadt, oké?' Ik deed alsof ik een magazijn in het wapen stopte.

In elk van de kistjes zaten ongeveer vijftig patronen. Tenminste, dat was het gebruikelijke aantal. Wist ik veel hoe ze dat hier deden? Er hingen ongeveer 25 patronen uit het wapen op de stalen vloer. Lege hulzen lagen overal verspreid. Ik schopte ze met mijn Timberlands weg om een stevig, stabiel schietplatform te krijgen.

Het vuurmechanisme was heel oud: twee houten handgrepen op metalen frames met een slot ertussen. Ik nam niet de moeite om te kijken of het wapen op de beveiliging stond. Natuurlijk niet.

Het ronde spinnenwebvizier was eigenlijk ontworpen voor luchtdoelgeschut. Ik richtte het op het kruispunt vijf blokken verderop. Daar zag ik een paar vuurflitsen en loste een salvo van drie patronen. Het vuurtempo was laag. Waarschijnlijk stond de gasregulator veel te ver dicht. Of nog waarschijnlijker: hij was verstopt met koolstof, omdat hij nooit werd gereinigd.

In het volgende salvo zaten twee lichtspoorkogels. Ze sloegen links van het kruispunt in een muur, waar ik mensen dekking had zien zoeken. Ik keek vlug naar de gordel. Die was goed. Elk vijfde patroon had een groene punt: een lichtspoorkogel.

Ik schoot op het kruispunt zelf. Om niet te veel munitie te verbruiken en ook om enigszins goed met dat verrekte ding te kunnen richten, werkte ik met salvo's van vijf patronen. Het onderstel schudde; het zat niet goed vast.

Ik wees naar het volgende munitiekistje en zwaaide met het geweer naar links en rechts. Ik zag geen beweging.

Terwijl de jongens het machinegeweer herlaadden, pakte ik de portofoon. 'Awaale?'

Nog steeds niets.

'Schiet op, Awaale, eropaf.'

Twee of drie seconden later hoorde ik gierende motoren. Een stofwolk golfde boven de zee van plaatijzer uit en bewoog zich in de richting van het kruispunt. Als Lucky Justice niet had geweten waar onze technicals waren, wist hij dat nu. Awaale hoefde alleen nog maar op de trompet te blazen en zijn cavalerieaanval was compleet. Ze gingen niet geruisloos te werk, wachtten niet met lawaai maken tot ze heel dicht bij het doel waren. Nee, ze gingen er gewoon op af.

10

De voorste technical die door de straat hotste, kwam even in zicht in een opening tussen de krotten. In elk geval waren ze buiten mijn vuurlijn. Ik verloor ze bijna meteen weer uit het oog. Telkens wanneer ik vuurflitsen zag, loste ik een salvo van drie tot vijf patronen. Ik zag de lichtspoorkogels een flauwe boog naar het doel beschrijven, dat zich op hooguit 350 meter afstand bevond. Ik vuurde nog eens vijf patronen op het kruispunt. En toen nog een salvo.

'Nick? Nick?' Awaale was weer in de ether.

Ik kon geen antwoord geven. In alle opwinding had hij zijn vinger op de knop gehouden. Ik hoorde alleen zijn motor draaien. Ik moest wachten tot hij de knop losliet.

'Nick? Nick?' Deze keer dacht hij eraan.

Ik drukte op de rode knop. 'Ja, Awaale, ja. Waar ben je?'

De bestuurder was uit de technical gesprongen en vuurde met zijn AK op de doelen. Hij deed dat met lange salvo's, en de kogels vlogen alle kanten op, vooral de lucht in. Het kon hem niet schelen; hij was gewoon lekker aan het schieten.

'Waar zijn ze, Nick? Waar zijn ze?'

Ik tuurde in de schemering. Hij kon overal zijn. Er waren overal stofwolken.

'Stop, Awaale. Stop. Kun je me horen? Stop!'

Ik liet de knop los.

'Oké, we zijn gestopt. Waar zijn ze? Waar zijn ze?'

'Rustig maar. Wacht, wacht...'

Ik wilde dat hij tot bedaren kwam voordat we verdergingen. 'Waar ben je, Awaale?'

'Ik weet het niet...'

Ze waren door de straat gedenderd zonder te weten wat ze deden.

'Oké. Schiet met je machinegeweer in de lucht. Als ik je lichtspoorkogel zie, kan ik je instructies geven.'

Ik kreeg geen reactie.

'Awaale?'

Plotseling vlogen er vijf of zes lichtpatronen de lucht in, vijftig meter voor het kruispunt, drie blokken naar links.

'Goed. Ik wil dat je naar de straat toe draait. Ze zitten heel dicht bij het kruispunt. Is dat duidelijk?'

Ik moest zo hard schreeuwen dat ik de portofoon bijna niet nodig had. De schutter ging nu helemaal uit zijn dak met de 12.7. De bestuurder schoot verwoed met zijn AK. Er lagen drie lege magazijnen bij zijn voeten. Alleen hij wist op wie of wat hij mikte. Als hij al op iets mikte.

Ik keek op. Er was weer een woesj-geluid te horen op het kruispunt. Ik zag het rookspoor onze kant op komen. Ik wierp me op de grond op het moment dat het ding explodeerde. Het was voor de hut terechtgekomen. Een oude man kwam naar buiten stormen, schreeuwend als een ouwe heks. Hij rende naar de andere kant van de heuvel en rende daarna gewoon door. Ik kon het hem niet kwalijk nemen.

Stof en stenen regenden op ons neer.

Ik pakt de portofoon weer. 'Awaale?'

'Ja, Nick.'

Ik hoorde de motoren ronken; iedereen schreeuwde.

'Awaale? Awáále?'

Niets.

'Ik blijf schieten tot je bij het kruispunt bent. Goed? Ik blijf schieten tot je bij de straat bent. Awaale? Kun je me horen?'

Er kwamen kreten van de twee jongens achter me. Ik keek om naar het kruispunt. Twee lichamen lagen languit in het stof. Ze hadden een paar vijanden gedood.

Ik balde mijn vuisten alsof ik de handgrepen van het machinegeweer vastgreep. 'Doorgaan, jongens, blijven schieten...'

Ik drukte weer op de knop van de portofoon. Nu nog wat Benny Hill-muziek en dit optreden was compleet. 'Awaale?'

Lichtspoor vloog over Lucky's positie, en meteen daarop denderde Awaales team als woeste cavalerie recht over het kruispunt, hobbelend over de twee lijken.

Ik sprong weer op de laadbak, nam het machinegeweer over en vuurde patronen af op Lucky's kant van het kruispunt. De kogels troffen muren, daken en de karkassen van verwoeste gebouwen, overal waar ik iets zag bewegen.

Lucky's technical kwam uit dekking om een frontale confrontatie met Awaale aan te gaan. Awaales chauffeur gooide het stuur om, zodat de jongens achter de cabine het vuur konden openen zonder hem en de baas te raken wanneer hun geweerlopen naar beneden gingen.

Vanaf mijn hoge positie vuurde ik salvo's van drie patronen af op Lucky's wagen. De lichtspoorkogel begroef zich in het stof, brandde nog een paar seconden en doofde toen. Zijn schutter bleef daar niet rondhangen.

Hij sprong van de achterkant van de technical en rende weg voordat hij het goede nieuws kreeg. De chauffeur hing roerloos over het stuur.

Ik loste nog één salvo, voor het geval er nog mannen in de wagen zaten. Blijkbaar lekte er brandstof uit een gescheurde tank. De lichtspoorkogel bracht het tot ontbranding en opeens was de hele omgeving een gele en oranje vuurzee. Lucky's infanterie draaide zich om en schoot vanuit de flakkerende schaduwen terug.

In plaats van te wachten tot we hem nodig hadden denderde Awaales tweede technical naar voren en reed hij gewoon door. Overal sloegen de kogels in, behalve onder de voeten van de schutter.

Ik bleef naar rechts schieten, reagerend op elke beweging van de vijand. Het was daar een ware hel, maar dat kon niemand iets schelen. Beide kanten vuurden als gangsters met hun AK's in de lucht. Ik wachtte even om ze hun gang te laten gaan. Mijn neus zat vol kruitdamp. De loop rookte van de hitte.

Ik klauterde uit de laadbak en zwaaide naar de bestuurder en zijn helper. 'Laten we gaan, jongens. Hup hup.' Ik klapte in mijn handen. We moesten verder. Ik had nog een afspraak.

Ik klom de cabine in. Mijn twee nieuwe rekruten hesen zich op de laadbak.

We denderden de helling af. Het was ruimschoots tijd om te maken dat ik daar wegkwam en verderging met mijn werk. We naderden de zone waar het hevigst was gevochten. Ik reed langs het portiek waar ik Awaale had vastgegrepen. Ik sloeg links af op het kruispunt, langzaam en met zo'n wijde boog dat het machinegeweer voldoende ruimte had om op de voornaamste doelen te schieten. Ik stak mijn hand uit het raam en maakte wilde gebaren. 'Die kant op, vriend. Die kant op.' Ik geloof niet dat hij iets raakte, maar nu zou hij het geweer tenminste niet op mij richten.

We zagen Awaales mannen bijna meteen. Ze sleepten drie lijken achter een muur vandaan. Ze deelden de sigaretten die ze uit de zakken van de doden hadden gehaald en legden Lucky's wapens in de ongewapende technical.

Awaale was nergens te bekennen. Ik begon me zorgen te maken. Als ik mijn Engelstalige gids kwijt was, kon ik niets beginnen. Ik pakte de portofoon op. 'Awaale. Waar ben je, vriend? We zijn op het kruispunt terug. Waar ben jij?'

Stilte.

'Awaale?'

Toen hoorde ik mijn eigen stem uit het uitgebrande karkas van een gebouw komen.

11

Hij klauterde uit een opening die eens een raam was geweest en keek heel tevreden. 'We hebben er een paar gedood, Nick, en de rest is gevlucht. Lucky Justice hebben we niet te pakken gekregen, maar dit is nog steeds een goede dag. We gaan dit nog een keer doen. En nog een keer. Lucky's mannen krijgen de boodschap wel door. De mannen van de generaal zijn terug in de stad.'

Hij stak zijn bebloede handpalm omhoog om me uit te nodigen hem een high five te geven door het raam. Ik had de pest aan high fives.

'Je hebt gelijk, Awaale. Als Lucky nog leeft, begrijp je nu hoe hij aan die naam komt. Nou, kunnen we nu naar mijn vrienden gaan? Ik moet echt weten of ze in veiligheid zijn.'

Zijn jongens waren druk bezig de lijken te verminken met messen, stenen en voor de goede orde ook nog met een salvo AK-vuur. De lijken werden achtergelaten; ze waren de boodschap waar Awaale het over had.

Ik ging achter in Awaales technical zitten. Awaale veegde zijn handen af aan zijn broek en ging weer voorin zitten. Er schetterde muziek uit alle cabines. AK-patronen joegen nog een boodschap de hemel in. Alle mobieltjes in de buurt kwamen tot leven, voor het geval iemand het nieuws nog niet had gehoord.

Toen de voorste wagen zich bij de feestvreugde had aangesloten, vlogen de groene lichtpatronen uit de loop van de 12.7. De schutter beheerste het vuur niet meer en de kogels stuiterden tegen de gaten in de weg en tegen de gebouwen op vierhonderd meter afstand.

Awaale vond dat blijkbaar niet erg. 'Nick, dat was goed, ja? We hebben ze op hun donder gegeven.' Hij haalde het pakje Marlboro uit zijn met zweet doorweekte shirt en bood mij er een aan. Toen ik mijn hoofd schudde, sloeg hij de chauffeur uitbundig op de schouder. Hij lachte en zijn witte tanden glansden.

Iedereen had de avond van zijn leven. Nou ja, afgezien van de man wiens lijk achter ons in de laadbak lag. Hun gewelddadigheid ging gepaard met een merkwaardige onschuld. Ze waren niet woedend. Ze schenen geen haat te koesteren jegens Lucky's mannen. In moorden en verminken zagen ze niets buitensporigs. Het waren dingen die ze nu eenmaal deden. Ze hadden nooit iets anders meegemaakt. Ze kenden geen grenzen. Dat maakte ze zo gevaarlijk.

Ik boog me naar voren. 'Je hebt het heel goed gedaan, Awaale. Ik denk dat je vader heel trots op je zal zijn.'

'Ik weet het. Ik weet dat hij trots zal zijn.'

Hij haalde zijn mobieltje tevoorschijn, drukte op een sneltoets en was algauw druk aan het praten. Hij klonk zo opgewonden als een kind. Ik hoefde geen Somalisch te kunnen verstaan om zijn mimiek te kunnen lezen en het boem-boem-boem te kunnen begrijpen. Er werd instemmend geknikt door de chauffeur en ik hoorde twee keer mijn naam.

Awaale keek me aan met de grootse grijns van de wereld en gaf me de telefoon. 'Het is mijn vader. Praat met hem.'

'Hoe heet hij?'

Hij keek verbaasd. 'Awaale, natuurlijk.'

Natuurlijk.

Om te beginnen kon ik nog net een vrouwenstem horen zeggen dat de Northwest-vlucht naar Chicago vertraging had. Minneapolis lag acht uur op ons achter. Het moest daar ongeveer twaalf uur 's middags zijn.

'Hallo, meneer Nick. Mijn zoon zegt dat u hem vandaag hebt geholpen grote daden te verrichten. U maakt me een erg trotse vader.'

'Dank u.'

'U bent daar om uw dierbaren terug te kopen, nietwaar?'

'Ja. Ik hoop dat uw zoon me kan helpen. Misschien kunt u dat ook. Een van hen is de vrouw van een dode strijder. Er is ook een kleine jongen bij. Ik weet dat u een dappere man bent, een beroemde man in deze stad hier. Kunt u me helpen?'

Het omroepsysteem kwam hem te hulp. De Jet Blue van LaGuardia was geland.

'Meneer Nick, ik moet ophangen. Mijn passagier is aangekomen. Zegt u tegen mijn zoon dat ik van hem houd.'

Hij verbrak de verbinding en ik gaf de telefoon aan Awaale. 'Je vader zegt dat hij van je houdt.'

'Dat weet ik. Ik houd ook van hem. Hij is een groot man.'

Er werd alom geglimlacht in de cabine. We reden langs het Olympic Hotel. Het werd druk in de straten, met veel licht. Iedereen had een wapen. Het leek net of we van een carnavalsfeest waren teruggekomen, allemaal uitbundig, want onze drie praalwagens hadden gewonnen.

12

Algauw reden we langs het vliegveld. Dezelfde bewakers zaten nog op het muurtje te roken onder het met de hand geschilderde bord. Ze keken niet eens op toen ons konvooi voorbijreed. Niets zien, niets horen, niets zeggen: dat was hier de grote truc als je in leven wilde blijven.

Aan weerskanten van de boulevard stonden alleen nog de karkassen van gebouwen die ooit imposant waren geweest. In dit deel van de stad waren zelfs de bomen verwoest. Misschien zou de Italiaanse Rivièra er zo hebben uitgezien als daar in de oorlog een bomtapijt over was uitgeworpen. Dit was de oude stad geweest, waar de Italianen en andere expats in de jaren twintig in hun badpakken op het strand hadden gezeten. Nu was er nog niet eens een hond te zien. Het was een spookstad.

We hobbelden over mortierkraters en gaten in de weg en moesten slalommen om de grote brokken beton te ontwijken die in het licht van onze koplampen opdoken. Ze vormden de enige bron van licht in dit deel van de stad.

Awaale praatte weer in zijn mobieltje. Ik snapte niet hoe iemand zou kunnen verstaan wat hij zei. De chauffeur praatte ook aan een stuk door. De muziek schetterde. Awaale klapte zijn telefoontje dicht en schreeuwde: 'We zijn er bijna, Nick.'

We hotsten over wat er van de middenberm was overgebleven, sloegen een zijweg in en kwamen op een groot plein met een leeg betonnen voetstuk in het midden. Misschien had daar ooit een Somalische marionetdictator op gestaan, of een Italiaanse generaal met een hoed vol veren. Mensen staken donker af tegen de vlammen van een vuur naast het voetstuk.

Toen we dichterbij kwamen, zag ik dat we ons in een omheinde zone bevonden. Stapels autobanden vervingen de ontbrekende deuren en ramen van een groot hotel uit de koloniale tijd. Binnen zag ik beweging.

Er was geen ingang. Er was niet eens een slagboom die je moest passeren om door de vroegere rijtuigpoort van het imposante gebouw te komen. De technical stopte naast vier of vijf andere auto's. Overal stonden uitgebrande voertuigen.

Awaale was onze technical al uit voordat de wagen achter ons tot stilstand was gekomen. Hij klonk opgewonden. 'Kom, Nick. Nu is het zover. Kom.'

Ik volgde hem naar binnen. Een hal ter grootte van een voetbalveld kwam uit op een tweetal trappen die met een boog naar boven leidden en die net als al het andere in dit gebouw betere tijden hadden gekend. Het gebouw was ontdaan van alles wat niet heel stevig vastzat. Het glas was uit de ramen verdwenen. De bedrading was weggetrokken. Er was nergens een deur te zien. Alles wat te vervoeren was, was waarschijnlijk als schroot verkocht of gebruikt om de hutten te bouwen waarnaast we de middag hadden doorgebracht. Ik raakte gewend aan de geur: rottend vuilnis en brandend rubber waren weer aan de orde van de dag.

Het personeel en de klanten waren vervangen door legioenen van opgewonden kerels, hun ogen verborgen achter Elton Johns. Als ze glimlachten, zag je hun gouden tanden en de qatvlekken en dat baarde me weer zorgen. Ik wist dat ze niet te beheersen waren; dat had ik nu van heel dichtbij meegemaakt. Dit was *Mad Max*-land. Ik was in de Thunderdome.

Awaale bracht me naar een balzaal. De hele omgeving veranderde. Ik hoorde ergens het snorren van een generator. Aan de muren waren booglampen gehangen. De zaal baadde niet echt in het licht, maar het was genoeg. Vier jongemannen in westerse kleding zaten gebogen voor een stel oeroude pc's. Een van hen hield zich op de hoogte met Facebook. Een ander keek naar een foto in een onlinebrochure van een gelukkig echtpaar achter het stuur van hun immense jacht. Dit was het hoofdkwartier op z'n Mogadishus.

Ik volgde Awaale naar twee versleten oude bruine banken aan weerskanten van een aluminium kist van het Amerikaanse leger. Die kist was zo groot als een salontafel. De groene verf was afgesleten en het metaal zag eruit alsof het uit een helikopter was gevallen.

'Ga hier zitten.' Hij wees naar een van de banken. 'Het duurt nu niet lang meer.'

Het stof steeg op en bleef in mijn keel zitten toen ik zijn instructie opvolgde. Ik zette mijn rugzak op mijn schoot.

Awaale liep weg. Hij praatte met een van de pc-figuren en keek toen op ieders scherm.

Een minuut of twee later kwam er een oud houten dienblad, dat zonder plichtplegingen op de legerkist werd gezet. Een tinnen theepot en twee lege glazen namen de ereplaatsen in. In een ander glas zaten suiker en een plastic lepel. Terwijl ik de geur van munt opving, kwam een man van midden zestig – erg oud voor deze stad – tegenover me zitten. Awaale kwam tussen ons in staan.

'Nick, dit is Erasto. Hij zal je helpen je dierbaren vrij te krijgen.'

Erasto droeg een katoenen gewaad met een zwart-witgeruite doek om zijn schouders. Zijn voeten, die in een paar oude flipflops waren gestoken, zagen eruit alsof ze met olifantenhuid waren bedekt. Een roestvrijstalen Omega Seamaster glinsterde aan zijn linkerpols. Het was een van de horloges waarnaar ik had gekeken toen ik in Moskou mijn Breitling kocht. Het was mijn budget ver te boven gegaan.

Awaale gaf hem de envelop met Joe's luchthavenbelasting. Erasto schoof hem onder zijn been zonder zijn blik van mij weg te nemen. Ik had het gevoel dat ik onder een microscoop lag.

Awaale schonk de thee in, precies zoals Nadif in Bristol had gedaan.

13

Erasto bleef me aanstaren. '*Parla Italiano?*'

De stem als schuurpapier voerde me als het ware naar een andere tijd. 'Nee.'

Hij keek even teleurgesteld als hij waarschijnlijk zou hebben gekeken wanneer we een praatje op de zaterdagmorgen hadden gemaakt. Hij wendde zich tot Awaale en praatte in het Somalisch tegen hem. Awaale gaf hem een glas heet water dat sterk naar munt rook en knikte zo hevig dat ik dacht dat zijn hoofd eraf zou vallen.

'Erasto wil weten wie Nadif heeft vermoord.'

De ogen van de oude man, diep in hun kassen, boorden zich in de mijne. 'Dat weet ik niet.'

Dit was niet het moment om de dingen nog ingewikkelder te maken dan ze al waren. Ik praatte met iemand die misschien over de drie mensen beschikte die ik kwam halen. Dat was het enige wat voor mij telde.

Awaale vertaalde het.

Erasto zat een tijdje in gedachten verzonken. Toen vuurde hij weer een vraag op me af.

'Wanneer krijgt Erasto zijn drie miljoen dollar?' Awaale gaf me een glas. Ik zag dat Erasto's duimen zich over het schermpje van zijn iPhone bewogen.

'Erasto, je verwacht gewoon te veel van mij, van Tracy's familie en van Justins familie.' Ik bleef hem aankijken. Ik praatte tegen hem, niet tegen zijn tolk. 'We zijn niet de mensen voor wie je ons aanziet. We hebben niet het soort geld waar je om vraagt. Erasto, we zullen nooit, nooit aan zoveel geld kunnen komen.'

Erasto's duimen waren weer druk bezig. Zo te zien begon hij te sms'en. Het ging mij er alleen maar om dat Awaale precies doorgaf wat ik had gezegd.

Erasto keek naar hem op, haalde toen zijn schouders op en praatte alsof hij op de markt stond en een twijfelachtig stuk fruit afwees.

Ik schepte een paar lepels suiker in de thee en slikte een mondvol door.

Achter me begon een van de pc-figuren iets af te spelen wat klonk als een

YouTube-filmpje. Vrouwen die een zeilreis om de wereld maakten, vertelden hun vriendinnen – en alle vreemden die zin hadden om mee te luisteren – dat ze op weg waren van Oman naar Zanzibar. Ik wenste ze heel veel succes. Het zou weleens de laatste videoblog kunnen zijn die ze in lange tijd postten.

Awaale knikte. Ik keek Erasto aan terwijl ik naar zijn antwoord luisterde.

'Erasto zegt dat hij je helaas niet kan helpen als je het geld niet hebt. Je moet hem betalen. Dat is de enige manier om je dierbaren vrij te krijgen. Hij wil je graag helpen, maar dat geld moet worden betaald. Toen je met ons sprak voordat je naar Somalië kwam, zei je dat je het geld had. Hoe gauw kan het worden afgeleverd?'

Erasto nam een slokje thee en drukte de iPhone tegen zijn oor. Hij mompelde erin alsof wij niet meer bestonden. Ik moest eerbiedig blijven, maar ik moest ook heel goed duidelijk maken wat ik bedoelde. Als het misging, zou dat door de rommelige vorm van onderhandelen komen, niet door een fundamenteel misverstand. Ik keek hem aan. Hij keek een ogenblik naar me terug en ging toen door met telefoneren.

'Erasto, ik denk dat dit een misverstand is. Toen ik met Awaale sprak, zei ik dat de families het geld bij elkaar brachten. Het is ons gelukt 319.000 dollar bijeen te brengen, maar je moet weten dat we nooit aan een miljoen kunnen komen, laat staan drie miljoen.'

Ik wachtte tot Awaale het nieuws van het 'misverstand' aan Erasto had doorgegeven. De oude man vergendelde zijn iPhone en ging verder met theedrinken. Maar ik wist dat ik nu zijn volledige aandacht had.

'Drie miljoen is voor ons een onmogelijk bedrag. Ik geloof dat het een misverstand van mijn kant was, en daar verontschuldig ik me voor.'

Erasto boog zich naar voren. Hij zette zijn glas op het dienblad en liet het nog eens vullen door Awaale, tot hij te kennen gaf dat hij niet meer wilde. Hij keek aandachtig naar de thee.

Awaale goot nog wat thee in mijn glas.

'Erasto zegt dat als je het geld nu geeft je eerst de jongen kunt krijgen. De prijs is 319.000 per persoon.'

Ik boog me zo diep naar voren dat er voor Erasto niets anders op zat dan me weer recht aan te kijken. Ik zag geen enkele emotie in zijn ogen, nog geen zweem van wat er in hem omging. Erasto en Frank hadden heel veel met elkaar gemeen.

'Het spijt me, Awaale. Ik kan niet over individuele personen onderhandelen. De prijs moet voor alle drie zijn.'

Erasto leunde met zijn thee achterover. Hij had Awaales vertaling niet nodig. Hij viel hem in de rede. Awaale keek mij weer aan.

'Erasto wil meer dan je aanbiedt, en hij wil het vlug. Hij is bereid te onderhandelen. Hij ziet in hoe belangrijk het is dat ze naar huis gaan. Kun je vlug aan meer geld komen, Nick?'

'Ik kan ervoor zorgen dat de 319.000 dollar morgen hier zijn. Ik zal proberen meer te krijgen, maar dat wordt moeilijk.'

Het verhaal dat ik niet meer geld had, sloeg blijkbaar aan. Ik verwachtte dat Erasto zou vragen waarom ze op zo'n dure boot zaten als iedereen zo arm was. BB had blijkbaar een goed rookgordijn opgetrokken. 'Maar om meer geld bijeen te kunnen krijgen, en het geld naar je toe te kunnen brengen, dus om het aan de families te kunnen vragen, moet ik weten dat ze in veiligheid zijn.'

Erasto pakte zijn luchthavenbelasting op en kwam overeind. Hij vuurde weer instructies op Awaale af. Heel even vroeg ik me af of die vraag over *Italiano* bij zijn spel hoorde. Had hij eigenlijk wel een tolk nodig? Toen hij de kamer verliet, trilde mijn iPhone in mijn broekzak.

14

Awaale gaf me een teken dat ik naar de dichtstbijzijnde pc moest gaan. 'Erasto zegt dat je ze mag zien als je wat meer geld kunt vinden. Maar hij wil het geld hier vlug hebben. Dan kun je ze naar huis meenemen, misschien morgen al, misschien de dag daarop. Als je met meer geld komt, zal Erasto je helpen. Maar kom, ik zal je nu laten zien dat het goed met je dierbaren gaat.'

Het scherm zat onder het stof. Er was een knarsend geluid te horen toen hij op de toetsen drukte. Ik keek naar een upload van een videoclip. 'Kijk, Nick. We zorgen goed voor ze.'

Tracy en BB zaten op een vuile betonvloer met Stefan tussen hen in. Tracy droeg een rode *hijab*. Alleen haar gezicht was te zien. Dat was schoon en intact, maar haar bruine vakantieteint kon niet verhullen dat ze er slecht aan toe was. Haar ogen waren rood en diep in hun kassen verzonken. Ze keek nerveus en zorgelijk. Ze had haar arm om Stefan heen. Die klampte zich aan zijn moeder vast. Hij droeg een blauw gestreepte korte broek en een blauw T-shirt en hij had niets aan zijn voeten. Die voeten waren zwart van het vuil. Zijn benen zaten onder de insectenbeten.

Ik wilde vooral BB zien. Hij zat met gekruiste benen en hield zijn ogen op de vloer gericht, totdat hij door een schop met een flipflop in zijn rug werd aangemoedigd om op te kijken. Zijn boodschap voor de cameralens liet niets aan duidelijkheid te wensen over: 'Klootzakken...'

Dit was geen recente video. Hij had een stoppelbaard van minder dan een week.

Op de achtergrond waren verkeersgeluiden en vogels te horen, net als in de telefonische boodschap. Degenen die hen gevangen hielden, en die bivakmutsen of *shemaghs* droegen, vulden het scherm achter hen op. Ze hadden allemaal een wapen voor hun borst en een munitiegordel om hun heupen.

Awaale bewoog zijn vinger heen en weer. 'Zie je, Nick? Als je meer geld voor Erasto vindt, zijn je dierbaren binnen de kortste keren weer thuis.'

Ik keek hem aan. 'Ik zal het proberen, Awaale. Ik doe alles wat ik kan om jullie te helpen. Dat weet je. Dat weet je vader. Jullie weten allebei dat ik vanmiddag mijn leven op het spel heb gezet voor jou en je vrienden. Maar ik moet Tracy en Stefan eerst zien. Ik moet ze echt zien. Met ze praten voordat er geld wordt uitgewisseld. Kun je ervoor zorgen dat Erasto dat begrijpt?'

Hij legde zijn hand losjes op mijn schouder. 'Dat weet ik allemaal, Nick. Maar dit zijn zaken. Erasto's zaken. Je moet gaan bellen, Nick. Ik breng je morgen naar je vrienden toe. Nou, heb je een mobiele telefoon? Je mag de mijne gebruiken...'

'Nee, ik heb er een. Waar verblijf ik? Dit kan wel wat tijd kosten.'

Er kwamen rimpels in Awaales voorhoofd. 'Waar je verblijft? Híér, Nick. Je kunt niet weggaan. Dat is gevaarlijk. Je kunt nergens heen. Je moet hier blijven totdat je wat meer geld voor Erasto bij elkaar hebt gekregen.'

Ik wist dat ze niet zozeer mijn persoonlijke veiligheid op het oog hadden. Ze wilden me vooral vasthouden tot ik het geld had. En zonder dat het werd uitgesproken wist ik dat ikzelf Erasto's volgende bron van inkomsten kon worden. Die dreiging hing ergens vaag in de lucht.

'Kan ik mijn iPhone opladen aan wat het ook maar is waar die pc's hun stroom van krijgen?'

'Ja. Waarom niet? En voer dan alsjeblieft je telefoongesprekken.' Hij wees naar de banken. 'Ga hier niet weg. Ik wil niet dat je wordt vermoord.'

Alsof het was afgesproken, daverde op datzelfde moment een salvo machinegeweervuur door de stad. Een lichtpatroon verdween in de duisternis.

Hij liep terug in de richting vanwaar hij gekomen was, en maakte een wuifgebaar. 'Je ziet het, Nick. We moeten je dicht bij ons houden.'

Ik zou nog 31.000 voorstellen. Als Erasto daar niet op inging, zou ik er nog eens negenduizend bij doen. Ik wilde hem aan zijn verstand brengen dat het tijd werd om genoegen te nemen met wat hij kon krijgen. Waarom zou hij ze nog langer vasthouden als de volgende tranche nog kleiner zou zijn, vooral wanneer ze ziek begonnen te worden? BB zag er niet zo goed uit. Als ze doodgingen voordat we elkaar de hand schudden, kwam het niet tot een transactie. Misschien had Erasto daarom zo'n haast.

Toen ik weer op de bank zat, keek ik naar mijn iPhone. Jules had gebeld. Hij had me ook een sms'je gestuurd.

BEL ME. HET IS BELANGRIJK.

Ik vond het nog steeds een wonder dat ik zelfs in een godvergeten stad als deze nog met iedereen op de hele wereld kon praten.

De telefoon ging twee keer over. Jules treuzelde niet.

'Ik denk dat ik ze heb gevonden. Alle drie. Maar het ziet er niet goed uit. Volgens mijn inlichtingen heeft al-Shabaab drie blanken: een volwassen vrouw, een jongeman, die vermoedelijk haar zoon is, en een volwassen man. Ze zijn meer dan een week geleden van een jacht gehaald en doorverkocht door de clan. Het moeten ze zijn.'

Ik sprak zachtjes en met mijn hand over de telefoon. 'Ik ben in de stad. Ik ben nu bij de clan. Ze beweren dat ze hen nog hebben.'

'Jezus, Nick, waarom heb je niet gebeld? Heb je ze gezien?'

'Nee. Maar ze willen snel geld. Ik denk dat we nu weten waarom.'

'Ik denk niet dat ze ze hebben, Nick. In elk geval niet meer. Ze moeten ze hebben doorverkocht. Of anders had de clan een schuld aan al-Shabaab en zat er niets anders voor ze op. Dus tenzij je ze hebt gezien, lijkt het erop dat al-Shabaab ze in handen heeft.'

'Weet je waar?'

'Gisteren in Marka. Ten zuiden van de stad. Meer weten we niet. Al-Shabaab beheerst het grootste deel van het zuiden. Als al-Shabaab jouw drie mensen heeft, moet je de jongens met wie je te maken hebt zo ver krijgen dat ze de waarheid gaan spreken. Zoals ik al zei: als het niet om geld gaat, wordt het tijd om je zorgen te maken. Ze gebruiken gijzelaars om de plaatselijke bevolking onder de duim te houden. De boodschap is: het zijn blanke zwijnen die zich niet aan de sharia houden. Dit is de straf die ze verdienen. Met andere woorden: als je je niet beter gedraagt, gebeurt dit ook met jou.'

Er werd hard gelachen in de aangrenzende kamer. Ik vroeg Jules in contact te blijven en hees mijn rugzak op mijn schouders.

15

Ik liep de duisternis in.

Awaale stond bij het lege voetstuk op de binnenplaats. Hij had zich bij zijn mensen om het vuur aangesloten. Ze bespraken de gebeurtenissen van die dag, kauwden qat en dronken uit grote literflessen Haywards 5000. Er was tenminste één schip dat nooit zou worden gekaapt: de bierboot uit India.

Een paar vrouwen waren naar de groep toe gekomen. Ze waren jong en aandachtig, ze letten vooral goed op of iemand hun een slok bier wilde geven, of een mondvol van het Turkse brood dat met brokken groente op een dienblad lag. Awaale scheurde een stuk af, sloeg het om een tomaat en nam een hap.

'Aha, Nick.'

'Ik moet je spreken, vriend. Ik heb goed nieuws.'

Ik bleef ongeveer twee meter bij hem vandaan staan. De anderen keken op en juichten. Hun ogen waren groot, met verwijde pupillen die glansden in het licht van het vuur. Waarschijnlijk vertelden ze de meisjes hoe ze Lucky Justice op zijn kop hadden gegeven: het soort verhalen waaruit we altijd goed naar voren komen.

'Uitstekend, uitstekend.' Awaale sprong overeind en veegde zijn handen aan zijn spijkerbroek af. 'Heel goed, Nick.'

Ik begon naar de technicals te lopen. 'Laten we naar een rustig plekje gaan, vriend. Daar, bijvoorbeeld?'

We liepen langs de achterkant van de technical waar we die dag in hadden gezeten. De buitgemaakte AK's en het lijk van de jongen die was gesneuveld lagen nog in de laadbak. Hij leek net een konijn dat ergens was neergegooid tijdens een nachtelijke jachtpartij. Veel ouder dan vijftien kon hij niet zijn geweest.

Ik bleef bemoedigend op Awaale inpraten toen we dieper in de schaduw kwamen. 'Ik heb groen licht gekregen om meer geld te bieden. Maar eerst heb ik één ding nodig, vriend...' Ik sloeg vriendschappelijk mijn arm om zijn schouder... en nam hem toen in de houdgreep. Ik draaide hem om en drukte de achterkant van zijn hoofd tegen mijn schouder. Terwijl ik meer kracht uitoefende met mijn rechterarm, sloeg ik mijn linkerhand over zijn mond.

Zijn benen sleepten achter hem aan toen ik hem wegtrok. Ik voelde vocht op mijn hand; blijkbaar probeerde hij te schreeuwen. Zijn hakken schopten zand op. Hij deed verwoede pogingen overeind te komen, maar ik bleef snel genoeg bewegen om dat te voorkomen, waarna ik zijn benen onder hem vandaan trapte. Ik viel met hem mee en hield de houdgreep aan. Hij kreeg mijn volle gewicht op zijn rug en raakte alle lucht uit zijn longen kwijt.

We waren ongeveer veertig meter bij het vuur vandaan. Meisjes giechelden. Flessen klonken. De jongens gingen verder met hun gepraat.

Ik verdraaide Awaales hoofd net genoeg om de zijkant van zijn gezicht te kunnen zien. Ik zorgde ervoor dat hij mijn gezicht zag. Hij kreeg maar heel weinig lucht. Hij zou de druk voelen die op zijn halswervels werd uitgeoefend. Hij zou denken dat zijn hersenen op springen stonden.

Ik bracht mijn mond heel dicht bij zijn oor. 'Het gaat mij alleen om mijn vrienden. Jij betekent niets voor mij. Als je geluid maakt, sterf je eerder dan ik. Maar ik zal sterven als een man, want ik ga vechten. Jij zult sterven als een hond, hier in het stof. Dus doe je vader eer aan en blijf in leven. Blijf in leven om de gevechten te leveren die hij heeft geleverd. Begrijp je me?'

Het lukte Awaale nog net om te knikken.

'Goed. Als je stil blijft, overkomt je niets. Begrijp je dat?'

Hij bewoog weer even.

Ik haalde mijn hand een klein beetje bij zijn mond vandaan.

Hij knikte heftig.

Ik verstrakte mijn greep weer en trok hem tegen mijn borst. Ik moest hem laten weten hoe gauw ik alle lucht uit hem weg zou kunnen drukken. Zijn keel trok zich samen. Hij kneep zijn ogen dicht van pijn. De boodschap was tot hem doorgedrongen.

Ik liet hem weer los, net genoeg om hem weer te laten praten.

'Ik weet dat ze in Marka zijn. Waar in Marka zijn ze?'

Hij schudde zijn hoofd om het te ontkennen. Ik duwde mijn hand weer over zijn mond en versterkte de greep. Zijn adamsappel ging op en neer tegen mijn biceps. Hij jammerde. Zijn handen graaiden in het zand, alsof hij daarmee de pijn kon verdrijven.

Ik liet hem weer los. 'Awaale, ik heb geen tijd voor die onzin. Ik krijg van je te horen wat ik wil weten, of ik vermoord je en kom het van iemand anders te weten. Hebben jullie ze nog?'

Hij werd helemaal stil, maar ik voelde het bonken van zijn hart.

'*Vertel het me.*'

De hilariteit rondom het kampvuur bereikte een nieuw hoogtepunt. Blijkbaar misten de jongens Awaale helemaal niet.

Ten slotte zei hij: 'Je zult ze morgen zien. Dat beloof ik. Laat me nu...'

'Laat maar. Ik vraag het wel aan Erasto.'

Ik maakte de bankschroef nog strakker. Voor de goede orde boog ik me verder naar voren, totdat mijn borst tegen de zijkant van zijn gezicht drukte.

Zijn benen maakten stuiptrekkende bewegingen. Zijn handen kwamen omhoog.

Hij trapte en spartelde en zocht vergeefs met zijn duimen naar mijn ogen. Er kwamen schurende geluiden uit zijn neus en keel. Snot en speeksel sijpelden tussen mijn vingers door.

Toen bleef hij weer stil liggen. Hij klopte op mijn schouder om duidelijk te maken dat hij zich gewonnen gaf.

Ik bracht mijn borst omhoog en keek op hem neer. Ik wilde de overgave in zijn ogen zien. Ze waren rood en puilden uit alsof hij een kilo qat op had. Zijn armen beefden alleen nog wat. Het leven begon uit hem weg te trekken.

Ik maakte de druk wat minder. Hij vocht om zuurstof. Zijn adamsappel zou aanvoelen alsof hij achter in zijn keel zat.

Hij kreeg net genoeg zuurstof van me om bij bewustzijn te blijven.

'Waar... zijn... ze?'

Eerst snakte hij alleen naar adem.

Toen fluisterde hij een woord.

'Nog eens.' Ik bracht mijn oor dichter bij zijn mond.

'Marka.'

'Ze zijn in Marka?'

'Ja, ze...'

Ik liet hem niet uitspreken. Ik trok me terug en stompte hem in zijn gezicht. Hij moest vooral niet denken dat we weer de beste vrienden waren. 'Wie heeft ze?'

'Al-Shabaab. De...'

Ik stompte hem opnieuw. 'Je weet waar ze zijn?'

Hij schudde zijn hoofd. 'Nee, nee.'

'Dan heb ik niets aan jou.'

Ik verstrakte de bankschroef weer even om er zeker van te zijn dat ik hem de adem kon afknijpen wanneer ik maar wilde.

'Ja! Ik weet het! Ze hebben ze in de stad. Alsjeblieft, Nick.'

De jongens bij het kampvuur gingen nu helemaal uit hun dak. Flessen werden kapotgesmeten en de meisjes dansten tegen de achtergrond van de vlammen. Het zweet droop van mijn neus en kin en viel op Awaales gezicht.

'Waarom zijn ze meegenomen?'

'We hadden geen keus. We moeten ze betalen, anders komen ze in de stad. Ze willen de blanken. Het was een gunstige regeling voor ons. Erasto had een andere koper; ik weet niet wie. Maar dit was beter voor ons. Om al-Shabaab uit de stad te houden. We willen ze hier niet hebben.'

De meisjes hadden er echt zin in. Ze draaiden met hun kont voor de jongens langs, in de hoop wat meer te krijgen dan nog een hap brood.

'Dus Erasto wil me laten betalen voor niets?'

'Het zijn zaken, Nick. Erasto is nog steeds niet betaald voor de boot. Al-Shabaab heeft de boot. Erasto wil ervoor betaald krijgen. Hij wil geld voor het werk.'

'Hoe zit het met de videobeelden die je me hebt laten zien?'

'Die heb ik gemaakt voordat we ze overdroegen. En ik heb de boodschap toen ook opgenomen. Erasto wilde betaald krijgen voor de boot. Ze wilden hem niets geven voor de boot. We dachten dat we op deze manier geld zouden krijgen.'

Een stelletje liep bij de groep vandaan naar ons toe, lachend en grappen makend. Ik kon hun rooklucht ruiken toen ze dichterbij kwamen. Ik greep Awaale vast.

Ze interesseerden zich niet voor ons. Ze stapten achter in een 4x4 en algauw kwam er muziek uit de wagen. Bij het vuur werd nog gelachen en met flessen getikt, maar die geluiden werden algauw overstemd door gekreun en zware ademhaling. De 4x4 begon te schommelen.

'Geef me een nummer. Ik wil met ze praten.'

'Dat werkt niet, Nick. Ze zullen niet luisteren. Het gaat niet om geld.'

'Dan ga jij me erheen brengen en haal ik ze daar weg.'

Ik stond op en trok hem overeind. 'Als je een kik geeft, ga je weer tegen de vlakte, oké? Vergeet niet: je kunt sterven als een man of je kunt sterven als een hond in het zand.'

Ik trok Awaale langs de 4x4. De ophanging daarvan had het zwaar te verduren. Ik pakte een bebloede AK uit de laadbak van de technical. Toen draaide ik me om naar de gloed van het vuur en spande ik de haan om er zeker van te zijn dat er een patroon in het wapen zat. Ik gaf Awaale met een gebaar te kennen dat hij de magazijnen uit alle wapens moest halen en ze in mijn rugzak moest stoppen.

Ik greep hem vast en dirigeerde hem naar de dichtstbijzijnde technical met een 12.7. De 4x4 bleef schommelen.

'Nick, ze zullen merken dat we weg zijn.'

'Doe het nou maar.'

Ik duwde hem op de bestuurdersplaats en ging met de AK naast hem zitten, de loop op hem gericht. 'Marka. Laten we gaan.'

Hij had beide handen op het stuur. 'Nick, je begrijpt het niet. Misschien kan Erasto met ze praten. Misschien kan hij...'

'Néé, Awaale. Jíj begrijpt het niet. Als je niet doet wat ik zeg, doe ik het zelf, zonder jou. En dat betekent dat ik je vermoord. Nou, zet de motor aan. Hup hup.'

Hij deed wat hem gezegd werd. Terwijl hij moeizaam ademhaalde, keek ik naar de brandstofmeter. De tank was bijna halfvol.

'Hoe ver is het?'

'Het is zo ver, Nick. We halen het nooit. De wegen zijn gevaarlijk. Al-Shabaab heeft controleposten.'

'Schiet nou maar op. Rijden.'

We reden langs de feestgangers, die voor de grap een paar flessen naar de wagen gooiden. De meisjes wiegden met hun achterste.

We hobbelden over het donkere plein, op weg naar de ingang. Ik zette mijn iPhone aan.

'Awaale, hier stoppen. Doe de lichten uit.'

Hij deed het.

Ik belde Jules. Die nam bijna meteen op.

'Nick?'

'Al-Shabaab heeft ze inderdaad. Heb je contacten? Willen ze onderhandelen? Kun je vat op ze krijgen?'

'We hebben nooit met ze onderhandeld. Nooit. Het is nog nooit gelukt iemand uit de handen van al-Shabaab te bevrijden.' Hij zweeg even.

'Hoe ver is het over de weg naar Marka?'

'Nick, het is gevaarlijk. Alsjeblieft, denk hierover na...'

'Hoe ver?'

'Misschien honderd kilometer. Je bent dood voordat het ochtend wordt. Het is krankzinnig.'

'Nou en? Ik heb het grootste deel van mijn leven gedacht dat ik de volgende ochtend dood zou zijn. Jules, ik ga daarheen omdat ik een vriend iets heb beloofd.'

'Maar, Nick... Denk aan Anna...' Hij klonk wanhopig.

'Jules, luister. Ik heb mijn dode vriend beloofd dat ik voor zijn vrouw zou zorgen. Dus dat ga ik doen.'

'Nick, wacht nou even... We moeten praten.'

Ik verbrak de verbinding en belde meteen Frank. 'Zijn je jongens in Nairobi? Kunnen ze binnen een paar uur wat geld in handen krijgen?'

'Ja. De piloot zit klaar. Jouw probleem... het probleem dat je in Engeland had. Ben je dat kwijtgeraakt?'

'Weet ik niet. Ik bel opnieuw als ik je iets concreets te vertellen heb. Tot dan.'

Awaale zat zich af te vragen wat het allemaal betekende.

'Oké, we gaan naar Marka. Jij blijft bij me. Ik heb iemand nodig die de taal spreekt en die zwart is. Dat betekent dat ik jou nodig heb.'

Hij maakte wilde gebaren met zijn handen. 'Maar, Nick... De wegen... Alsjeblieft... Het is zo gevaarlijk...'

Hij tikte tegen zijn wangen. 'Geen baard... En jij, jij redt het nooit. Erasto kan je helpen. Misschien kan hij...'

'Stop. Je bereikt daar niets mee. Gevaarlijke wegen?'

'Ja, die zijn gevaarlijk. Maar Erasto...'

'Awaale, hou je kop. We gaan niet over de wegen. Rijden!'
'Waarheen?'
'Erasto is toch een piraat? Nou, we nemen een boot. Schiet op. Hup hup.'

16

Er flakkerde vuur achter half ingestorte muren aan weerskanten van de verlaten straten. Het deed me denken aan Atjeh, alleen was de verwoesting hier door mensen veroorzaakt.

'Waar gaan we nu heen? Hoe ver?'

Awaale nam de weg naar het vliegveld en volgde de onverlichte weg langs de rand daarvan, voorbij de terminal. 'We nemen de boten van het strand, Nick.'

'De piratenboten?'

Hij knikte.

Dat was goed. Als ze met die dingen duizend kilometer de zee op konden, zou het een fluitje van een cent zijn om langs de kust te varen.

'Maar Erasto zal heel, heel kwaad zijn, Nick.'

'Nee, hij zal heel, heel blij zijn, want ik zal hem betalen als we terug zijn.'

Ik keek in het schijnsel van het dashboard naar Awaales gezicht. Zijn gevoelige, intelligente trekken hoorden niet thuis in een land als dit. 'Waarom ben je naar Somalië teruggekomen? Het leven in Minneapolis moet veel beter zijn geweest. Je bent toch Amerikaans staatsburger?'

'Ja.' Hij haalde zijn schouders op. 'Maar ik ben jong, en ik ben moslim. Het maakt niet uit wat voor paspoort je hebt. Mijn vader wilde dat ik daar bleef, dat ik het bleef proberen. Zelfs een baantje bij McDonald's...' Hij keek me aan en glimlachte. 'Misschien zou je het niet zeggen, maar het is hier beter. Ik stuur geld naar mijn vader en hij stuurt het naar anderen in Minneapolis die het nodig hebben. Het is hier beter.'

Het licht van onze koplampen gleed over een rij vervallen hangars en aftandse sovjetjagers op betonblokken. Algauw waren we in de wereld van zand en roestige scheepskarkassen die tussen de startbaan en de haven in lag. Rondom de grote vrachtschepen die lang geleden aan de grond waren gelopen was een krottenwijk ontstaan. Hoe dichter bij het strand we kwamen, des te dieper hadden de roestende wrakken zich in het zand ingegraven. Mannen in voddige kleren zaten om de kleine vuren die oplichtten in de duisternis. Ze hielden hun bierfles en hun AK stevig vast en schermden hun ogen af tegen het schijnsel van onze koplampen als we voorbijreden.

Awaale stopte naast een van de groepen en hield zijn hoofd schuin naar mij om te vragen of hij mocht uitstappen. Ik knikte. Hij stapte het zand op en praatte vlug in het Somalisch. Erasto werd verscheidene keren genoemd. De mannen kwamen niet meteen in beweging. Ik wist niet of ze behoedzaam of bang waren.

'Nick, deze kant op.'

Ik wist ook niet of Awaale uiteindelijk een beste kerel was of dat hij opeens heel anders met me omging, omdat ik het over betaling had gehad. Het was nog niet lang geleden dat ik hem met de AK had bedreigd, en nu leidde hij me uit vrije wil naar een rij bootjes. Ze lagen een paar meter bij de branding vandaan en ik kon hun contouren nog net onderscheiden.

We waadden door dertig centimeter water. Het water was warmer dan ik had verwacht. Het houten vaartuig was ongeveer vijf meter lang en twee meter breed. Aan het hout op de achterkant van de dichtstbijzijnde boot was een Mercury 150-buitenboordmotor bevestigd. Ik zag geen moderne brandstofzakken of metalen tanks, alleen drie twintiglitervaten van wit plastic. Er was een gat in de zwarte schroefdop geboord voor de brandstofslang.

Ongeveer halverwege de slang zat een rubberen knijppomp om de brandstof zonder luchtblokkering naar de motor te stuwen, en daarmee was de technologie wel zo ongeveer compleet. De drie vaten waren aan elkaar gebonden, maar niet aan de boot vastgemaakt. Zestig liter, schatte ik, zou genoeg zijn om 150 kilometer heen en weer te varen. Het zou voldoende zijn. En we konden gemakkelijk met z'n vijven in de boot.

Ik hing de AK naast mijn rugzak en hielp Awaale de boot helemaal in het water te trekken. Er streek een lichte bries over onze gezichten. 'Weet je precies waar Marka is?'

'Ja. Het is de eerste stad.'

De laatste halve meter kiel kwam van het zand los en de boot dobberde op borsthoogte naast ons.

'We kunnen het niet over het hoofd zien?'

Hij staarde me aan. '*We?* Nee, Nick, ik moet terug. De wagen... Ik moet...'

Ik hees me over de zijkant en kwam op het verweerde houten dek terecht. Er waren twee dwarsbanken, een achterin bij de motor en een in het midden.

'Nee, vriend. Je gaat mee.' Ik pakte de schouder van zijn shirt vast en gaf er een ruk aan. 'Kom.'

Hij maakte zich plotseling grote zorgen om het mobieltje en de sigaretten in zijn borstzakje. 'Maar Nick, ik móét terug. Ze zullen me missen...'

'Pech gehad, vriend. Je komt mee.'

Ik wees naar de brandstofpomp. 'Vooruit, ga knijpen.'

Ik haalde de hendel over om de schroef in het water te laten zakken. Toen de motor omlaagging, zwaaide de boot met de zijkant naar de naderende golven.

Er zaten geen elektrische circuits op dat ding. Ik zette de choke open en trok aan het startkoord totdat de motor aansloeg. Ik gaf gas, zette de choke op de helft en gaf nog wat meer gas. De uitlaatgassen gingen over ons heen; er kolkte rook uit de uitlaat. Ik liet de motor minder toeren maken, duwde de schakelhendel naar voren en liet de boot van het strand wegdraaien.

Ik wilde pas naar rechts gaan als ik door de branding heen was. We zouden in drie uur tijd in Marka zijn. Awaale zat voor me. Hij wilde alleen maar naar het strand terug. De bries was nog warm, maar hij sloeg zijn armen om zichzelf heen alsof we op de Zuidpool waren.

'Rustig maar, vriend. Straks wordt het licht en dan zul je willen dat het kouder was.'

Hij liet zijn hoofd zakken. Ik gaf gas en zette koers naar het zuiden. Ik moest de kust rechts van me houden. Als de lichten verdwenen, zouden we maar al te gemakkelijk naar het oosten kunnen afdwalen.

17

We kwamen langs de plaats waar de startbaan tot de zee reikte. Voor zover daar lichten waren, begonnen ze te vervagen. We voeren de inktzwarte duisternis in. Er waren geen herkenningspunten. Zolang we de fosforescerende lijn van de branding rechts van ons hielden, konden we niet verdwalen.

Ik keek op mijn iPhone hoe laat het was; de Breitling had ik in de Porsche achtergelaten. We hadden ongeveer vier uur de tijd totdat het licht werd. In dit deel van de wereld kwamen zonsopgang en zonsondergang het hele jaar op ongeveer dezelfde tijd, met hooguit tien minuten speling. De zon kwam om zes uur op en ging om zes uur onder. Als we bij het eerste licht nog op het water waren en de zon pal links van ons hadden, zouden we te ver zijn gevaren. Dan zouden we op weg naar Kenia en Tanzania zijn. Als de zon opkwam en we er recht op af voeren, zou ik het faliekant hebben verprutst. Dan zouden we naar het oosten gaan, naar de Seychellen of erger nog, naar India.

Ik negeerde Awaale en keek naar mijn iPhone. Ik had vijf streepjes. Het bereik was hier beter dan overal in Groot-Brittannië. Dat was ook een duidelijk teken dat we dicht bij de kust waren. Als ik naar het oosten afdreef, zou ik minder bereik hebben.

Ik belde Anna's nummer. Het duurde even voor ze opnam.

'Nicholas? Waar ben je?'

'Op een boot. Ik ben net uit Mogadishu vertrokken. Ik denk dat we ze hebben gevonden.'

'Wacht, wanneer ben je in Mogadishu aangekomen?'

Ik vertelde alles. Ik kon niet goed nagaan wat ze ervan vond. 'Jules denkt dat ze in Marka zijn. Mijn Somalische vriend denkt dat ook. Ik heb niets anders om op af te gaan. En dus gaan we daarheen.'

Toen werd heel duidelijk wat ze ervan vond. Ze was kwaad. 'Nicholas, al-Shabaab is gevaarlijk. Zelfs Al Qaida wil niets met ze te maken hebben. Die zouden ook worden gegijzeld. Er valt niet met ze te praten. Ze onderhandelen niet. Waarom heeft Jules je niet gewaarschuwd?'

'Dat heeft hij gedaan, maar ik heb geen keus, Anna. Ik heb een belofte gedaan.'

'Welke belofte?'

'Aan een vriend.'

Haar toon veranderde. Als ik een zorgzame moeder had gehad, zou die waarschijnlijk zo geklonken hebben als Anna. 'Nicholas, ik maak me grote zorgen. Denk er alsjeblieft nog eens over na.'

'Wat zou jij doen?' Het werd stil. Ik hoorde schoten op de achtergrond. Dat was het antwoord; dat wisten we allebei. 'Gaat het daar goed met je?'

'Er is niets aan de hand. Het is alleen luchtdoelgeschut dat de Franse bommenwerpers probeert te raken.'

'Waar ben je?'

'In Misrata. We hebben een lift gekregen van een van de hospitaalschepen uit Benghazi. Gaddafi's marine valt de haven aan. De Amerikaanse Zesde Vloot schiet op ze. De Fransen bombarderen vanuit de lucht en de opstandelingen vechten in de straten. Het wordt een lang gevecht. Maar Nicholas... Alsjeblieft, alsjeblíéft, wees voorzichtig. Je moet in leven blijven. Echt waar.'

'Waarvoor? Voor jou?'

Er volgde een korte stilte. 'Natuurlijk.'

'Nou, in dat geval moet jij ook in leven blijven. Voor mij. Afgesproken?'

'Je moet me elke dag bellen. Oké?'

'Oké.'

'Beloof je dat? Elke dag?'

'Ja, dat beloof ik. Elke dag.'

Awaale was onder de bank gaan liggen, eeuwige optimist als hij was. Hij zou daar nooit comfortabel liggen zolang we door het water stuiterden.

'Gaat het een beetje, vriend?' Ik moest boven de wind en de bulderende motor uit schreeuwen.

'De zee... Ik word er heel ziek van.'

'Ziek? Ben jij nou een piraat?'

Awaale kreunde.

'Kom overeind, vriend. Je voelt je veel beter als je rechtop zit.'

Hij luisterde niet. 'Die mensen, Tracy en het kind. Dat zijn niet je vrienden, hè? Je bent door iemand gestuurd om ze naar huis te halen.'

'Het is een beetje van allebei, vriend.'

Ik liet hem aan zijn lot over en deed mijn best om niet aan slapen en eten te denken: ik had allebei nodig. Maar voorlopig zou het er niet van komen. Rechts voor me, in de verte, zag ik linten van licht.

Ik zag op de iPhone dat het halfvijf was, nog anderhalf uur voordat de zon opkwam. Ik wilde daar op tijd zijn om te constateren dat het inderdaad Marka was. En als het dat niet was, wilde ik in het donker weg kunnen komen.

18

Dinsdag 22 maart

Het wemelde er van de lichten. Het waren er duizenden, niet alleen het lint van kookvuren en lantaarns dat ik had verwacht.

Ik hield het bootje zo dicht mogelijk bij de kust. Toen we door de branding heen en weer werden geschud, weerklonk vanaf moskeeën in de hele stad de *azan* voor het Fajr-gebed, het eerste van de dag. Ik keek naar links, naar het oosten. Een dun lint van licht begon zich uit te strekken over de horizon.

De motor brulde toen de schroef even uit het water kwam. Awaale zat nu op het bankje in het midden. Hij had zijn handen aan weerskanten en hield het bankje krampachtig vast. Hij beleefde nog steeds geen enkel plezier aan het tochtje.

'Is dit Marka, Awaale? Is Marka zo groot?' Ik boog me naar voren, met één hand op de roerpen. 'Weet je zeker dat dit het is?'

'Ja, dit is het. Ik weet het zeker.'

Ik keek op mijn iPhone. Ik had nog drie streepjes bereik. Het was kwart voor vijf. Ongeveer de tijd waarop ik hier verwachtte te zijn.

Ik duwde de roerpen opzij en we stuiterden over de brandingslijn. De boot draaide rond en ging terug in de richting vanwaar we gekomen waren.

Awaale draaide zich met een ruk om. 'Terug naar Mogadishu? Dat zou veel beter zijn, Nick. Dit is een heel gevaarlijke stad.'

Ik stak mijn andere hand op. 'Wacht maar af en let goed op, vriend. Jullie moeten nog heel wat leren als jullie het tegen Lucky Justice willen opnemen. Anders gaan jullie er allemaal aan. Dat wil dus zeggen dat er een eind komt aan de feestjes en de vrouwen en dat al-Shabaab heel Mogadishu overneemt. Dat zou niet zo mooi zijn, hè? Jullie moeten een paar tactieken leren.'

Hij knikte langzaam. 'En ga jij me die leren?'

'Zo goed als ik kan. Maar vertel me dit eens: waarom werken jullie niet met Lucky samen om tegen al-Shabaab te vechten?'

Hij keek me aan alsof ik gek was. 'Vergeet het maar. We moeten eerst Lucky doden.'

'Zelf weten, vriend. Soms moet je naar het grote geheel kijken. Je moet nadenken over de manier waarop je dingen doet. Dat strand waar we net vandaan zijn gevaren ligt midden in de stad, nietwaar? Wat zou er zijn gebeurd als we daar gewoon aan land waren gegaan en daar hadden rondgelopen om ze te zoeken?'

We waren de branding uit en voeren evenwijdig met de witte streep van brekers. De lichten van Marka bevonden zich nu achter mijn linkerschouder. We gingen een eindje naar het noorden terug.

'Je zou vechten en je zou je vrienden vrij krijgen.'

'Nee, ik zou verliezen. Ik weet niet wat daar is. Jij wel?'

'Ja. Er zijn mannen uit Pakistan, Jemen en Saoedi-Arabië.'

'Precies. En die hebben allemaal wapens. Ik zou dood zijn, en de drie die ik kom halen, zouden nog steeds gevangenzitten. En dus ga ik dat niet doen. Ik ga mijn verstand gebruiken. Eerst moet ik dit ding verbergen. Dan kunnen we later ontsnappen.'

Hij dacht daarover na en knikte.

'Daarna moet ik ze vinden. Weet je waar ze worden vastgehouden? Jij bent in deze stad geweest.'

Hij keek me weer aan alsof ik gek was. 'Ze zullen bij alle andere gevangenen zitten. De dieven. De overspeligen. De bedriegers.'

'Dus er is een gevangenis?'

Hij knikte. 'Die hebben de Russen gebouwd. Al voordat ik geboren was.'

De lichten van de stad lagen ongeveer een kilometer achter ons. Rechts van ons verrees een lichtgrijze boog uit de zee. De zon zelf zou niet lang achterblijven.

Ik kon nog net de contouren onderscheiden van vaartuigen die voor ons uit op de golven lagen. Het waren er vijf of zes. Op het strand lagen tientallen bootjes, opgetrokken tot voorbij de waterlijn.

Ik trok aan de roerpen om ons naar het land te brengen. Voorbij de bootjes zag ik een rij duinen die met schrale struiken waren begroeid, met hier en daar een kleine, opgedroogde riviermond. We konden onze boot daarheen slepen en tussen de struiken verbergen. Als hij daar niet meer lag wanneer we terugkwamen, of als hij dan in de gaten werd gehouden, zou ik een technical of een andere boot stelen. Maar ach, daar zou ik me later wel druk om maken. Voorlopig had ik genoeg andere dingen te doen.

De schroefbeugel schraapte over de bodem. Ik trok de motor omhoog en de boeg groef zich in het zand.

Ik hing de AK aan mijn schouder, sprong uit de boot en plensde water naar Awaale. 'Schiet op. Uitstappen en duwen.'

Hij klauterde met tegenzin uit de boot. Het bootje liet zich zo gemakkelijk als een slee over het zand trekken. De wadi waar we hem heen brachten leek op de bunker van een golfbaan.

Awaale liet zich naast de boot in het zand zakken. Zijn Timberlands en de onderkant van zijn spijkerbroek waren, net als de mijne, nat van het zeewater en aangekoekt met zand.

'Wat gaan we nu doen, Nick?'

'Dat weet ik nog niet. Eerst wil ik nagaan of ze inderdaad in die gevangenis zitten. Daarna ga ik kijken hoe ik ze eruit kan krijgen. Misschien gooi ik het op een akkoordje.'

Hij schudde zijn hoofd. 'Dat werkt niet. Hier telt alleen de islamitische wet, de sharia. Er is geen ander recht. Ze kunnen doen wat ze willen. In de ogen van de Pakistanen zijn zelfs de taliban geen ware wahabieten.'

Ik kende die kerels. Ze waren fanatiek. Vergeleken met hen waren de taliban een soort kleuterleidsters.

'Wat ben jij, een soenniet?'

'Dat is iedereen. Zelfs in deze stad. Maar al-Shabaab is er, en dus zijn ze allemaal wahabiet.'

Ik vergewiste me ervan dat mijn rugzak goed hing en dat het magazijn aan de AK vastzat. 'Oké, laten we gaan.'

Awaale bleef zitten, met zijn handen voor zich alsof hij om eten bedelde. 'Nick, alsjeblieft, ik wil niet mee. We worden gedood. Zelfs ik val hier op. Ik hoor hier niet thuis. Kijk...' Hij bleef maar naar zijn gladde huid wijzen. 'Ik blijf hier wel om op de boot te passen.'

Ik nam twee snelle passen tot ik vlak voor hem stond. 'Wij – en dat zijn jij en ik – gaan daarheen. Ik heb je hulp nodig. Jij hebt mijn vrienden in de rottigheid gebracht, en dus ga jij me helpen ze eruit te halen. Hoor eens, Awaale, ik mag je graag, maar er zijn grenzen.'

Ik zweeg. Zo kwam ik niet verder. Op deze manier maakte ik hem zo kwaad dat hij me misschien aan al-Shabaab verried of me op het kritieke moment in de steek liet. Of misschien maakte het hem zo bang dat hij niet meer kon functioneren. In al die gevallen schoot ik er niets mee op.

'Oké, Awaale, luister. Ik zal je betalen. Ik zal je 25.000 dollar betalen als je me helpt die drie naar het vliegveld van Mogadishu te krijgen. Meer hoef je niet te doen. Alleen me helpen en doen wat ik zeg.'

Nu had ik zijn aandacht. Hij keek me meteen heel anders aan.

'Vijftig.'

'Nee. Ik zei 25. Dat is veel geld om naar je vader te sturen, nietwaar? Meer dan je daar ooit bij McDonald's zou verdienen en meer dan het deel van de buit dat je van Erasto krijgt.'

'35.'

'Ik heb je al gezegd: 25. Graag of niet. Ik ga erheen, vriend, en jij gaat hoe dan ook met me mee. Neem nu een besluit.'

Ik had de iPhone nog in mijn hand en belde Frank.

Zijn toestel ging maar één keer over. Ik drukte op de knop van de speaker en begon te spreken voordat Frank iets kon zeggen.

'Ik wil dat je 25.000 dollar garandeert voor een helper. Ik heb hier iemand. Ik heb zijn hulp nodig. Vertel hem hoe hij betaald zal worden. Hij luistert.'

Frank wachtte niet eens om adem te halen. '25.000 dollar. Gegarandeerd. Het wordt op tijd naar het vliegveld van Mogadishu gevlogen voor de vrijlating van de gijzelaars. Zo goed?'

Ik zette de speaker uit en bracht het telefoontje weer naar mijn oor. 'Ja. Ik bel je als ik iets heb.'

Ik sloot de iPhone en stopte hem weer in mijn rugzak. 'Kunnen we?'

Hij stond op. 'Ik zou toch al met je mee zijn gekomen, Nick. Ik wilde je alleen laten weten hoe gevaarlijk het is.'

'Wil je bidden voordat we gaan? We hebben nog een paar minuten voor zonsopgang.'

Hij dacht erover na en knikte. Hij keek naar Mogadishu. In dit deel van de wereld lag *Qibla*, de gebedsrichting, in het noorden.

Awaale stond op met zijn westerse kleren en al zijn blingbling. Om zich op het *takbirat al-ihram*, het gebed, voor te bereiden legde hij zijn handen op zijn schouders en zette hij zijn voeten een beetje uit elkaar. Hij mompelde zachtjes in zichzelf. Misschien deed hij het elke dag, tussen het bier en de meisjes door, of misschien zei hij alleen vlug een gebedje op omdat je nooit kon weten.

'*Allahu-akbar.*'

God is groot.

Misschien. Maar dat kon je ook zeggen van de AK op mijn schouder, en ik wist wel waar ik meer vertrouwen in had.

19

Mijn Timberlands zakten in het zand. Awaale kwam achter me aan.

'Waarom ben je bang, Awaale?'

'Dat ben ik niet.'

'Dat is goed. We hebben werk te doen. Veel werk.'

Hij nam een paar vluggere stappen om bij me te komen. Ik keek voor me uit. Ik was een blanke man op de Oost-Afrikaanse kust. Als iemand me zag, zou dat nieuws zich als een lopend vuurtje verspreiden.

'De man op de mobiele telefoon, Nick?'

'Dat is de man die me heeft gestuurd. Zoals ik al zei: ik ben hier voor een deel uit vriendschap en voor een deel omdat het mijn werk is. De moeder en de man die ze bij zich heeft heb ik heel goed gekend.'

'Maar wie is hij? Op de telefoon?'

'Hij is de vader van dat kind. Zo werkt het. Ik moet hen helpen. En ik word betaald, net als jij.'

'De man die ze bij zich heeft, is niet haar man?'

'Nee.'

Nu de zon op was, kon ik meer zien. Er lagen vier grote vrachtschepen voor anker. Zelfs de grootste jachten die ernaast lagen, leken er nietig door.

We liepen door de struiken. In het zand zaten kleverige peulen en stukjes tak en steen. Toen we de rand van Marka naderden, ging ik gebogen lopen, met de struiken als dekking. De stad werd wakker. Hanen kraaiden luidkeels. Honden blaften. Bijna alle huizen waren van beton of sintelblokken, zonder bovenverdieping en met een plat of een golfplaten dak. Ze stonden in vierkante blokken. Je zag veel kobaltblauw, zowel op de daken en muren als aan de waslijnen.

Toen de zon uit zee verrees, kwamen er lange schaduwen. De smalle straten zouden de schaduw nog een tijdje vasthouden. In bijna elk huis brandde een ochtendvuur. Rook kringelde op uit korte dikke schoorstenen. Om de erven heen stonden hoge muren. Sommige waren afgebrokkeld, maar tot nu toe leek alles hier in veel betere staat te verkeren dan in Mogadishu. De zandpaden tussen de huizen waren samengedrukt door jaren van voeten en voertuigen. Er was nergens vuilnis te zien.

In dit deel van Afrika is de zonsopgang schitterend en snel. De oostelijke hemel was oranje geworden boven de laaghangende grijze nachtwolken. De zon brandde op de linkerkant van mijn gezicht. We kwamen op een stuk braakliggend terrein en gingen aan de andere kant omhoog. Voor ons leidde een korte, open strook naar de rand van de stad. Ik ging in dekking liggen achter de laatste doornstruik.

Ik kneep mijn ogen halfdicht en schermde ze af met mijn linkerhand. Awaale liet zich naast me in het zand zakken. 'Daar...' Ik wees rechts naar voren. 'Het derde huis, op veertig meter afstand. Zie je die waslijn?'

Hij knikte.

'We hebben die boerka's nodig. Die blauwe.'

Awaale keek me vlug aan. Hij tuurde in de zon. 'Gaan we ze stelen?'

'Wat wou je anders doen? De stad in gaan om er een paar te kopen?'

'Dat is het niet.'

'Het is geen drama, jongen. Je trekt dat verrekte ding gewoon aan en je loopt als een oud wijf.'

'Hier geldt de sharia. Weet je wat er gebeurt met mensen die stelen?'

Ik moest bijna lachen, maar ik hield me in. 'Jongen, als we gepakt worden, is een afgehakte hand wel het laatste waarover je je zorgen moet maken. Ga ze nou maar halen. We moeten naar die gevangenis toe.'

Hij kwam niet in beweging.

'We moeten ervoor betalen.'

'Je mag met niemand praten. Dat zou ons in gevaar brengen. Ga ze nou maar halen.'

'Nee, Nick. Vrouwen die in al-Shabaab-gebieden geen hijab dragen, mogen hun huis niet uit. Geen enkel deel van hun lichaam mag in het openbaar te zien zijn. *Jalaabiibs* en boerka's kosten minstens vijftien dollar. Als die vrouwen ze niet dragen, worden ze gestraft. Ze hebben een meisje van dertien daarvoor gestenigd, al was ze niet goed bij haar hoofd.' Hij tikte met zijn vinger tegen zijn slaap. 'Ze liep over het grote plein. Ze hebben haar gestenigd tot ze dood was. Als die vrouwen hun lichaam niet bedekken, komen ze dood in het zand te liggen. We mogen die boerka's niet stelen, Nick. We moeten ervoor betalen. Die mensen hebben niet het geld om die dingen te kopen.'

Ik rolde me op mijn zij en stak mijn vingers in het zakje dat ik om mijn hals had hangen om er het pakje geld uit te halen. 'Hier heb je vijftig dollar. Het kan me niet schelen hoe je het aan ze geeft, maar doe het snel. Schuif het onder de deur door of zoiets. Het kan me niet schelen. We moeten die dingen aantrekken en dan maken dat we in de stad komen.'

Een eind voor ons uit zag ik drie mannen met zwart-witte shemaghs om hun hoofd en wilde baarden patrouilleren. Ze kwamen uit een van de bredere straten.

Ik pakte Awaales enkel vast. 'Zorg dat het grote zijn.'

20

Ik keek hem na terwijl hij over het open terrein liep. Toen hij het huis naderde, stoven er kippen achter een muurtje vandaan. Hij liep langs een grote kegel van opgedroogde koeken van ossenmest. Daarmee stookten ze hun fornuizen. Ik wist niet welke gevolgen het voor het eten had. Hij klopte aan.

Een hele tijd gebeurde er niets. Een vrouw zou nooit de deur opendoen. Misschien waren de mannen en kinderen er niet. Hij klopte nog eens aan. Ten slotte verscheen er een oude man in een grijze *dish-dash*. Zijn grijze haar was even lang als zijn baard. Awaale wees naar de waslijn. De oude man staarde hem een hele tijd aan voordat hij antwoord gaf. Ze praatten nog wat meer en de oude man streek voortdurend over zijn baard. Awaale bleef maar knikken. Hij stak zijn hand in de zak van zijn spijkerbroek en gaf hem het geld. De oude man pakte het aan, draaide zich om en deed de deur achter zich dicht. Even later verscheen hij in de achtertuin en pakte daar twee boerka's van de lijn.

De lucht was nu oogverblindend blauw, zonder zelfs maar een zweem van bewolking. Het zand om me heen was bijna te heet om aan te raken. De zon brandde door mijn sweatshirt met lange mouwen en in mijn nek. Het leek wel of ik levend geroosterd werd.

Awaale kwam terug met twee blauwe boerka's. Hijabs zouden niet geschikt zijn geweest voor ons, want die zouden ons gezicht onbedekt hebben gelaten. Ik wachtte tot hij me tot op een paar meter was genaderd. 'Loop me voorbij. Loop door. Kijk niet omlaag. Loop door tot je in de kuil bent, waar we niet te zien zijn.'

Hij deed wat hem gezegd werd. Mijn bezwete kleren raakten aangekoekt met zand toen ik achter hem aan schoof. Zelfs de AK was met zand bedekt door het zweet van mijn handen.

Awaale had onze aankopen over zijn schouder hangen. Ik deed mijn rugzak af en trok mijn hoge schoenen uit. Mijn sokken moesten aanblijven. 'Doe je ringen en horloge af. Je mag niets op je handen of je pols hebben. Oude vrouwen dragen die dingen niet.'

Hij likte aan zijn ringen en deed ze af. In dit deel van de wereld hadden vrouwen net zulke werkhanden als mannen, soms zelfs nog meer, maar hier in de buurt zouden ze geen decadente sieraden dragen. Ik vroeg me af hoe ze zich met die hitte onder hun boerka's zouden voelen. De meeste Somalische vrouwen hadden zulke strenge islamwetten nooit gekend, zeker niet de vrouwen in landelijke gebieden, die het land bewerkten en geiten, schapen en runderen hoedden in de brandend hete zon. Toen ze die dingen moesten gaan dragen, moest dat hun toch al moeilijke leven bijna ondraaglijk hebben gemaakt. En ze moesten zich ook nog eens extra lang afbeulen om voor die verrekte dingen te betalen.

Mijn schoenen gingen in de rugzak. 'Wat heb je tegen die oude man gezegd?'

Hij stopte zijn sieraden in zijn zakken. 'Ik zei dat ik ze nodig had omdat mijn vrouw en haar moeder in mijn boot wachtten en we een bezoek moesten brengen aan de zuster van mijn vrouw in de stad. Ik zei tegen hem dat ze ziek was en dat we meteen naar haar toe moesten. Ik had geen tijd om eerst door de stad te lopen, zei ik.'

Ik hing de rugzak als een stadstoerist voor mijn borst, en we trokken de boerka's over ons hoofd.

'De schoenen ook, vriend,' zei ik. 'Steek ze achter je riem. Zorg dat je voeten onder het zand en de troep komen te zitten.'

Hij was niet overtuigd, maar deed wat hem werd gezegd.

'Denk nou maar aan het geld en aan de oorlogsverhalen die je kunt vertellen als je weer bij het vuur zit.'

Terwijl ik wachtte tot hij alles had geregeld, keek ik door de driehoek van blauw gaas. Ik voelde mijn adem tegen de stof en kreeg het met de minuut benauwder. De vorige eigenaressen hadden veel meer dan vijftig dollar moeten krijgen voor het dragen van die rotdingen.

Ik knielde neer en stroopte de pijpen van mijn spijkerbroek op. Als de zoom van de boerka nu omhoogkwam, zouden alleen mijn sokken te zien zijn.

'Doe jij dat ook, vriend. Rol de pijpen strak op, dan vallen ze niet omlaag als we gaan lopen.'

Krom lopende vrouwen in boerka's trokken niet veel aandacht. Die waren oud, zwak of ziek. Niemand zou iets met een paar oude wijven als wij te maken willen hebben.

Ik stak de AK onder mijn rechterarm, met de kolf strak tegen de oksel, de loop langs mijn zij en het magazijn in mijn hand. Het metaal was zo heet dat het mijn huid schroeide.

Ik draaide me om en liep naar de zee. 'Vergeet niet, vriend: we zijn oude vrouwen. We lopen langzaam en een beetje gebogen. Nooit je hoofd rechtop houden.'

Hij zag eruit als een blauwe peperbus. De bovenkant daarvan knikte me toe.

'Staat je mobieltje uit?'

Zijn hand bewoog onder de stof. 'Ja, Nick.'

'Goed. Als er iets misgaat, doe je precies wat ik zeg en wanneer ik het zeg. Weet je zeker dat je de weg naar de gevangenis weet?'

De bovenkant van de peperbus knikte weer.

'Oké. We gaan terug en lopen langs het strand. Daar vallen we minder op en wordt de onderkant van die dingen mooi stoffig. Daarna gaan we de stad in. Als er iets gebeurt en we uit elkaar raken, zien we elkaar terug bij de boot.'

Zelfs met de boerka aan kon ik zien dat hij nog steeds niet onder de indruk was. En hij had lang niet meer zo veel branie nu hij geen wapen had.

'Awaale, ik zal niets doen wat ons in gevaar brengt. Ik ben hier om ze te redden, niet om te gaan vechten. Ik wil alleen nagaan hoe ik ze eruit kan krijgen. Jij brengt me daarheen en misschien heb ik je dan pas weer nodig als we weggaan. Misschien kan ik alles zelf doen, maar dat weet ik pas als je me daar hebt gebracht en ik weet waar en hoe ze worden vastgehouden. Dat wil je toch wel voor me doen?'

De bovenkant van de peperbus knikte weer. Ik draaide me om naar het strand. 'Oké, laten we dan gaan.'

De hitte was ondraaglijk onder dat ding.

21

Toen we over het strand liepen, kwamen we langs het ene na het andere
bootje. Sommige dobberden in de golven. Andere waren op het zand
getrokken. In de verte staken vrachtschepen en jachten af tegen de horizon.

Ik ging dichter naast Awaale lopen. 'Is een van die schepen de *Maria
Feodorovna*?'

De bovenkant van de peperbus draaide opzij. Awaale sprak met enige
moeite; zijn adem schuurde. In die dingen was het net een sauna.

'Die witte boot helemaal links.'

'Wat gebeurt er nu? Blijven die schepen daar gewoon liggen?'

'Al-Shabaab verkoopt ze aan piraten. Ze hebben Erasto het jacht weer
aangeboden. Maar waarom zou hij het willen hebben? Hij kan een ander
jacht stelen. Ze blijven hier liggen tot iemand ze koopt.'

'Gebeurt dat?'

'Nee.'

'Dus ze blijven hier liggen tot ze zijn weggerot?'

Awaale hoefde geen antwoord te geven. Hij zwaaide met zijn arm. Waar
we nu liepen, lagen allemaal roestende karkassen en resten van boten die
in stormen vergaan waren en aan land waren gespoeld.

Awaale wilde doorlopen, maar ik hield hem tegen. 'Hoe komen we van
hieruit bij de gevangenis?'

'We blijven nog een tijdje op het strand, maar dan moeten we de stad in.
Ik breng je erheen, Nick, en dan gaan we weer weg en bedenk jij een
manier om ze te bevrijden. Oké?'

'Ja. Zoals ik al zei, en ja, je wordt betaald als je me helpt ze naar het vliegveld terug te brengen.'

Hij draaide zich om, ongetwijfeld opgelucht.

'Nog één ding, vriend,' zei ik. 'Waarom wilde Erasto weten wie Nadif
heeft vermoord? Wat kon hem dat schelen? Jullie maken je toch niet zo
druk om zulke dingen?'

Hij dempte zijn stem. 'Nadif was zijn broer, Nick. Hij was familie. Erasto
zal de moordenaar van zijn broer vinden, en dan zal hij hem doden.'

22

Toen we de stad in liepen, verspreidden de mestvuren een weeïge, bijna kruidige geur vanuit de schoorstenen. De hoofdstraat was ongeveer twintig meter breed. Er waren al vrij veel mensen. Ze wilden hun zaken hebben afgehandeld voordat de zon hoog aan de hemel stond. Na twaalf uur 's middags bleven ze binnen tot aan de avond. In die uren konden met een beetje geluk de *mad dogs and Englishmen* ongestoord hun gang gaan.

Net als ieder ander bleven we in de schaduw. Alle vrouwen waren op de een of andere manier bedekt. De meesten droegen grote lege plastic vaten met zich mee. Op de terugweg zouden die vaten vol water zitten om te wassen en te koken.

Ik ving een glimp op van een stel fervente tribale al-Shabaab-mannen in dish-dashs en shemaghs langs een zijweg. Lange wilde baarden; blote voeten en sandalen. Ze droegen AK's of RPG's. Ik ging nog krommer lopen en schuifelde verder.

Ik dacht aan de oude man in het huis. Wat zou hij ervan gedacht hebben dat Awaale bij hem aanklopte en hem om twee boerka's vroeg? Ik hoopte dat die boerka's niet van andere te onderscheiden waren. Het was niet de bedoeling dat een kennis van die vrouwen naar ons toe kwam om een praatje te maken.

Dit leek het nieuwere deel van de stad. Het was waarschijnlijk ontstaan in de tijd dat de Sovjets in de jaren zeventig een raketinstallatie in de haven van Berbera bouwden en de 17.000 man tellende Somalische strijdkrachten ombouwden tot een van de sterkste legers van het continent.

De onderste meter van de palmen had een paar jaar geleden een lik witte verf gekregen. Ze waren allemaal landinwaarts gebogen. De moessonwinden hadden elk jaar weer hun best gedaan ze plat te krijgen. Ik had die dag ook wel een zeebries kunnen gebruiken, al wilde ik niet dat onze boerka's deden wat de rok van Marilyn Monroe in die film deed.

Op alle deuren en hekken was hetzelfde gefotokopieerde A4-vlugschrift geprikt. Ik bleef langzaam lopen, maar niet zo langzaam dat ik de aandacht op me vestigde. Ik boog me naar voren en concentreerde me op de AK. Ik drukte het wapen dicht tegen me aan om te voorkomen dat het stalen magazijn uit mijn hand gleed. Ik zweette zo erg onder dat ding dat de hoofdband aan de binnenkant wel doorweekt moest zijn. Het was bijna ondoenlijk om door de spleet van gaas te kijken, maar evengoed kon ik zien dat deze stad er heel anders uitzag dan Mogadishu. Ik zag geen vuil, geen brandende autobanden. Toch was de stad in andere opzichten angst-aanjagender. Iedereen keek onrustig en gespannen.

Aan de overkant van de weg zaten vier al-Shabaab-leden in oude fau-teuils onder een acacia. Ze rookten en hadden een ketel op een vuurtje staan. Ieder van hen had een AK op zijn dij liggen. Twee hadden een zeil-doeken borsttuig vol magazijnen. De twee anderen hadden riemen met 7.63-patronen aan hun schouders hangen, zoals je van Mexicaanse bandie-ten gewend bent. Ik zag geen machinegeweren, alleen AK's.

Ze droegen allemaal een traditionele katoenen dish-dash tot aan hun knieën, met daaronder een bijpassende wijde broek. Ze hadden ook alle-maal een zwart-witgeruite shemagh om hun hals en een veelkleurig kalot-je op hun hoofd. Hun horloges glinsterden in de zon.

Ze lachten en riepen naar elkaar.

Awaale kuchte achter me. Het was een dof kuchje, en ik had het die och-tend al vele malen gehoord als hij zijn ademhaling onder controle pro-beerde te krijgen. Ik kende het gevoel. Hij had weinig of geen invloed op de situatie waarin hij verkeerde, en geen wapen om zich te verdedigen wanneer alles in het honderd liep. In zulke situaties schakelde ik mijn angst uit. Ik liep gewoon door; ik ging niet terug. Ik had me erop vastge-legd. Ik hoefde me nergens zorgen over te maken, want ik kon er toch niets aan doen.

We kwamen ter hoogte van de al-Shabaab. Ze waren maar vijf meter bij ons vandaan aan de andere kant van de weg. Ik keek vanuit mijn ooghoek; ik zou mijn hoofd niet opzij draaien. Twee van hen keken naar ons en wendden toen hun ogen af. Een van hen, langer en met een donkerder huid dan de rest, misschien een Pakistaan, keek naar ons, liet twee of drie seconden op zich inwerken wat we waren en praatte toen door met de anderen.

Er kwamen twee technicals over de weg naar ons toe. Een daarvan had een zwaar machinegeweer op de laadruimte. De andere had geen wapen. Over de zijkanten bungelden sandalen en benen in donkerbruine of grijze katoenen broeken. Ik keek recht voor me uit en liep gewoon door. De wagens reden voorbij en het stof en het vuil dwarrelden door het gaas voor mijn gezicht. Achter me kreeg Awaale een hoestbui.

Ik leidde ons naar de eerste de beste afslag.

23

Het was een steegje van een paar meter breed. Awaale schuifelde met me mee, met een van de vlugschriften in zijn handen. Zijn hoofd was maar een paar centimeter bij het mijne vandaan.

'Nick, ze zijn niet in de gevangenis!' Hij hield het papier omhoog. 'Dit is niet goed, Nick. We moeten opschieten.'

Ik volgde hem naar de overkant. Hij liep langs de vier strijders en vervolgde zijn weg door een ander steegje. Van de andere kant kwamen twee kleine jongens, die ieder een oude man met een grote grijze baard en een kalotje begeleidden. Die oude mannen liepen nog krommer dan wij en hadden gezichten die samengetrokken waren van woede. Toen ze dichterbij kwamen, besefte ik dat de jongens niet op de mannen pasten, maar dat het andersom was. De ogen van de kinderen waren melkwit. Blijkbaar hadden ze staar of zoiets. Dat had voor een paar dollar verholpen kunnen zijn, of voor niets, als Somalië niet te gevaarlijk was geweest voor de NGO's en MONGO's. En wat de ziekenhuisschepen van de hallelujaroepers betrof: ik zou weleens willen zien wat er gebeurde als die in de haven aanlegden om een paar pleisters te plakken en Jezus aan te prijzen.

We stapten de brandende zon in opdat zij ons in de schaduw konden passeren. De jongens wisten al precies hoe het wahabieten betaamde. Ze keken ons niet eens aan. Ik bleef naar het stof bij mijn voeten kijken, zoals het hoorde.

Toen ze weg waren, ging ik weer dichter naast Awaale lopen. 'Wat is er aan de hand? Wat staat er op dat stuk papier?'

'Ik zal het voor je vertalen, maar niet nu. Ze kunnen elk moment worden overgebracht. Je moet bij ze komen zolang het nog kan.'

Hij schuifelde verder en ik volgde hem. In de huizen aan weerskanten van ons huilden baby's. We kwamen aan het eind van het steegje en bevonden ons nu duidelijk in het oudere deel van de stad. Met pleisterwerk over natuur- of baksteen deden de huizen denken aan het koloniale, Italiaanse deel van Mogadishu, zij het op kleinere schaal. Ze hadden betere tijden gekend, maar zagen er bewoonbaar uit. De meeste hadden een balkon op de eerste verdieping. Vele hadden verschansingen langs de bovenrand; het leken net kleine middeleeuwse forten.

We kwamen op een plein. In het midden daarvan stond een achthoekige obelisk die op een kleine vuurtoren leek. De zijden waren afwisselend zwart en wit geschilderd.

Een troep kinderen, gekleed als miniatuur-al-Shabaab-strijders maar voorlopig zonder wapens, rende een huis links van ons in. Tegenover ons, voorbij de obelisk, verhief zich het grootste gebouw. Het was ooit misschien het gemeentehuis geweest, jaren geleden, toen de Italianen het hier voor het zeggen hadden en er nog orde en gezag heersten. Een paar honderd meter naar rechts, voorbij de boulevard, schitterde de zon op de oceaan. Ik zag muren die vermoedelijk deel hadden uitgemaakt van de oude haven.

Awaale bleef even staan. 'Zie je de rode poorten, Nick?'

Ik volgde zijn blik naar de linkerkant van het gemeentehuis. De poorten, die aan de onderkant van massief metaal waren en aan de bovenkant verticale tralies hadden, stonden in een lage, ooit witte muur met daarbovenop een veiligheidshek. Achter de muur stond een gebouw van één verdieping uit de koloniale tijd. Misschien was het ooit een koetshuis geweest.

'Ze zijn daarbinnen, Nick.'

'Staat dat op dat papier?'

'Ze worden daar aan het volk getoond. De al-Shabaab – de strijders, de moellahs – wonen in dat grote gebouw. Het is nu het islamitisch shariahof. Een slechte plaats om te zijn.'

Een stel kinderen was rechts van de poort blijven staan. Sommigen van hen waren zo mismaakt dat ze bijna niet konden functioneren; anderen werden meegesleept door de rest. Ze tuurden tussen de tralies door toen ik eraan kwam. Ik wist niet of Awaale achter me was of niet. Het deed er niet toe.

Op het terrein voorbij de poort liepen twee mensen: al-Shabaab, gewapend en rokend. Ze pakten hun houten stoelen op en zetten ze op een andere plaats omdat de zon verder was getrokken. De kinderen schreeuwden kwaad en wezen naar het lege terrein aan de andere kant van de muur. Mensen stonden aan beide kanten in de rij om het beter te kunnen zien.

Rechts van de kinderen, dicht bij de muur, was een rij kuilen gegraven. De vrijgekomen grond lag er nog naast. Op de muren van het gerechtsgebouw waren booglampen gezet. De bedrading hing losjes uit ramen aan de bovenkant van het gebouw.

Op het terrein bevonden zich vijf Somaliërs, drie mannen en twee vrouwen. Maar alle ogen waren gericht op de drie blanke gevangenen.

24

Tracy, BB en Stefan waren dicht bij elkaar in de schaduw van de muur links van ons. Ze zagen er precies zo uit als op de videobeelden. Tracy droeg dezelfde hijab. Die was vuil en bedekt met stof. Ze lag op haar zij met Stefan in haar armen. Ze streelde zijn haar en probeerde hem te troosten. Hij had zijn ogen dicht. Zijn benen waren opengehaald en rood van de insectenbeten.

De drie Somalische mannen waren in vodden gehuld. Twee lagen op de grond; een zat met zijn rug tegen de muur. Hun gezichten waren onbewogen; de scheldwoorden van de kinderen drongen niet meer tot hen door.

BB zat aan de andere kant van hen. Hij zat ook met zijn rug tegen de muur, met zijn ellebogen op zijn knieën en zijn hoofd op zijn handen.

De twee Somalische vrouwen zaten bij de rest vandaan in de hoek gehurkt. Een van hen huilde. Haar hoofd schudde bij elke snik. De ander, die uitgesnikt was, keek alleen maar naar de grond.

Ik liep langs de muur om dichter bij hen te komen. Algauw was ik nog maar een paar meter bij Tracy vandaan. Ik hoorde haar zachtjes zingen tegen Stefan. *Drie blinde muizen*, heette het liedje. Hij had zijn ogen nog dicht. Ze voelde dat er iemand bij haar stond. Misschien was ze zich bewust geworden van mijn schaduw op het zand. Met tranen in haar ogen keek ze naar me op.

'Help ons... Alstublieft... Help ons...'

Haar tranen maakten sporen in het zand en in het stof op haar gezicht. Haar lippen waren geschroeid en gebarsten, maar ze was nog steeds mooi. 'Alstublieft... Help mijn zoon...' Ze stak haar handen naar me uit.

Ik kon alleen maar kijken. Toen draaide ik mijn hoofd naar BB. Was hij sterk genoeg om te vechten?

Hij keek naar Tracy toen hij haar hoorde smeken en staarde toen recht in mijn blauwe gaas.

De kinderen vonden iets nieuws om over te schreeuwen.

Hij bleef helder kijken. 'Waarom houden jullie je bek niet?' zei hij tegen hen. 'En waar kijk jij naar, stom kreng?'

Tracy kwam moeizaam overeind. Haar handen grepen de tralies vast, nog geen dertig centimeter bij mijn gezicht vandaan.

'Alstublieft, help ons... Mijn kind... Mijn zoon...'

Ik wilde haar niet recht aankijken. We waren te dichtbij. Ze zou mijn blanke huid door het gaas kunnen zien. Toen ik mijn ogen afwendde, kon ik zien waarom de kinderen weer zo'n herrie maakten. Ant en Dec werden naar buiten gesleept om samen met de rest vertoond te worden.

Ze hadden allebei een stoppelbaard van ongeveer een dag en verkeerden in veel betere conditie dan de anderen. Daarvan afgezien hadden ze er wel danig van langs gehad. Ant had gespleten en gezwollen lippen. Dec had een blauw oog.

Hun al-Shabaab-begeleiders duwden hen hard in het stof. De kinderen lachten en schreeuwden met schelle stem. De oudere mensen zwegen. Ik had het gevoel dat ze het allemaal al eerder hadden gezien.

Tracy reikte haar handen door de tralies om me vast te pakken. Ik trok me vlug terug. Het scheelde maar een paar centimeter of ze had me te pakken gehad. Toen richtte ze haar aandacht op Awaale.

'Alstublieft, help mijn zoon... alstublieft...'

Ze zakte snikkend in elkaar toen de waarheid tot haar doordrong. Wij zouden haar niet helpen. Niemand zou haar helpen. Haar handen gleden door de tralies terug.

De twee al-Shabaab-mannen hadden er genoeg van. Ze stonden op en schreeuwden tegen de kinderen dat ze moesten oprotten. Toen kwamen ze onze kant op. Ze grepen Tracy vast en gooiden haar terug op de grond. Stefan lag opgerold in zijn eigen kleine wereldje. Het was net of hij het dekbed over zijn hoofd had getrokken en hoopte dat de monsters weg zouden gaan.

BB wist blijkbaar niet of hij de grootste hekel aan al-Shabaab of het publiek had en keerde zich dus maar tegen ons. 'Ja, rot op, jullie! Stelletje trutten...'

Een van de al-Shabaab-jongens pakte een handvol zand en stenen op en gooide die naar ons.

We begrepen de bedoeling. We liepen weg. De kinderen renden naar de anderen toe om de *madrassa* binnen te gaan. Ze trokken hun mismaakte leeftijdgenoten met zich mee. Honderden jaren voordat het christelijke Westen op het idee was gekomen, hadden moslims al geweten dat de wereld rond was. Ze wisten ook de afstand tot de maan, en dat de aarde zich om de zon bewoog. Er waren islamitische scholen gesticht waar les werd gegeven in niet alleen de Koran, maar ook in wiskunde, astronomie en filosofie. Op de een of andere manier betwijfelde ik of deze specifieke school dat goede werk in stand hield. Als ik op hun presentatie van een paar minuten mocht afgaan, was de Koran er woord voor woord bij hen in gestampt, en dan ook nog de keiharde al-Shabaab-interpretatie van de tekst. Deze generatie Somaliërs zou niets anders weten.

Awaale volgde me langs het gerechtsgebouw en naar de haven. Zodra ik daar was, zou ik links afslaan, terug naar de boot. Ik moest mijn gedachten op een rijtje zetten.

Het had er alle schijn van dat het een gigantische ramp zou worden, maar BB had tenminste geklonken alsof er nog wat vechtlust in hem zat.

25

De boot lag nog waar we hem hadden verborgen. Er leidden geen nieuwe voetstappen heen of ervandaan. De branding had de sleepsporen weggespoeld.

Ik was de wadi uit gegaan en ver genoeg de struiken in gelopen om niet met de boot in verband gebracht te kunnen worden als die werd gevonden. Awaale en ik waren zestig of zeventig meter bij de boot vandaan, maar nog wel zo dicht bij de kust dat we iemand die over het strand in onze richting kwam, zouden kunnen zien.

Ik trok mijn boerka uit en hing hem tussen twee doornstruiken om wat schaduw te maken. Ik praatte niet. Mijn keel was droog. Mijn lichaam had behoefte aan voeding en slaap. Maar dat alles moest wachten.

Awaale volgde mijn voorbeeld. Hij ontdeed zich vlug van zijn boerka en maakte een shelter naast de mijne. Ik ging in het zand liggen. Binnen enkele seconden waren mijn kleren vergeven van de doornen en stukjes struik. Awaale kwam naast me liggen. Zijn shirt zat ook onder de troep. Hij hijgde toen hij naar zijn sigaretten greep. Het pakje was doorweekt. Hij keek er vol walging naar en gooide het opzij.

Ik haalde de zonnelader uit mijn rugzak en maakte het schelpvormige ding open om de fotovoltaïsche cellen aan de zon bloot te stellen. Awaale keek toe. Hij probeerde zich te verzoenen met de gedachte dat hij het niet alleen zonder water maar ook zonder nicotine moest stellen. Ik veegde over mijn ogen en deed mijn best om er geen zand in te strijken. Het was pure ellende.

'Kijk bij mijn adaptors of er een bij zit waarmee je jouw telefoon ook kunt opladen.'

Ik wierp hem het zakje met stekkertjes toe dat bij de lader had gezeten. Met al dat zand zag mijn hand eruit alsof ik een huidziekte had.

'Awaale, waarom zijn hier zoveel mismaakte kinderen? Je ziet ze overal, de jongens bij de vechtpartij van gisteren, en daarstraks die bij de madrassa. Wat is er met ze aan de hand?'

'Ik zal je vertellen wat er met ze aan de hand is, Nick. Ze zijn ziek, ze hebben een ziekte die uit jouw wereld komt.' Zijn gezicht betrok. 'Wij hebben geen regering. Onze kust is onbeschermd. En wat voor jullie het belangrijkste is: niemand houdt de kust in de gaten.' Hij wees naar het strand, naar de branding die op het zand sloeg. 'Het ziet eruit als een plaatje uit een vakantiebrochure, maar het water is vervuild. Het is het dumpterrein van jullie giftige afval geworden. Natuurlijk worden jullie grote ondernemingen daar nooit serieus voor vervolgd. En dus worden onze kinderen geboren... zoals jij ze hebt gezien. Dat hebben jullie gedaan. Het Westen.'

Er zat een diepe droefheid in zijn ogen. Maar ook zag ik voor het eerst sinds ik hem had ontmoet de woede in zijn hart.

'Jullie fabrieksschepen halen alle vis uit onze zee. Jullie giftige afval heeft al het andere gedood. En dus zijn onze vissers piraat geworden, om hun kinderen te eten te geven. Om kinderen te eten te geven die als zieke geiten worden geboren en voor hun tijd doodgaan.'

Hij ging op zoek naar het stekkertje dat hij nodig had en liet zijn woede afzakken.

'Nick, ik ben hier nu klaar. Ik zal hier op je wachten en dan breng ik je naar het vliegveld. Maar wat kun jíj doen? Je hebt zo weinig tijd voordat je vrienden worden gedood...'

Ik ging rechtop zitten alsof hij me met een stroomstok had aangestoten.

Hij haalde een schoen achter zijn riem vandaan en nam het opgevouwen stuk papier in zijn hand. 'Vanavond, staat hier, worden de misdadigers gedood. Na het avondgebed, de Maghrib. De wahabieten – de voorstanders van de sharia – zijn erg streng.'

Hij begon te lezen. 'Het islamitisch shariahof van district Marka bevestigt hierbij dat één man zijn hand zal verliezen omdat hij uit het huis van een andere man heeft gestolen. Twee mannen en twee vrouwen hebben *zina* begaan.'

'Overspel?'

'Ja, maar niet zoals jij denkt. Als je seks met iemand hebt zonder met die persoon getrouwd te zijn, dan is dat voor de wahabieten al overspel. Ze krijgen allemaal *ramj*.' Hij aarzelde. 'Weet je wat dat betekent, Nick?'

Het zweet op mijn borst en rug werd koud. Plotseling wist ik waar die verlichte kuilen in de grond voor dienden.

'Ik kan het wel raden.'

'Ze worden gestenigd tot ze dood zijn. Ze worden tot aan hun hals begraven en dan gestenigd.'

'Tracy en Justin ook?'

'Ja. Zij hebben ook *zina* begaan.'

Op het scherm in mijn hoofd zag ik weer de beelden op de usb-stick. 'Ze denken dat ze overspel hebben gepleegd?'

'Ze heeft het kind van een andere man, meneer Nick. De wahabieten zijn gek.'

'Wat gebeurt er met de jongen? Er zijn maar zes kuilen...'

'Hij gaat in de madrassa wonen. Hij wordt al-Shabaab.'

'Wat staat er over die andere twee blanken?'

'Niets. Ken je ze?'

'Ze kwamen hier hetzelfde doen als ik: die drie hier weghalen. Maar je had gelijk. Er valt niet met die klootzakken te onderhandelen.'

Ant en Dec moesten dezelfde informatie hebben ontdekt als Jules.

'Ik beleef er geen plezier aan om daar gelijk in te hebben, Nick. Wat moeten we doen? De ramj is vanavond, na de gebeden.'

Ik haalde diep adem en zette mijn gedachten op een rijtje. 'Oké. We doen het volgende. Jij belt Erasto. Zeg tegen hem dat ik hulp nodig heb om mijn vrienden te bevrijden. Zeg tegen hem dat ik zoveel mannen nodig heb als hij kan sturen.'

Hij schudde zijn hoofd. 'Nee, Nick, dat gaat niet gebeuren. Die mensen zijn niet alleen gek. Het zijn héél slechte mensen. Erasto betaalt ervoor om ze bij hem uit de buurt te houden. Hij zal niet...'

Ik wees met mijn vinger naar hem. 'Zeg tegen hem dat ik hem zal betalen om tegen ze te vechten.'

Hij bleef zijn hoofd schudden. 'Hij doet het niet, al beloof je hem nog zoveel geld.'

'Zeg tegen hem dat hij het jacht ook mag hebben. Ach, hij mag alle jachten hebben die daar liggen, als hij dat wil.'

'Nick, dat zou het hem niet waard zijn. Het zou oorlog worden.'

'En wat hebben jullie nu? Vrede?'

Awaale draaide zich op zijn zij. 'Ik vind het heel erg. Je zult dit zelf moeten doen. Ik blijf hier wachten. Ik zorg ervoor dat de boot klaarligt om je terug te brengen, want dan krijg ik mijn geld. Maar Erasto zal niet helpen. Hij zou niet eens naar mij luisteren. Ik ben mijn vader niet.'

Ik keek naar het rode lichtje op de zonnelader. 'Nou, bel hém dan. Bel je vader.'

'Mijn vader?'

'Die heeft hier toch veel invloed? Pak je telefoon, verdomme. Bel hem.'

Ik liet hem daar achter en kroop de schaduw uit. Ik wilde niet dat Awaale naar mijn volgende telefoongesprek luisterde.

26

Zoals altijd nam Frank bijna meteen op.

'Ik heb ze gevonden. Ze zijn in leven. Maar ik kan niet onderhandelen. Als we niet gauw iets doen, zijn ze vanavond dood.'

Als Franks hart een slag oversloeg, was daar niets van te merken. Onwillekeurig kreeg ik een zekere bewondering voor die man. 'Hoeveel?'

'Drie miljoen en honderdduizend dollar. In honderdjes. Ik wil die honderdduizend apart houden, zodat daar niets van te zien is als de drie miljoen worden overgedragen.'

'Oké.'

'Ik wil dat geld zo gauw mogelijk op het vliegveld hebben. Laat dat vliegtuig wachten. Het moet volgetankt zijn, klaar om te vertrekken. Ik probeer de hulp van de clan te krijgen. Als je morgenvroeg bij het eerste licht nog niets van me hebt gehoord, is het helemaal fout gegaan.'

'Oké.' Hij zei het alsof hij akkoord ging met een pizzabestelling.

Het werd stil. Ik had alles gezegd wat ik te zeggen had.

Frank vulde de stilte op. 'Dus je hebt Stefan gezien?'

'Ja, Frank. Dat heb ik je verteld. Hij is in leven. Stuur het geld naar Mogadishu, dan kan ik hem in leven houden.'

'Is hij gewond? Is hij ziek?'

'Voor zover ik kan zien, is hij ongedeerd. Hij was bij zijn moeder. Ze zorgt voor hem. Ze troost hem. Ze denkt alleen aan hem.'

Ik liet die boodschap even op hem inwerken.

'Nog één ding, Frank. Wanneer alles volgens plan verloopt, kom ik er ook achter wat ons probleem was in Engeland; wie die kerels waren, de kerels die me volgden.'

Misschien hoorde ik hem zuchten. 'Dat zou goed zijn, Nick. Dank je.'

'Ik doe dat niet alleen voor jou. Ik wil niet dat Tracy en Stefan opnieuw worden ontvoerd. Ik wil deze ellende niet nog een keer doormaken.'

Ik sloot de telefoon af. Nog steeds moest ik Franks verwachtingen temperen. En ik wist ook nog steeds niet wat die aartspokeraar zou gaan doen. Misschien zou hij ervoor kiezen Tracy en BB te laten barsten en Stefan later uit de madrassa te halen. Dat zou voor mij niet goed genoeg zijn.

Ik had een belofte gedaan.

Ik belde Anna. Het zou straks druk worden.

Ik kreeg niet eens de voicemail. Een vrouwenstem praatte in het Arabisch tegen me. Ik wist dat ik niet het verkeerde nummer had gedraaid. Blijkbaar vertelde ze me dat Anna's mobieltje geen bereik had of was uitgezet. Ik sloot mijn telefoontje weer. Ze zou wel geen bereik hebben. Anna's mobieltje was rechtstreeks verbonden met haar bloedsomloop.

Toen ik terug in de wadi was, hoorde ik Awaale met zijn vader praten: 'Daar komt hij aan.'

Ik kroop onder de boerka en hield het bezwete telefoontje tegen mijn oor.

'Meneer Awaale?'

'Meneer Nick, u bent...'

Hij klonk alsof hij half sliep. Er was geen tijd te verliezen.

'Uw zoon heeft u verteld dat ik hulp nodig heb?'

'Ja, maar...'

'Meneer Awaale, met alle respect, wilt u luisteren? Wilt u me laten uitspreken? Misschien ziet u het redelijke ervan in. Ik wil dat u met Erasto gaat praten. U moet hem ervan overtuigen dat het in zijn belang is om mij te helpen. Daarvoor betaal ik u 25.000 dollar, hetzelfde bedrag dat ik uw zoon betaal. Hij kan het u sturen. U hebt mijn woord.'

Ik hoorde geritsel. Nu ik zijn aandacht had, ging hij waarschijnlijk rechtop zitten tegen zijn kussens.

'Meneer Awaale, ik kan Erasto twee miljoen dollar aanbieden als hij al zijn mannen vandaag naar Marka stuurt om me te helpen de drie mensen te redden voor wie ik ben gekomen. Erasto weet waar ik het over heb. U kunt zelf met hem regelen welk deel van dat geld u als commissie krijgt.'

Het werd stil. In Minneapolis werd diep nagedacht.

'Meneer Nick, het kost u meer dan dat. Dit is erg, erg gevaarlijk.'

'Er is ook nog meer. Erasto kan het jacht terugnemen dat al-Shabaab van hem heeft gestolen. Zegt u tegen hem dat hier ook nog drie plezierboten liggen en een stuk of wat vrachtschepen. Hij kan er zo veel van meenemen als hij wil. En als hij al-Shabaab blijft betalen, is dat alleen maar uitstel van het onvermijdelijke. Op een gegeven moment zal hij toch tegen ze moeten vechten. Ze blijven heus niet lang meer weg uit zijn deel van de stad.

Waarom zou hij het gevecht niet naar al-Shabaab brengen? Waarom zou hij niet met een preventieve aanval laten zien wat een geweldige vechters en strategen hij en zijn mannen zijn? Hij moet ze treffen waar ze zich veilig voelen. Hij moet ze laten zien dat hij het niet pikt dat ze zijn deel van de stad komen overnemen.

Ik kan dat laten gebeuren, meneer Awaale. Ik kan uw zoon hier helpen de aanval te plannen, zoals we gisteren hebben gedaan. Hij wordt een held, net als u. Op een dag wordt hij misschien het hoofd van de clan, omdat hij weet hoe hij het gevecht naar de vijand moet brengen. Hij kan de clan vandaag opnieuw laten zien wat een geweldige strijder hij is. En dan zou Erasto's deel van de stad op een dag van hem kunnen zijn.'

Ik wachtte tot hij daarover had nagedacht. Of misschien speelde hij een spelletje met me. Eigenlijk kon het me niet schelen: ik wilde alleen een antwoord.

Uiteindelijk vulde ik de stilte voor hem op, en waarschijnlijk wilde hij dat ook. 'Ik wil alleen maar hulp om mijzelf en de gevangenen naar het vliegveld terug te krijgen. We dragen ter plekke het geld aan hen over. Het wordt erg, erg gemakkelijk. En ik heb Erasto nog één ding te bieden, iets heel belangrijks.'

'Wat dan?'

'Ik kan hem de twee mannen geven die Nadif hebben vermoord. Dat kan ik op het vliegveld doen.'

'Nadif? Is Nadif dood?'

'Ja. In Engeland. Ik heb hem gevonden. Hij was eerst gemarteld. In het kader van de overeenkomst draag ik de twee mannen over die dat hebben gedaan. Ze zijn hier in Marka. Maar ik moet eerst zelf vijf minuten met ze alleen zijn. Ik zal ze niet doden. Als we het niet eens worden, dood ik ze hier in Marka voordat ik wegga. Dan heeft Erasto geen voldoening, geen wraak.

Erasto zal het gevecht met al-Shabaab moeten aangaan. Dat zal op een dag moeten gebeuren. Dit is het moment. En hij zal er veel geld aan verdienen. En u ook. Ik heb Erasto's hulp nodig, meneer Awaale. Ik heb die hulp nu nodig. Niet later op de avond, niet morgen. Nu. Ik moet weten hoeveel mensen hij gaat sturen. Dan kunnen we ons voorbereiden. Ik moet weten wat hij doet.'

Hij was nu beslist wakker. Geld. Wraak. Roem voor zijn zoon. Joe had gelijk. *Mijn broer en ik tegen mijn vader. Het huisgezin van mijn vader tegen het huisgezin van mijn oom. Onze twee huisgezinnen tegen de rest van mijn familie.* Zelfs Nadif had mijn aanbod voor hem persoonlijk geaccepteerd, tegen zijn broer. Het was *The Sopranos*, maar dan met shemaghs en AK's.

'Alstublieft, meneer Nick, geeft u me mijn zoon weer aan de lijn. We zullen proberen uw dierbaren veilig thuis te krijgen. Ik zal met Erasto praten. Ik verdien 25.000 dollar door met hem te praten. Dat is toch zo?'

'Ja.'

Ik gaf Awaale de telefoon en pakte tegelijk zijn met zand bedekte hand vast. 'Zeg tegen je vader dat het nú moet gebeuren. Denk aan die stenigingen. We moeten nú in actie komen. Ik moet het weten.'

Hij knikte en mompelde in de telefoon. Ik ging op mijn rug liggen en dacht na. Als dit niet werkte, had ik nog een heleboel te doen voordat het donker werd.

Tien minuten later rolde ik me op mijn elleboog en streek ik een stukje zand tussen ons glad, zodat ik Awaale tenminste kon laten zien wat ik van plan was. Voorlopig deed het er niet toe hoeveel mannen Erasto stuurde, zolang Awaale de aanval maar in grote lijnen in zijn hoofd had zitten. Na al dat gepraat over heldhaftigheid zou hij met me mee gaan, of hij dat nu leuk vond of niet.

Zodra we wisten of Erasto al dan niet meedeed, konden we de details van het plan invullen. En met een beetje geluk zouden we dat heel gauw weten.

Deel VII

1

We vergingen weer van de hitte in onze peperbussen. We zaten verscholen achter twee op hun kant gelegde bootjes op het strand naast de haven. De stenen pier was het verlengde van de weg die bij het plein voor het gerechtshof begon. De pier stak ongeveer honderd meter de zee in, maakte dan een knik naar links en ging nog eens vijftig meter verder. De stenen van de pier waren al lelijk afgebrokkeld. Misschien was dat de reden waarom er geen boten meer in de buurt lagen aangemeerd.

Vanaf de plaats waar we zaten bevond het gerechtsgebouw zich boven aan de weg rechts van ons. Het omheinde terrein lag weer rechts van het gebouw. Er liep een klein steegje tussendoor. De lange schaduwen van de gebouwen achter ons vervaagden snel. Awaale had zijn mobieltje nog tegen de blauwe stof die zijn oor bedekte.

Hij keek me aan en schudde zijn hoofd. 'Nog steeds niets.'

De rotzak. Ik wist dat Erasto's bootjes daar waren, op het lege stuk water achter de vrachtschepen. Ongeveer twee uur eerder hadden we gezien dat ze langs de kust aankwamen en dekking zochten. Ze hadden ook bereik met hun mobiele telefoons. Awaale had meermalen met ze gepraat en als een echte leider zijn bevelen gegeven voor de aanval.

Nu zwegen ze, net als Anna. Sinds dat eerste telefoontje op het strand had ik twee keer geprobeerd haar te bereiken, maar ik had alleen die ingesproken boodschap in het Arabisch gekregen. De boodschap klonk zo snel en hard dat het leek of ze me ervan langs gaf.

Toen ik weer eens op mijn iPhone keek, schalde opeens de oproep voor het gebed, de azan, door het luidsprekersysteem van de moskee. Het was vier minuten over zes. Straks kwam de *igama*, de tweede oproep voor het avondgebed. Dan moesten we op onze plaats zijn.

Dit was niet goed. De mannen in de bootjes moesten hun mobieltjes opnemen. Awaale moest ze bevel geven naar de haven te gaan. Ze zouden nu al op weg moeten zijn. Erasto kreeg verdomme genoeg geld. Of misschien dacht hij dat er nog meer te halen was en dat hij alleen maar af hoefde te wachten.

Er waren vijf bootjes, maar ik had geen idee hoeveel mannen erin zaten.

Awaale zei dat het geen probleem zou zijn; hij had alles geregeld. Het was de bedoeling dat ze van de andere kant van de vrachtschepen kwamen en posities innamen voorbij de havenmuur die evenwijdig met het strand liep, aan het zicht onttrokken en buiten de vuurlinie. Die boten moesten het ons mogelijk maken weg te komen.

We zouden naar hen toe gaan, aan boord gaan, nog een laatste keer overleggen en dan de vuursteungroep organiseren. Awaale vond dat een mooi woord, 'vuursteungroep'. Hij had het de hele dag gezegd, ook als hij in het Somalisch met de mannen in de bootjes telefoneerde.

De vuursteungroep zou bij de bootjes blijven om hen te beschermen en onze aftocht over de weg vanaf het plein te dekken. Awaale zou de rest van de mannen meenemen. Die aanvalsgroep zou zich in tweeën splitsen. Het ene team zou het gerechtsgebouw bestoken met RPG's, machinegeweren en alles wat ze verder nog hadden. Ze zouden iedereen doden die eruit kwam rennen, en ook alle al-Shabaab-strijders die uit de moskeeën kwamen om hun vrienden te helpen. Wanneer dat aan de gang was, zou Awaale mij en de rest van zijn mannen naar de achterkant van het gerechtsgebouw en door het steegje naar het omheinde terrein brengen. De mensen zouden aan het bidden zijn. Regel één: geen burgers doodschieten. Al was het alleen maar omdat we na een eventuele gevangenname al diep genoeg in de stront zouden zitten zonder dat ze ons dat ook nog eens konden aanwrijven.

Er moesten al-Shabaab-strijders in het gerechtsgebouw zijn, zelfs wanneer het tijd was om te bidden. En de gevangenen ernaast moesten ook worden bewaakt. Een uur geleden had ik zes strijders op het omheinde terrein gezien. Ze hadden in de schaduw gezeten terwijl de gevangenen maar moesten zien dat ze een beetje beschutting vonden. De nieuwe ploeg zou bestaan uit de vier mannen die we 's morgens vroeg op straat waren tegengekomen, onder leiding van de lange Pakistaan.

Ik hoefde niets anders te doen dan naar het omheinde terrein te roepen dat iedereen dekking moest zoeken, voordat Awaales team met de RPG's aan de gang ging. De mannen hadden bevel alle al-Shabaab-strijders die ze zagen te doden, terwijl ik de vijf gevangenen eruit ging halen. Zo simpel lag het.

Ik zou ze achter het gerechtsgebouw brengen terwijl Awaale ons vuursteun bleef geven en dan zouden we ons bukken en over de weg naar de bootjes rennen. Awaale en zijn mannen zouden zich terugtrekken, en we waren weg. Erin en eruit in tien minuten.

Dat wil zeggen, als die klojo's nou eindelijk eens de telefoon opnamen.

De azan werd nog geroepen. De jammerende stemmen van de muezzins kwamen aangezweefd vanaf minaretten in de hele stad.

Ik stootte Awaale aan. 'Probeer het nog een keer. Als ze niet reageren, zijn we op onszelf aangewezen.'

Ik greep de AK onder mijn boerka vast. Zelfs wanneer die klojo's me in de steek lieten, zag het er tenminste naar uit dat BB zin had om te vechten. En als Ant en Dec ook maar een beetje verstand hadden, zouden ze ook onze kant kiezen, want dan maakten ze tenminste een kans er levend uit te komen. Wanneer we eenmaal waren weggekomen, zou ik nog wel zien wat ik met ze deed. Als ze niet wilden helpen, was dat geen probleem. Dan zou ik gewoon doen waar ik voor kwam.

Nu werd de igama geroepen. Tijd om bij Awaale vandaan te gaan.

Ik wees naar de op hun kant gelegde bootjes. 'Ik zie je daar terug. Probeer een van die verrekte dingen in het water te krijgen. Als het niet lukt, gaan we naar links over het strand terug. We moeten het er gewoon op wagen.'

Zijn mobieltje ging.

Ik liet me weer op mijn knieën zakken. 'Ik heb je gezegd dat je dat rotding moet uitzetten.' Ik porde met mijn vinger tegen zijn schouder. 'Zet hem op de trilstand. Het is niet de bedoeling dat we hier zijn, weet je nog wel? We zouden moeten bidden.'

'Sorry, Nick.'

Hij nam het mobieltje op met een stem die veel zachter was dan de ringtone. Ik hoorde aan zijn stem dat hij geen goed nieuws kreeg. Door de booglampen op het plein leek het daar net een voetbalstadion. In het vage licht op het strand kon ik nog net de contouren van zijn peperbushoofd onderscheiden toen hij me door het gaas aankeek.

'Erasto... Hij wil meer geld. Hij wil vier miljoen.'

'Hij kan drie krijgen. En ik wil een antwoord, ja of nee, nu meteen. Als hij de boel vertraagt, is het niks waard. Dan komen we te laat, want dan zijn ze al dood. Zeg tegen hem dat hij drie miljoen kan krijgen, ja of nee. Ik heb geen tijd te verliezen.'

Hij stak zijn handen omhoog. 'Ja, ja, ja.'

Erasto moest me hebben gehoord. Dat hoopte ik. Terwijl ik weer opstond, mompelde Awaale in de telefoon. Hij haalde hem bij zijn oor vandaan en ik zag dat de schermverlichting zwakker werd.

'Hij denkt na.'

Ik boog me dichter naar hem toe en sprak zacht. 'Nou, terwijl hij nadenkt, gaan zij dood. Ik ga daar nu heen. Hij speelt een spelletje met me, hè?'

De peperbus knikte bijna onwaarneembaar. 'Dat verwachtte jij ook, nietwaar? Dit is zakendoen. Ik hoorde je vandaag bellen.'

'Als je nog steeds denkt dat dit zakendoen is, Awaale, heb je het niet goed begrepen. Er zijn twee soorten mensen op dat omheinde terrein: mijn vrienden en jouw vijanden. Hij krijgt niet meer geld van me, dus jullie kunnen allemaal doodvallen.'

Ik hoorde een kreet op de plaats waar de weg bij de havenmuur kwam. Een mannenstem, woedend. Een al-Shabaab-strijder liep met grote stappen naar ons toe. Hij riep keer op keer hetzelfde woord. Ik wist niet wat het was, maar Awaale hoefde het niet te vertalen. We zaten diep in de stront en kregen een uitbrander dat het niet mooi meer was.

De al-Shabaab-strijder had zijn AK aan zijn schouder hangen en maakte woedende gebaren naar ons terwijl hij dichterbij kwam. We bleven op onze knieën zitten en hielden ons hoofd gebogen. We krabbelden overeind, maar bleven onderdanig. De al-Shabaab-strijder schopte zand naar ons. Ik hoopte dat hij alleen maar vroeg waarom we verdomme niet aan het bidden waren.

Awaale mompelde iets met een hoge stem. Het klonk nergens naar. Hij had dat niet moeten doen. Gelukkig had de al-Shabaab-strijder het te druk met schreeuwen en zand schoppen om het te kunnen horen. We krabbelden overeind, maar bleven onderdanig. Awaale begon weg te lopen, terug langs het strand. Ik volgde hem.

Ik keek achterom. De al-Shabaab pakte een paar stenen op en kwam achter ons aan, nog steeds scheldend. Hij gooide een van de stenen naar ons toe. Het projectiel miste mij, maar trof Awaale precies tussen zijn knokige schouderbladen. Dat moet verschrikkelijk pijn hebben gedaan. Ik hoorde een kreungeluid en voelde toen een trap tegen mijn linkerdij. De sandaal van de al-Shabaab raakte eerst de AK onder de boerka. Het magazijn ratelde. Dat geluid was onmiskenbaar. En ik wist dat hij ook de massief houten kolf had gevoeld.

Hij haalde zijn eigen wapen van zijn schouder en deed een stap achteruit. Ik begon mijn AK omhoog te brengen, maar ik wist dat ik een fractie van een seconde te laat was.

Awaale rende me voorbij, zijn hand hoog in de lucht. Hij liet de steen hard op het hoofd van de al-Shabaab-strijder neerdalen.

Awaales mobieltje ging over.

Het schermpje gaf licht in het zand. Ik pakte het op.

'Erasto? Met Nick. *Si o no? Si o no?*'

Awaale stond hijgend bij wat er van de al-Shabaab-strijder was overgebleven. Hij liet de steen vallen, knielde even bij het lijk neer en veegde zijn bebloede hand af aan de shemagh van de dode.

Ik gaf hem het telefoontje. Ze praatten ongeveer vijftien seconden. Hij trok de hoofdbedekking van de peperbus af en gooide hem op de grond.

'Erasto zegt ja.'

Hij viste zijn ringen uit zijn zakken en deed ze weer om zijn vingers.

Ik greep hem vast, maar hield het wapen in mijn andere hand. 'Awaale, ik ga nú. Tegen de tijd dat Erasto's jongens hier zijn en je ze alles hebt uitgelegd, hebben we misschien geen tijd meer. Als ze er op tijd zijn, bedenk dan dit: de mannen die op de bootjes passen, dus de mannen van de vuursteungroep, mogen níét op iets schieten wat over de weg komt die naar de havenmuur leidt. Heb je dat begrepen?'

'Ja, Nick. Ik weet het. Zij weten het.'

'Zeg tegen ze dat ze links en rechts moeten schieten als we door al-Shabaab worden gevolgd. Ze mogen alles neerleggen wat zich links en rechts van ons beweegt, maar niets in het midden.'

'Ja, natuurlijk. Geen probleem. Vertrouw op me. Dit wordt een grote overwinning.'

'Goed. En maak niet zoveel lawaai, en zet je mobieltje op de trilstand. Denk aan die tekening in het zand. Zelfs wanneer ik te laat ben om ze weg te halen, moet je me nog komen steunen. De vuursteungroep bij de bootjes zal jou steunen. Is het duidelijk?'

'Ja, meneer Nick. Ik heb alles onder controle. We gaan veel, veel al-Shabaab-strijders doden.'

'Eerst gaan we mijn vrienden redden. Als we ook nog al-Shabaab-strijders doden, is dat meegenomen. Dan kun jij later je oorlogsverhalen vertellen, maar alleen wanneer je je verstand erbij houdt. Dit is een reddingsmissie. Dat is de reden waarom we hier zijn.'

'Ja, ja, ik weet het weer. Geen probleem, meneer Nick.'

Zijn mobieltje trilde. Hij nam op. Ik wachtte niet af wat het was. Als Erasto van gedachten was veranderd, moest hij maar zien wat hij deed. Ik moest naar dat omheinde terrein. Of Erasto's mannen nu meededen of niet: het ging door.

Ik liep om het lijk in het zand heen. De havenmuur lag al gauw achter me. Voor me lag nu de weg die de helling op ging. Het licht op het plein stak als een gloeiende luchtbel af tegen de inktzwarte hemel. Schaduwen dansten in het stof. Er liepen daar overal mensen. De gelovigen waren klaar met hun gebeden.

Ik ging vlugger lopen. Het wapen had ik weer onder de boerka, stevig tegen mijn zij.

Mijn iPhone trilde in mijn zak.

Die verrekte Awaale. Hij wist het moment wel te kiezen.

Ik dook in een portiek en haalde het apparaatje uit mijn zak.

Ik keek door het gaas naar de mensen boven aan de helling. Ze waren niet meer dan honderd meter bij me vandaan.

'Zeg het vlug, verdomme,' mompelde ik in de telefoon.

'Nick? Met mij. Jules.'

'Het is oké. Ik heb ze gevonden. Ik...'

'Nee, nee. Dat is het niet, Nick. Het is Anna. Ze is neergeschoten.'

3

Ik leunde tegen de planken waaruit de deur bestond. Een fractie van een seconde voelde ik niets. Er ging een golf van afgrijzen door me heen.

'Hoe erg is het?'

'Weet ik nog niet. Ze zit op een boot met gewonden die uit Misrata is vertrokken. Ze brengen haar naar Benghazi. Naar het Al-Jaraa-ziekenhuis.'

'Ze?'

'De Fransen. Het is niet veilig om haar verder weg te brengen dan naar Benghazi.'

'Ik kan niets doen, Jules. Kun...'

'Nick, stop. Ik zal ervoor zorgen. Ze wilde alleen dat je het wist.'

'Heeft ze je gebeld?'

'Ze wilde niet dat je je daar zorgen maakte. Waar ben je nu?'

'Marka.'

Ik verbrak de verbinding. Op dat moment kon ik niets voor haar doen. Ik kon alleen maar proberen de zaken daar te bespoedigen. Ik moest het afwerken, en dan kon ik naar het noorden gaan.

Ik liep naar het plein. De booglampen waren verblindend fel. In het midden, boven de kuilen, zaten nog meer schijnwerpers op het hek. Die moesten ervoor zorgen dat de toeschouwers het hele drama goed konden zien.

De poort stond open. Ik zag niemand, er stonden alleen vier oude kruiwagens. Die kruiwagens lagen vol stenen ter grootte van cricketballen, klaar om gegooid te worden. Het maakte niet uit waar mijn drie waren. Ze konden elk moment naar buiten komen om hun straf te ondergaan.

Er kwamen nog steeds mensenmenigten uit de moskeeën. Er waren veel vrouwen bij die zo gekleed waren als ik. Er werd niet gejuicht, niet geroepen. Het was allemaal heel somber. Alleen de kinderen uit de madrassa, een stuk of honderd van die kleine rotzakjes, wonden zich op. De moellahs waren druk bezig ze naar de arena te leiden. Zelfs de twee oude mannen voor wie we die ochtend opzij waren gegaan, hadden hun kinderen meegenomen naar de show. Alle andere mensen maakten een angstige indruk.

Ik baande me een weg door de massa en lette er daarbij goed op dat ik niet met de AK tegen iemand aan stootte. Ik moest dichtbij zien te komen, net als de blinde kinderen. Om me heen dampten lichamen. Vliegen en muggen zoemden om de lampen heen.

Ik kwam zo dicht bij de poort als ik kon en tuurde naar het terrein. Al-Shabaab-strijders met geweren voor hun borst dirigeerden ons met dunne, zwiepende stokken naar voren. We bewogen ons als een school vissen. Geleidelijk liep het plein vol.

Op het terrein ging de deur open. Er ging een zucht door de menigte.

Twee al-Shabaab-strijders brachten een van de drie Somalische mannen tevoorschijn die zich die ochtend voor de zon hadden proberen te verbergen. Achter hem droegen twee andere strijders, onder wie een Pakistaan, een houten tafel.

Er verscheen een man met een wit kalotje en een rossige baard. Meteen ging er een gemompel door de menigte. Die man was gevreesd. Hij volgde de stoet naar de poort.

De Somaliër was niet blij. Hij schudde voortdurend met zijn hoofd en hief smekend zijn handen. Als hij op medegevoel van Kalotje rekende, stond hem een grote teleurstelling te wachten. De al-Shabaab-strijders duwden hem met hun vuisten naar voren en lieten hem vlak voor de kuilen stilstaan. De tafel werd voor hem gezet.

Kalotje droeg een bruine dish-dash, een katoenen broek en rubberen flipflops. Zijn rossige baard viel over de zwart-witgeruite shemagh die hij om zijn hals had. Aan zijn middel hing een kapmes. Hij was jong, hooguit begin dertig. Gladde huid. Harde ogen die glinsterden in het genadeloze licht. Verwijde pupillen. Hij schreeuwde naar de menigte en wees op het bevende wrak dat voor het voorprogramma was uitgekozen.

Er volgde geen ceremonie. De Pakistaan drukte de blootgelegde arm van de Somaliër op het tafelblad. Kalotje trok zijn kapmes, hief het hoog op en liet het neerdalen. Het mes hakte de hand en de halve onderarm van de Somaliër af. De Pakistaan liet zijn gevangene los en die viel op de grond, eerst nog verdoofd, toen schreeuwend van pijn. De arm rolde aan de andere kant van de tafel af en viel in het zand.

Kalotje bukte zich en pakte het afgehakte ledemaat bij de duim op. Hij hield het voor de menigte omhoog, terwijl de kledingdief naar de school werd weggeleid. De kinderen weken uiteen als de Rode Zee voor Mozes. Ze keken met open mond naar de bloederige massa die van zijn arm was overgebleven, en naar het bloed dat in het stof droop.

De oudste van de moellahs, streng en grijs, sloeg de ongelukkige delinquent met zijn schoen op het hoofd. Vervolgens sloeg hij met de zool op de rug van de man, die nog steeds naar de school werd gesleept. Die kerel moest eerst op wahabitische wijze tot inzicht in zijn dwalingen worden gebracht voordat hij medische behandeling kreeg, als hij die al kreeg.

De andere moellahs riepen de kinderen weer bij elkaar en leidden hen naar de menigte terug voordat het hoogtepunt van de show begon.

4

Kalotje schreeuwde toen de Pakistaan zijn team van al-Shabaab-strijders weer naar binnen leidde. Hij schreeuwde niet tegen hen, maar tegen de menigte. Hij wees naar ons en stak zijn vinger omhoog. Zijn woorden waren snel en klonken agressief.

Toen de twee Somalische stelletjes naar buiten werden geleid, ging er een ander soort gemompel door de menigte. Ditmaal klonk het afkeurend. Sommige mensen sisten.

Alle vier liepen ze erg langzaam. Ze hoefden niet geduwd te worden. Hun hoofden waren gebogen. Ze hadden de hoop opgegeven. De vrouwen hadden hun hoofd bedekt, maar hun gezicht was te zien. Toen ze over het terrein liepen, vertoonden ze geen emotie, zelfs geen angst. Ze werden naar Kalotje geleid, die bij de met bloed bevlekte tafel stond te wachten.

Ik kon bijna niet geloven dat ze niet op z'n minst probeerden te vluchten. Ze stonden ieder voor de kuil die hun was toegewezen, hun hoofd gebogen, hun ogen halfdicht tegen het licht.

Kalotje schreeuwde nog steeds zo hard als hij kon tegen de menigte. Hij stak zijn hand onder de kin van iedere gevangene en duwde hun hoofd omhoog om het aan het publiek te laten zien.

Zo liep Kalotje van de ene naar de andere gevangene, en telkens wanneer hij er een voorbij was, werd die door de Pakistaan in een kuil geduwd. Ze moesten knielen, met alleen hun hoofd en de bovenkant van hun schouders boven de grond.

Een groep jongemannen dook op uit het niets en ging voor in de menigte staan. Ze droegen hetzelfde hoofddeksel als de baas en een zwart-witte shemagh. Hun ogen brandden van een heilig vuur. Ze schepten zand in de kuilen om de veroordeelden op hun plaats te houden. De twee vrouwen konden zich niet meer inhouden. Ze barstten in tranen uit. De mannen schommelden heen en weer in gebed. De jongemannen gingen nog harder scheppen.

De vier al-Shabaab-strijders gingen het gebouw weer in.

Mijn borst zette zich uit. Ik kon het niet helpen. Ik haalde sneller adem en probeerde dat te bedwingen. Het zweet brak me uit. Mijn hele lichaam voelde aan alsof het op springen stond.

Anna vulde mijn hele hoofd. Ik stond op het punt om in één avond de enige twee vrouwen te verliezen om wie ik iets gaf.

Waar bleef Awaale nou?

De Pakistaan leidde Tracy naar buiten. Ze droeg Stefan in haar armen. Zijn hoofd lag op haar schouder, en hij had zijn armen en benen om haar heen geslagen. Het kostte haar grote moeite hem te dragen. Ze schermden allebei hun ogen af tegen de felle lampen en begonnen zo aan de lange wandeling.

Alle drie de andere al-Shabaab-strijders moesten eraan te pas komen om BB naar buiten te halen.

Kalotje krijste en wees naar de slechte mensen die naar ons toe kwamen, alsof Satan zelf naar Marka was gekomen.

BB keek wild om zich heen. Hij probeerde na te gaan wat er aan de hand was. Toen begreep ik het. Ze wisten zelf niet wat er ging gebeuren. Anders zou hij intussen wel iets hebben geprobeerd. Die drie waren in feite al dood. Wat hadden ze te verliezen?

Ze kwamen bij de poort. De oude schoolmoellah liep naar Tracy toe en pakte Stefan vast. De jongen was nu van hem. Maar Tracy dacht daar anders over.

Ze trok haar kind terug en slaakte een lange, hartverscheurende kreet die de menigte tot zwijgen bracht. De vrouwen om me heen kreunden zacht. Handen gingen naar monden toen Stefan om zijn moeder riep. Hij sloeg zijn armen strak om haar hals, en Tracy probeerde de greep van de oude moellah te verbreken.

Kalotje zwaaide met zijn bebloede kapmes naar haar en schreeuwde tegen de menigte.

BB stak geen vinger uit om haar te helpen. Hij deed precies wat hij moest doen. Hij keek om zich heen, nam alles in zich op en vroeg zich af wat hij in godsnaam met de informatie kon beginnen.

Toen zag BB de vier anderen in de kuilen, en de twee lege kuilen, en wist hij precies wat er ging gebeuren.

Ik kwam uit de menigte naar voren en duwde de boerka omhoog om het wapen tegen mijn schouder te kunnen zetten.

5

De Pakistaan draaide zich om naar de menigte. Het kon niet anders of hij zag meteen waarom ze schreeuwden en bij wie ze vandaan renden.

Terwijl ik het wapen tegen mijn schouder drukte, zette ik de veiligheids-pal in de laagste stand: één schot tegelijk. De Pakistaan keek naar mij. Ik had beide ogen open en tuurde langs de korrel op het eind van de loop. De Pakistaan duwde BB opzij om zijn eigen wapen in de aanslag te brengen, maar hij was te langzaam. Mijn wapen stootte tegen me aan en hij viel neer. Ik had hem uitgeschakeld met één schot in zijn borst.

Het lawaai om me heen nam af: de menigte rende weg. Toen hoorde ik schoten. Ik wist niet waar ze vandaan kwamen of waar ze heen gingen. Tracy was nu maar een paar meter bij me vandaan. Stefan was verdwenen.

Een van de andere al-Shabaab-strijders bracht zijn AK omhoog, maar BB had het wapen van de Pakistaan gepakt en gaf hem een salvo van drie kogels. Hij greep ook een vest vol magazijnen.

'Tracy! Tracy! Hier, bij mij! Ik ben Nick! Ik ben Nick!'

BB vuurde nog. Hij doodde de andere al-Shabaab-strijder, rechts van me.

'Ik ben Nick!'

Tracy begreep het niet.

'Ik ben Nick!'

BB keek om. Hij begreep het.

Ik pakte Tracy vast en trok tegelijk mijn boerka uit. Ik wilde haar in de beschutting van de muur hebben. Ergens van rechts regenden kogels neer.

Ze bleef als aan de grond genageld staan; verward; bang.

'Nick...?'

'Kóm!'

Ik pakte haar vast en begon haar naar een veilige plek te trekken. BB stopte een nieuw magazijn in het machinegeweer. Ik keek hem recht aan en hij kwam dichterbij. Ik trok Tracy op haar knieën, zodat haar hoofd onder het muurtje kwam. De mensen stoven nog in alle richtingen uiteen. Ze wisten niet waar ze heen moesten vluchten. De schoten kwamen van het gerechtsgebouw. Als we probeerden over het open terrein te rennen, konden ze ons gemakkelijk onder schot nemen.

BB nam positie naast ons in en knielde neer met de AK.

Tracy probeerde zich van me los te trekken. 'Stefan! Ik moet Stefan halen!'

Ze wees koortsachtig naar de madrassa. 'Stefan!' Ze probeerde langs me te kruipen.

Overal heerste totale chaos, maar haar kreten waren harder dan die van de menigte.

Ik keek over het muurtje. Kalotje stond met de anderen op de veranda van het hoofdgebouw, hun wapens in de aanslag. Ze schreeuwden meer van woede dan van angst. Er was hun een fikse steniging ontnomen.

Rechts van ons krabbelden de Somalische vrouwen uit de kuil met zand. De kerels die ervan beschuldigd waren dat ze hen hadden geneukt, waren allang vertrokken.

De kalotjes op de veranda doken op en verdwenen achter de deuren alsof het een koekoeksklok was. Ze schoten lukraak op alles wat bewoog. Een figuur in een boerka werd aan de rand van het plein geraakt en viel in het zand.

Een ratelend salvo sloeg in de andere kant van het muurtje waar we achter zaten. De 7.62 is een patroon van groot kaliber. Toen er minstens tien van in de muur sloegen, op nog geen dertig centimeter van ons hoofd, gaf dat een oorverdovend lawaai. Ik voelde de trillingen.

Ik duwde Tracy plat op de grond en boog me over haar heen. Intussen legde BB zijn AK over het muurtje en loste hij salvo's op het gerechtsgebouw.

Ik kwam overeind, al bleef ik schrijlings op Tracy's rug zitten, en vuurde enkele patronen op de veranda af.

Awaale was nog steeds nergens te bekennen.

Ik riep naar BB: 'Straks krijgen we ze over ons heen. Breng haar naar het strand, ga dan naar links en laat de stad achter je. We vinden elkaar wel terug. Ik heb daar een boot liggen. Zorg dat je de stad uit komt. Je ziet me wel over het strand lopen. Ik ga Stefan halen.'

Er sloegen nog meer kogels in de andere kant van de muur. Tracy snikte in het zand. 'Mijn jongetje... mijn jongetje...'

We sprongen terug.

'Verdomme, Nick, ben je hier in je eentje? In elk geval bedankt...' BB legde zijn hand even op mijn schouder.

Ik schudde mijn hoofd. 'Ik dacht dat ik ondersteuning had, maar die klootzakken hebben ons blijkbaar in de steek gelaten.'

Ik wierp weer een blik over de muur. Uit een hoek van het terrein kwam opeens een grijze rookwolk opzetten. De explosie joeg een zandstorm op. De eigen voortstuwing sloeg aan en de granaat kwam gierend op ons af.

'RPG!'

We doken weg. Maar de granaat kwam niet naar ons. Stukken uit de muur van het gerechtsgebouw sprongen alle kanten op. De brokstukken regenden als hagelstenen op ons neer.

Van de andere kant van de madrassa kwamen kreten en ratelend machinegeweervuur.

6

'BB, luister! Dat is mijn ondersteuning. We komen in de haven samen. Ze hebben boten. Zorg dat ze je over de weg brengen, rechts van het gerechtsgebouw. Je moet midden op de weg blijven.'

Kogels vlogen in alle richtingen. Chaotische, gedrogeerde kreten galmden door de lucht. Ergens aan de andere kant van het plein opende een machinegeweer het vuur. Nog meer kreten; toen een paar regels van een rapnummer en scheldwoorden van Erasto's mannen, gericht op het gerechtsgebouw. Boven dat alles uit hoorde ik: 'Nick! Nick!'

Als de reddende cavalerie kwamen Awaale en zijn mannen aangestormd door het steegje tussen het gerechtsgebouw en het omheinde terrein. Geweerlopen vlamden in de ramen van een ander gebouw op zo'n 150 meter afstand. BB loste een paar korte salvo's om dat vuur te beantwoorden.

'Hier, vriend! Naar mij toe! Naar mij toe! Awaale!'

De kogels kwamen nu van alle kanten en van iedereen. Lichtspoorkogels vlogen in en uit het gerechtsgebouw en de andere gebouwen aan het plein. We lagen in het zand. Ik lag over Tracy heen, deels om haar te beschermen, deels omdat ze bleef proberen overeind te komen en weg te rennen.

Awaale kwam met zes van zijn mannen bij ons. Hun tanden glinsterden van het qatsap. Ze waren helemaal stoned. Ze gingen gehurkt zitten, stuiterden een paar keer op en neer, losten een paar salvo's, hurkten en stuiterden weer en schoten nog wat. Eigenlijk kon het ze niet schelen wie ze raakten.

Awaale praatte in zijn portofoon. Waarschijnlijk schiep hij daarmee nog meer chaos.

Ik bracht mijn mond bij Tracy's oor. 'Het komt goed. Ik ga hem halen.' Ik sprak kalm. 'Ga jij met BB mee. Die jongens zullen op jullie passen. Oké? Ik ga hem halen. Dat beloof ik.'

Ze draaide haar hoofd opzij. Ik zag de angst in haar rode, betraande ogen.

BB zei: 'Ja, geen probleem. Ik pas op haar. Ik houd haar bij me.'

Ze wilde haar zoon niet achterlaten. 'Nick, nee!'

'Het komt wel goed met Stefan. Ik ga hem halen. Awaale!'

De man stond maar drie meter bij me vandaan, maar hij gaf evengoed geen antwoord. Hij had het te druk met in zijn portofoon schreeuwen.

'Awáále!'

Er kwam geschreeuw en gejoel van de mannen aan weerskanten van het gerechtsgebouw. Ergens rechts van ons ging een RPG af en vloog over het midden van het plein. Hij scheerde langs de obelisk en sloeg vijftig meter verder in een gebouw. Er volgde een feloranje flits; brokken beton vlogen door de lucht.

'Awáále!'

'Ja, Nick?'

'Laten we naar de haven gaan. Vergeet niet: alleen over de weg, over het midden. Laten we gaan!'

Ik greep BB vast. 'Neem haar nu mee, met die kerels. Ik ga Stefan halen en dan zien we elkaar bij de boten terug. Awaale!'

De rotzak was weer verdwenen.

Twee technicals kwamen gierend op ons af uit de richting die we die ochtend hadden genomen. De harde knallen van de wapens galmden boven al het andere lawaai uit. Lichtspoor vloog over onze hoofden. Sommige troffen de obelisk.

'Awáále!'

'Ja, oké, ik ben hier, Nick!'

Hij kwam uit het halfduister, drijfnat van het zweet. Zijn handen glinsterden van de sieraden. Zolang hij in deze stemming was, zou een overvliegende Black Hawk geen schijn van kans maken.'

'Neem die verrekte technicals eens onder vuur!'

'Geen probleem, Nick. Dat zijn mijn mannen. Omdat ze op de verkeerde plaats waren geland, hebben ze die wagens van al-Shabaab ingepikt. Dit is erg goed, Nick. Dit is een grote overwinning!'

'Nee, het is helemaal niet goed. Je moet ze beheersen, vriend.'

Alsof dat het teken was, sloeg er een lichtpatroon van hen in het gebouw aan de omheinde ruimte. Een deel van het gebouw viel in de ondiepe graven waar de meisjes nu eindelijk uit waren geklommen. Als ze dat niet hadden gedaan, zouden ze er zijn geweest.

'Die kerels van jou schieten maar wat in het rond. Beheers ze! Haal die verrekte technicals hierheen, laat dit stel instappen, en maak dat ze bij de boten komen. Ik ga de jongen halen. Hij is in de madrassa.'

Awaale praatte in zijn portofoon. Zijn mannen renden maniakaal lachend, schietend en schreeuwend in het rond.

Ik stond op. 'BB, neem Tracy mee. Zet haar in een van de technicals zodra die hier zijn.'

Tracy kwam moeizaam op haar knieën. 'Nee, Nick... Nee...'

'Tracy, het is goed. Het komt goed met Stefan.' Ik wees naar Awaale. 'Jij haalt die andere twee blanke mannen daar ook weg. Vergeet dat niet. Erasto wil ze doden.'

'Geen probleem, Nick. We zullen voor ze zorgen.'

De technicals kwamen met ratelende machinegeweren over het plein gehotst. Als ze hadden gehoord dat Awaale zei dat ze moesten ophouden met schieten, trokken ze zich daar niets van aan. Door dat gehots van de wagens vlogen de lichtspoorkogels hoog over het gerechtsgebouw. Waarschijnlijk landden ze ergens in zee of op onze eigen boten. Sommige boorden zich in het zand of ketsten af tegen willekeurige gebouwen.

Ik duwde Tracy weer omlaag. 'Awaale!'

Hij had het te druk met bevelen schreeuwen. Ergens, God mocht weten waar, werd een RPG gelanceerd.

We konden geen kant op.

7

Toen de technicals dichterbij kwamen, zag ik de stervormige zonnebril met wit montuur van de schutter. De zon was al uren onder, maar dat maakte voor hem niet uit. En de bestuurder was in zijn mobieltje aan het praten, jezus nog aan toe. Het leek wel of hij een enthousiast ooggetuigen-verslag uitbracht aan de meisjes thuis.

BB was door zijn munitie heen. Ik gooide hem mijn rugzak met extra magazijnen toe. Ik draaide me om en schreeuwde tegen een van de man-nen. Ik wilde het pistool hebben dat hij in de achterkant van zijn spijker-broek had gestoken. Hij lag in het stof bij de poort en vuurde op het pok-dalige gerechtsgebouw. Hij keek me grijnzend aan, zijn tanden vol qatvlekken. 'Vijftig dollar!'

'Rot op! Geef me dat wapen!'

Hij haalde zijn schouders op en schreeuwde naar zijn vriend aan de andere kant van de poort. Ze lachten allebei. Er werd weer een RPG gelan-ceerd, ditmaal aan de kant van al-Shabaab. Hij ging hoog over, bijna in een baan om de aarde.

De jongen met het pistool gaf eindelijk toe. Hij controleerde niet eens de veiligheidspal voordat hij het wapen naar me toe gooide. Toen het ding door de lucht vloog, zag ik dat het een Russische makarov was, en zo oud dat van corrossiewerende fosfatering nog geen sprake kon zijn. Ik ving het op en haalde de schuif aan de bovenkant over. Er zat al een koperen huls in de kamer. Ik drukte op de pal om het magazijn eruit te laten schieten. Het viel in mijn hand. Het was vol.

BB zat nu over Tracy heen gebogen om haar te beschermen. Hij hield haar hoofd omlaag en probeerde haar te kalmeren.

Awaale en vier van zijn mannen renden naar het gebouw aan het terrein. Ze gingen Ant en Dec halen. Awaale liep in het midden en schreeuwde nog in zijn portofoon, alsof hij de leiding had over de hele chaos. De technicals schoten met hun 12.7's op elke loopflits die binnen bereik was. Het kon ze niet schelen op wie ze schoten.

Ik stond op en begon zo hard als ik kon met gebogen hoofd naar de madrassa te rennen. Ik kwam bij de zware houten deuren. Die stonden open. Ik bleef staan kijken en luisteren. Niets. Ik liep de hal in. Aan het plafond hingen zwakke gele tl-buizen. Er zaten gaatjes in het pleisterwerk. Wat waarschijnlijk ooit de trots en glorie van het koloniale Italië was geweest, was nu de ondergang nabij. Donkere houten deuren leidden naar links en rechts.

Het geluid van de schoten klonk hier gedempt. De kreten van opwinding en angst waren niet meer dan gemurmel. Ik liep verder het gebouw met hoge plafonds in. Als dit een school was, was er niets wat daarop wees. Er zaten geen kindertekeningen op de muren; uit niets bleek dat daar kinderen kwamen.

De deur van de eerste kamer die ik bereikte, stond open. Ik keek door de gang en zag dat veel van de andere deuren dicht waren. Deze kamer stond vol lage tafels. Ze kwamen amper een decimeter boven de vloer uit, en de bladen stonden scheef in de leesstand. Achter elke tafel lag een kussentje.

Ik stak de gang over naar een andere kamer. De scharnieren zaten aan de rechterkant. Ik hield mijn oor tegen het hout, maar hoorde niemand aan de andere kant. Ik duwde de deur open. In het zwakke licht van de tl-buizen kon ik zien dat de kamer leeg was. Ik liep naar de volgende. Mijn sokken vol zand schuurden over de houten vloer.

In deze deur zat een kijkgaatje. Er zat ook een lange grendel aan de bovenkant. Zo te zien werden de klaslokalen ook als cellen gebruikt; of misschien mochten de kinderen er pas uit als ze hun dagelijkse portie van het Goede Boek hadden geleerd. Ik hield mijn oor weer tegen het hout en ging naar binnen.

Niets.

Ik liep door de gang en keek nu alleen door de kijkgaatjes links en rechts.

Ik hoorde een stem. Een oudemannenstem, als banden op grind. Hij kwam uit de kamer voorbij de volgende. De deur stond op een kier.

Ik bewoog me heel langzaam, met mijn schouder dicht langs de muur. Toen ik dichterbij kwam, werd de stem krachtiger. Ik liet me op mijn knieën zakken en ging toen plat op mijn buik liggen. Voorzichtig bracht ik mijn hoofd naar de opening tussen de deur en de drempel.

De moellah hield een klein mesje, zo te zien uit de keuken, bij het rechteroog van Stefan. De man had zijn linkerarm om Stefans keel, zodat het lemmet van het mes tegen de wang van de kleine jongen drukte. Zijn rechterhand zat over de mond van de jongen.

De oude man zat in een stoel achter een bureau. Hij had de jongen voor zich als dekking.

Stefan was dan wel een mini-Frank, maar ik had Frank nog nooit met zo'n uitdrukking op zijn gezicht gezien. De kleine jongen was doodsbang. Zijn bruine ogen waren wijd open.

Ik stond op en liep naar voren met het wapen langs mijn zij.

'Spreek je Engels? Kom op, laat die jongen gaan. Laat Stefan gaan, ja?'

Ik sprak meer met mijn ogen dan met mijn mond. Hij blafte iets in dialect en toen begon hij te schreeuwen. Hij wilde niet dat ik dichterbij kwam.

Ik stopte en bleef hem recht aankijken. Dat was altijd het belangrijkste.

Ik keek hem bijna smekend aan. 'Kerel, je komt hier niet weg. Doe jezelf een lol en geef me de jongen.'

Ik stak mijn linkerhand uit. 'Geef hem aan me. Alsjeblieft.'

Ik glimlachte zelfs een beetje naar hem.

Stefans schouders schokten op en neer. Hij snikte in de handpalm van de moellah. De oude man boog zich naar voren, zodat zijn baard over het gezicht van de jongen viel. Hij schreeuwde hard tegen me.

Mijn ogen boorden zich in de zijne.

'Nick! Nick!'

Zo te horen stond Awaale bij de buitendeur.

Ik bracht mijn wapen naar mijn zij. 'Hoor eens, vriend, het is oké.' Ik wilde niet dat die kerel zich opwond. Ik ging een stap naar hem toe.

De ogen van de moellah gingen naar de deur waardoor ik was binnengekomen. Hij was niet zeker van zijn zaak. Hij begon zich zorgen te maken.

'Nick! We moeten weg!'

Ik hoorde flipflops en rennende voeten.

Awaale was bij de deur. Ik hoorde hem achter me.

'Nick!'

De oude man keek mij weer aan. Zijn ogen waren niet meer gespannen, niet meer onzeker. Hij wist dat hij verloren was. Ik keek strak naar zijn hoofd, bracht het wapen omhoog en hield het stevig in mijn linkerhand, terwijl hij zijn mes omhoog bracht, klaar om het in Stefans borst te rammen.

Stefan schreeuwde. De oude man greep zijn haar vast en trok zijn hoofd naar achteren.

Ik oefende de eerste druk op de trekker van de makarov uit, met mijn blik op de korrel aan het eind van de loop. Ik ving een glimp van jukbeenderen op en bewoog het pistool totdat ik het precies op het midden van het hoofd had gericht. Het achtervizier was wazig, zoals het moest zijn. Mijn wijsvinger drukte de trekker nog een paar millimeter verder in tot ik de eerste weerstand voelde.

Stefan spartelde. Het mes trilde in de lucht.

Ik sloot Awaale en alle achtergrondgeluiden buiten.

De oude man schreeuwde tegen me. Ik zag de aderen in zijn slaap opzwellen. Het speeksel vloog van zijn lippen.

Toen bracht hij het mes een fractie meer omhoog om er meer kracht achter te kunnen zetten.

Zijn hoofd en baard waren wazig. De korrel op de loop van mijn pistool was duidelijk te zien. Ik bracht de korrel omhoog tot net boven zijn linkeroog en drukte opnieuw op de trekker. Het mes begon omlaag te komen.

Het pistool schokte in mijn handen en het gezicht van de oude man implodeerde.

Hij viel als vloeistof neer. Het mes kletterde op de houten vloer. De jongen volgde het onder de tafel, schreeuwend, onbeheerst, opgerold als een klein, bedreigd dier.

Ik rende naar hem toe. 'Het is nu goed, Stefan. Het is nu goed...'

Ik moest hem onder de tafel vandaan trekken. Ik pakte hem op, dwong hem me aan te kijken en kreeg hem zover zijn benen om mijn middel te slaan.

'Ik heet Nick.'

Achter me was Awaale druk in zijn portofoon aan het praten.

'Hou je kop!'

'We moeten gaan, Nick.'

Ik keek Stefan recht aan. 'Ik heet Nick en ik ga je naar je mama brengen. Oké?'

Hij luisterde niet. Hij was helemaal van de kaart. Ik was alleen nog maar een van de vele monsters in zijn nachtmerrie. Hij zou veel hulp nodig hebben. Maar als zijn hersenen net zo in elkaar zaten als die van zijn vader, zou hij het waarschijnlijk wel redden.

'Kom, zullen we naar je moeder gaan?'

Ik wendde me tot Awaale. Vier van zijn mannen waren de kamer binnengekomen. Ik begon naar de deur te lopen.

'Nick, je hebt geluk gehad! Dat was een geweldig geluksschot!'

Ik had geen zin om het uit te leggen. 'Ja, ja. Laten we gaan. Waar zijn Tracy en BB?'

Er kwam een heleboel gepraat uit zijn portofoon. Hij stak zijn handen omhoog. 'Het gaat goed met ze. Kom. We moeten naar ze toe.'

Ik hield Stefan zo dicht mogelijk tegen me aan.

'Mammie... mammie... ik wil mammie...'

Terwijl ik mijn best deed hem te troosten, liepen we naar de chaos die buiten heerste.

8

De technicals waren van het terrein verdwenen. Tracy en BB ook. En er was duidelijk iets aan de hand bij de haven. Lichtspoorkogels vlogen vanachter het gerechtsgebouw door de lucht.

Awaale was al bij de obelisk en stond daar alsof hij vijftig kogelwerende vesten over elkaar aanhad.

'Nick, kom nou, we wachten.'

Ik liep langs twee van zijn mannen, die op het open terrein geknield zaten. Ze giechelden en kibbelden met elkaar, terwijl ze tegelijk probeerden een RPG met een granaat te laden. Er kwam nog steeds automatisch vuur van de randen van het plein.

Stefan klampte zich aan me vast, alsof hij probeerde met zijn benen de bloedsomloop in mijn middel af te sluiten. Ik greep hem stevig vast met mijn linkerarm. Op het moment dat we langs de stenigingskuilen kwamen, knalde de RPG achter ons. De mannen hadden het verprutst. Een fractie van een seconde later sloeg de granaat in de obelisk. Door de druk werd ik tegen de grond gegooid. Mijn oren galmden nog toen ik in een wolk van zand en metselstof overeind krabbelde.

'Niets aan de hand, Stefan. We zijn ongedeerd. We zijn er bijna. Bijna bij je mammie.'

Misschien hadden de mannen het niet verprutst. Misschien hadden ze op de obelisk gemikt. Wie zou het zeggen? Lachend renden ze naar ons toe. Ik vroeg me af of Awaale er de humor van had ingezien. Ik legde mijn handen onder Stefans dijen om over het open terrein te kunnen rennen.

Overal lagen lijken. Al-Shabaab, onze eigen mannen, het was moeilijk ze van elkaar te onderscheiden. Het lijk van Kalotje hing over het hek van de veranda. De donkere vloeistof die een plas onder hem vormde, glansde in het licht van de paar booglampen die nog niet kapotgeschoten waren.

Ik duwde Stefans hoofd tegen mijn schouder. Hij hoefde die rottigheid niet te zien. Hij had al genoeg ellende meegemaakt.

Ik volgde Awaale. Mijn keel was zo droog alsof ik zand had ingeslikt. Het was lang geleden dat ik iets had gedronken. Ik droogde uit.

We sloegen links af tussen het gerechtsgebouw en het omheinde terrein en gingen toen naar rechts. Aan het eind kruiste het steegje de havenweg. Ik was net de hoek om gerend toen ik een granaatspoor aan de voet van de helling zag. Het kwam onze kant op.

'RPG! RPG!'

Ik dook het steegje weer in en de granaat gierde ons voorbij, nog geen meter boven de grond. Hij trof de andere kant van het gerechtsgebouw en explodeerde.

'Het is niet ver meer. We zijn er zo.'

Stefan zei geen woord. Hij greep me nog steviger vast. Hij begroef zijn hoofd zo diep mogelijk in mijn schouder om weg te komen uit deze nachtmerrie.

Ik stak mijn hoofd om de hoek en riep: 'Awaale! Waar ben je? Laat ze ophouden! Niet over de weg! Niet over de weg!'

Het RPG-team dat de obelisk had verwoest, laadde opnieuw, giechelend van opwinding, en rende toen de weg op om het vuur van de kant van de haven te beantwoorden.

'Nee! Nee! Nee! Dat zijn jullie eigen mannen! Awaale!'

Ik hoorde zijn portofoon in een portiek verderop.

'Het is oké, Nick. Kom.'

Hij slenterde naar het midden van de weg en spoorde me met gebaren aan, alsof ik de boel aan het vertragen was. 'Kom op, Nick.'

'Zeg tegen die mannen dat ze moeten ophouden. Niemand mag over het midden van de weg schieten.'

'Het is oké.'

We hadden nog niet meer dan tien stappen over de helling afgelegd toen achter ons een RPG werd gelanceerd die naar het plein terugvloog. Ik werd heen en weer gegooid door de schokgolf en toen trok de hete luchtstroom over me heen. Mijn neus vulde zich met de bittere lucht van kruit en stuwstof. Mijn trommelvliezen gonsden.

Voor ons lichtten vuurflitsen op langs de hele lengte van de havenmuur. Wonder boven wonder gingen de lichtspoorkogels langs en over ons heen.

9

Toen we het strand naderden, zag ik de twee technicals. Ze waren van hun machinegeweren ontdaan. Awaale stond op de muur. Zijn portofoon ging helemaal door het lint. Ik hoorde alleen gejuich en geschreeuw en gekwetter.

'Kom, Nick, kom.'

Er kwamen geen kogels meer van de kant van de stad naar ons toe. De jongens hier hadden het gemakkelijk.

'Er zijn nog twee bootjes over, speciaal voor ons.'

Hij sprong aan boord van het eerste, samen met de twee jongens die bij de boot waren gebleven.

'Waar is Tracy? Waar is de moeder van de jongen?'

De rest van Awaales mannen klauterde in het bootje daarachter. Ze waren nog in de zevende hemel. Mobieltjes gingen af. Aanstekers vlamden op en sigaretten werden aangestoken. Ik hoorde het sissen van flessen die werden opengemaakt.

'Awaale. Kijk me aan.'

Hij luisterde niet. Hij praatte aan een stuk door tegen iedereen binnen gehoorsafstand.

'Awáále!' Ik had nu eindelijk zijn aandacht. 'Waar is de moeder van de jongen?'

'Die zit in de andere boot. Geen probleem.'

'Weet je zeker dat ze veilig aan boord is?'

'Ja, natuurlijk. We moeten ze in veiligheid brengen. Ze is bij die man.'

'En die twee andere blanke mannen? Zijn die ook aan boord?'

'Die zitten op een andere boot. Erasto wil vooral hen graag hebben.'

Ik gaf Stefan aan hem door. Er kwam een grote grijns op Awaales gezicht. 'Hallo, grote man.'

Ik wist niet of het kwam door wat hij zei, of door die angstaanjagende horrorglimlach, maar in elk geval zette Stefan een keel op en stak hij zijn armpjes weer naar mij uit. 'Mammie! Ik wil mijn mammie!'

Awaale klopte op zijn hoofd en gaf hem terug. 'Het duurt nu niet lang meer. We zien haar gauw.'

De motoren maakten toeren en we voeren de duisternis in. Het RPG-team achter ons lanceerde een laatste granaat. Als ik op hun hilariteit mocht afgaan, deden ze dat alleen maar voor de lol. De granaat trof een van de lage gebouwen aan het strand.

Ik nam de middelste bank. Stefan zat op mijn knie, zijn benen over de zijkant maar zijn gezicht tegen mijn borst.

Ik wendde me weer tot Awaale. Hij vond het niet zo geweldig om weer op zee te zijn. Hij zat rechts van de buitenboordmotor op de vloer, zijn knieën opgetrokken.

'Awaale, dat was een goeie.' De man aan het roer liet de motor meer toeren maken om door de branding heen te komen, dus moest ik schreeuwen: 'Een hele goeie. Kunnen we deze jongen dan nu naar zijn moeder brengen? Ik wil ze bij elkaar hebben voordat we op het vliegveld zijn.'

Awaale rolde zich op als een bal. 'Ze zijn daar ergens. Het is geen probleem.'

'We zijn er nog niet, vriend. Zorg dat je mannen de lichten aan hun linkerkant houden. We moeten naar het noorden. Laten we iedereen bij elkaar houden. Beheers ze, Awaale.'

Awaale hees zich overeind en praatte in de portofoon. Zes verschillende stemmen probeerden tegelijk te antwoorden. Ik liet het aan hem over en haalde mijn iPhone tevoorschijn. Ik had één bericht op mijn voicemail.

'Goedenavond, meneer Stone. Met Henry. Ik bel even over dat appartement van u. Kunt u me terugbellen wanneer het u schikt? Dank u.'

Ik had een beetje met Henry te doen. De commissie die hij op een huis van 150.000 pond verdiende, was toch al niet om over naar huis te schrijven, maar vier procent van niks was helemaal een afgang. Ik belde Frank.

Die nam bijna meteen op.

'Ja?'

'Goed nieuws. Ik heb Stefan bij me. Tracy zit in een andere boot. We...'

'Is hij ongedeerd?'

'Ja. Hij is getraumatiseerd, maar lichamelijk is hij helemaal in orde.'

'Kan ik met hem praten?'

Ik hield de iPhone bij Stefans oor. 'Het is papa.'

Hij keek op. Hij geloofde me niet, maar pakte de telefoon met beide handen aan. 'Papa! Papa!'

Op de boot ging een koor van 'ooo' en 'aaah' op, en toen begon hij in het Russisch te praten. Hij struikelde bijna over zijn eigen woorden.

Ze praatten enkele minuten, terwijl Awaale iemand over de portofoon de huid volschold. De twee mannen in de boeg waren met hun mobieltjes bezig. Ze zogen op hun tanden en staken vingers op.

We hadden de lichten van Marka achter ons gelaten. Er was nergens land te zien. De andere bootjes zagen we ook nergens. We hobbelden over het laatste stukje branding heen en kwamen in de zwaardere golfslag.

10

Zeven of acht lichtspoorkogels vlogen de lucht in. Een seconde later hoorden we het geratel van de buitgemaakte 12.7.

'Daar is ze, Nick. De moeder van het kleintje.'

Onze boot draaide in de richting van een tweede salvo. De schroef kwam even uit het water toen de boot door een golf werd opgetild. De buitenboordmotor gierde.

Stefan hield de iPhone bij mijn gezicht. 'Papa wil met je praten.'

'Op het vliegveld is alles gereed. Hoe lang duurt het voor je daar bent?'

'We komen net weer bij elkaar. Ik weet niet precies waar we zijn. Maar ik denk dat we over twee uur bij het vliegveld zijn, misschien drie.'

'Heel goed, Nick. Er staat transport te wachten op het vliegveld van Malindi. De piloot heeft de gegevens.'

'Ik bel je voordat we opstijgen.'

Het werd even stil.

'Nick, dank je. Heel, heel erg bedankt.'

'Bedank me nog niet. We dobberen nog ergens in het niets.'

Er werd weer een salvo afgeschoten. Stefan sloeg zijn armen om me heen. Ik keek op hem neer. 'Het is niet erg, jongen. Het vertelt ons alleen waar je mammie is.'

'Wat gebeurt er?' blafte Frank.

'Alles gaat goed. Ze laten ons alleen zien waar Tracy is. Ze zit op een andere boot. Wil je met haar praten als we bij elkaar zijn?'

Dat was een gemakkelijke vraag voor hem. 'Zij en ik praten later, Nick. Ik weet dat jullie nog niet in veiligheid zijn – dat begrijp ik – maar ik wil je toch bedanken.'

'Goed. We spreken elkaar gauw weer, oké?'

Ik stopte de iPhone weer in mijn zak. We naderden de andere boot. Ze trakteerden ons op nog een vuurwerkshow, al waren we nog maar tien meter bij hen vandaan. De loopflits van de 12.7 wierp zijn schijnsel op de passagiers. BB zat bij de motor, met een gezicht als een donderwolk. 'Hou op met die pokkenherrie, stelletje idioten! Ze zitten al zowat boven op ons!'

Stefan greep me nog steviger vast.

In al het tumult had ik het nog niet gemerkt, maar hij stonk een uur in de wind. Wij allemaal, waarschijnlijk.

'Daar is je mammie. Je zult haar zo meteen zien, oké?'

Hij knikte tegen mijn borst. 'Mammie?'

'Ja. Straks. Kijk.' Ik wees naar het donkere silhouet dat vijf meter bij ons vandaan op de golven dobberde.

De twee jongens in de boeg stopten hun mobieltjes weg en pakten de zijkant van de andere boot vast. We lagen nu naast elkaar. Tracy boog zich al met uitgestrekte armen naar ons toe. 'Stefan!'

Hij spartelde bijna uit mijn armen los. 'Laat me je helpen, jongen. Het is een beetje laat om te zwemmen.' Het laatste wat ik wilde, was dat hij tussen de twee boten in viel.

De 12.7 die op de technical had gestaan, hing nu over de boeg van Tracy's boot. Het was duidelijk de beurt van Sterrenbril om de trekker over te halen. Hij kon zijn geluk niet op. Overal op het dek lagen lege patroonhulzen.

Ik hees de jongen over de zijkant. Tracy greep hem vast en viel bijna achterover in haar boot. Sterrenbril hield haar in evenwicht en liet hen beiden op de middelste bank zakken.

Algauw zaten ze als met lijm aan elkaar vastgeplakt, huilend in elkaars haar. Ze trok zich terug en aaide zijn wang. 'Het komt goed, jongen.' Toen Sterrenbril zijn aansteker gebruikte en iets aanstak wat sterker rook dan een sigaret, zag ik haar gezicht in de duisternis.

'Nick...' Ze wilde nog meer zeggen, maar haar snikken waren plotseling het luidruchtigste op dat deel van de oceaan.

BB had genoeg van die onzin. 'Hé, die twee andere klootzakken zijn daar nog ergens. Hoe moeten we ze ooit vinden?'

Ik keek Awaale weer aan. Hij was aan het bellen. 'Nick, is alles in orde op het vliegveld? Het geld?'

'Alles is klaar. Maar waar zijn die twee anderen?'

Hij gaf geen antwoord. In plaats daarvan was hij druk in de weer met zijn telefoon. En hij keek niet blij.

'Awaale, jullie hebben die twee anderen toch wel?'

BB schoof over het dek naar me toe. 'Wat is er?'

'Die twee andere kerels. Ik geloof dat het Georgiërs zijn. Spreken ze Engels? Hebben jullie iets uit ze los gekregen?'

Hij schudde zijn hoofd. 'We mochten niet praten. Maar wat doet het ertoe?'

Hij stonk net zo erg als Stefan.

'We gaan voor Frank uitzoeken wie ze zijn en dragen ze dan over aan die kerels. We denken dat ze de broer van de baas van de clan hebben vermoord.'

Ik zweeg over Janet. Dit was niet het moment waarop Tracy dat moest horen. Ze had al genoeg aan haar hoofd.

11

Awaale was klaar met telefoneren. 'Oké. We gaan nu uit elkaar.' Hij praatte tegen de mannen en ze duwden ons weg.

Erasto was slim. Dat was waarschijnlijk de reden waarom hij op het punt
stond nog rijker te worden. Die drie gingen pas aan land als Awaale had
bevestigd dat het geld op het vliegveld van Mogadishu was en dat de zaak
rond was.

Ik hoorde moeder en kind nog tegen elkaar snikken toen hun boot door
de duisternis werd opgeslokt.

'Tracy! Het komt goed. We gaan allemaal naar het vliegveld. Daar staat
een vliegtuig te wachten. We zijn gauw weer bij elkaar. Nog een paar uur.
Ik moet er nu voor zorgen dat alles in orde is wanneer we daar aankomen.
BB zal voor je zorgen.'

'Ik heet Justin, verdomme,' bromde BB.

We voeren verder bij de kust vandaan. Intussen leefde Sterrenbril zich
nog uit op de 12.7.

Awaale zette zijn portofoon aan en wel tien verschillende stemmen
kwetterden terug.

Achter ons ging weer lichtspoor de lucht in.

'Zie je dat, Nick? Straks zijn we allemaal bij elkaar. Maar eerst moeten we
er zeker van zijn dat het geld er is. Ik zou mijn hand voor jou in het vuur
steken, maar Erasto... Hij kent jou niet zo goed als ik.'

Ik draaide me niet naar hem om. 'Vriend, het geld zal er zijn, maar ik zou
me veel beter voelen als we wisten waar Nadifs moordenaars zijn. Heb je
contact gelegd?'

Hij moest schreeuwen, want we gingen harder varen. 'Maak je geen zorgen, Nick. Ik maak me geen zorgen. Ik maak me nergens zorgen over. Wij
kennen de zee. Ik ben blij. Ik ben een geweldige commandant. Iedereen
praat over me. Iedereen weet van de aanval. Zelfs Lucky Justice zal er gauw
over horen.' Hij knikte. 'Jazeker.'

Een van de mannen zat ineengedoken in de boeg, uit de wind. Hij
praatte opgewonden in zijn mobieltje.

Ik ging dichter naar Awaale toe. 'Dat is fantastisch nieuws, vriend, maar vergeet niet: succes kweekt vijanden. Nu je de grote held bent, moet je voorzichtig zijn. Sommige mensen houden er niet van om in de schaduw gesteld te worden. Weet je wat ik bedoel?'

We deinden op de golven. Ik wist niet of we in de juiste richting gingen.

Hij dacht na over wat ik had gezegd en knikte ten slotte. 'Je hebt gelijk, maar ik ben een Somaliër. Wij weten die dingen. Erasto zal niet blij zijn. Zodra hij het geld heeft, zal hij proberen me te laten vermoorden. Maar dan ben ik sneller dan hij. Mijn vader zal me raad geven. Iedereen houdt van me omdat ik zo'n geweldige strijder ben, net zoals mijn vader was. Dank je, Nick.'

Ik glimlachte beleefd. Ik werd die avond wel veel bedankt. Dat voorspelde niet veel goeds.

12

Die kerels waren geboren vissers. Ik had niet aan hun zeemanschap moeten twijfelen. Twee uur later zag ik de lichten van de stad over de boeg. We kwamen uit het oosten. Ik wist niet hoe ver we de zee op waren gegaan voor die ontmoeting met Tracy, maar dat deed er nu niet meer toe. Het ging er nu alleen om dat haar boot ook in Mogadishu aankwam. En die van Ant en Dec? Ik had nog steeds geen idee.

Awaale kwam overeind nu hij land kon zien. Het grootste deel van de tijd had hij opgerold op het dek gelegen, met zijn handen om zijn buik geklemd. 'Ik zei het toch? Je hoeft je nergens zorgen over te maken, Nick. Iedereen is nu veilig.'

We naderden het vliegveld. De startbaan was verlicht als het landings-platform van een ufo. We zetten koers naar het deel dat de zee in stak. Toen we dichterbij kwamen, zag ik twee technicals. De mannen die daarop zaten keken opgewonden naar ons. Hun nieuwe held kwam thuis. Er hing verandering in de lucht.

Awaale nam zijn portofoon. Toen haalde hij zijn mobieltje tevoorschijn. 'Zie je wel, Nick? Iedereen houdt van mij.'

We trokken de bootjes het strand op. Het prikkende zoute water herinnerde me eraan dat ik een dag op mijn sokken had gelopen en dat ik daardoor lelijke schrammen op mijn voeten had gekregen.

De bestuurder van de technical schreeuwde iets naar ons in het felle schijnsel van zijn eigen koplampen. Hij dacht dat hij hielp, maar hij verblindde ons alleen maar. We gingen op de tast over de rotsen omhoog en klauterden naar de startbaan.

We klommen achter in de technical, om de bungelende munitiegordel van de 12.7 heen, en reden tussen de twee rijen landingslichten door die bij de terminal leken samen te komen.

De bestuurder stak zijn hoofd uit het raam en schreeuwde naar Awaale, die recht achter de cabine in de laadruimte zat. Awaale boog zich naar voren en gaf hem een uitgebreid verslag, compleet met geluidseffecten: 'Boem, boem, boem.' Toen boog hij zich nog meer naar voren om de man een high five te kunnen geven. Het gaspedaal bleef helemaal ingedrukt.

Het leek wel of de man probeerde op te stijgen. Overal om me heen waren de jongens aan het bellen. Ze vertelden grote verhalen.

Door de ingebouwde lampen in de dakruimte leek het net of het pasgeschilderde terminalgebouw aan zijn eigen sterrenstelsel hing. Er stond een Cessna Cargomaster voor, met een bewapende technical ernaast. Verderop stonden twee gesloten Yemeni-lijntoestellen.

Honderd meter daarachter stond nog een technical geparkeerd. De koplampen van de Toyota waren gericht op een Skyvan die daar in de buurt stond. Dat transporttoestel, al dertig jaar achtereen winnaar van de prijs voor het Lelijkste Vliegtuig ter Wereld, was in feite een treinstel met een opening aan de achterkant waaruit je een vrije val kon maken, en vleugels met motoren aan weerskanten. De twee propellers hadden sinds de jaren tachtig overal op de wereld gedraaid, dit moest een van de oorspronkelijke modellen zijn. De H-vormige staartroeren werden met isolatieband bijeengehouden.

Awaale wees naar de technical naast de Cargomaster. 'Erasto. Hij komt voor het geld. Ik wil hem niet teleurstellen, Nick.'

'Ik ook niet, vriend. Ik ook niet. Maar hoe zit het met Erasto? Zal hij míj teleurstellen?'

Hij keek me vanaf de andere kant van de laadruimte aan. De loop van de 12.7 stak tussen ons in. Ten slotte bracht hij zijn handen omhoog en haalde hij zijn schouders op. 'Ik kan niet in zijn hoofd kijken.'

Ik duwde de koude stalen loop omhoog om die belemmering tussen ons weg te nemen en boog me over de laadruimte. Ik wilde dat Awaale elk woord hoorde van wat ik nu ging zeggen. 'Die twee andere blanke mannen, de jongen en de vrouw zijn belangrijk. Ze zijn belangrijk voor iemand die zo snel met zoveel geld kan komen. Die persoon heeft me verteld dat hij de oorlog aan jullie allemaal verklaart als dit misgaat. Als dat gebeurt, gaan jullie allemaal naar de bliksem. En dat terwijl jullie al problemen genoeg hebben. Lucky Justice is geen grote fan van jullie en nu krijgen jullie ook nog al-Shabaab achter jullie aan. We moeten dit erg soepel laten verlopen, vriend. Dat is in ons beider belang.'

Ach, na alles wat er was gebeurd kon ik niet meer verbergen dat er veel geld beschikbaar was. Ik had Erasto's verwachtingen willen temperen, maar daar kwam nu niets meer van terecht. Dat zul je altijd zien: je lost het ene probleem op en het volgende dient zich alweer aan.

'Nick, ik maak geen problemen. Geloof me.'

'Je hebt familie in de Verenigde Staten, nietwaar? Dan moet je voorzichtig zijn, vriend, want mijn opdrachtgever kan bij ze komen. Evengoed wil hij alleen maar zijn gezin terug. Hij krijgt wat hij wil, en jullie krijgen wat jullie willen. Iedereen blij. Ja?'

Awaale knikte. 'Ik begrijp het, Nick. Maar je hoeft me die dingen niet te vertellen. Je bent mijn vriend.'

'Jij bent ook mijn vriend, Awaale. Maar laten we het niet verknoeien nu we zo dicht bij de finish zijn. Oké?'

Awaale glimlachte en leunde achterover. De wind streek door zijn haar. Ik vertrouwde hem nog steeds voor geen cent. Het was nou niet bepaald zo dat we al vriendjes waren vanaf de lagere school. We gingen langzamer rijden. We waren bijna bij de terminal.

Awaale boog zich weer naar me toe, met zijn hand tegen de zijkant van zijn mond, alsof we samenzweerders waren. 'Nick, mijn geld... Ik zal het nodig hebben om voor de trouw van mijn mannen te betalen als ik de clan overneem.'

'Eén ding tegelijk, vriend. Laten we opstijgen voordat jij Mogadishu verovert.'

Hij glimlachte en dacht even na. 'Ik zal het wat tijd geven. Ik zal Erasto natuurlijk die twee mannen laten doden. Dat gun ik hem wel.'

13

De tweede technical stond tegenover de Cargomaster en hield zijn 12.7 op het toestel gericht. We stopten ernaast. De derde kwam aanrijden vanaf de Skyvan. Bob Marley zong luider en luider naarmate de wagen dichterbij kwam. De koplampen wierpen schaduwen om de Cargomaster heen. Omdat het ruim geen ramen had, zag ik alleen Joe op de linkerplaats zitten. Ik probeerde hem met een gebaar duidelijk te maken dat alles in orde was. Hij draaide met zijn hoofd achter het perspex. Ik wist niet of hij het had gezien.

De Bob Marley-fan sprong met een pak Amerikaanse dollars achter het stuur vandaan. Hij stak het geld door de sigarettenrook die uit het achterraam van de andere dubbele cabine kolkte.

'Kom, Nick, kom. We gaan met Erasto praten.'

We gingen de dollars achterna. Erasto zat midden op de voorbank, met zijn armen over de rugleuning.

Awaale praatte een eind weg en Erasto knikte langzaam. Maar hij was niet blij. Hij wees met zijn sigaret naar de Cargomaster en begon te praten.

Awaale keek mij weer aan. 'Erasto zegt dat de mannen in het vliegtuig hem het geld niet willen laten tellen. Ze zeggen dat ze het zullen verbranden als we aanvallen of aan boord proberen te komen. Het geld zit in... Wacht even, Nick.' Hij vroeg de baas iets te verduidelijken en wendde zich toen weer tot mij. 'Ze zeggen dat het geld in zakken zit die in brand staan?'

'Nee, zakken die in brand kunnen vliegen. Alles wat erin zit, gaat dan in vlammen op. Dat moet voorkomen dat geld en waardevolle papieren worden gestolen.'

Awaale keek beledigd. 'Erasto wil dat je met hen gaat praten. Zeg tegen hen dat het geld moet worden geteld voordat hij iemand aan land laat komen. Zodra hij het geld heeft, Nick, is er geen probleem meer. Dan komen ze hierheen.'

Voor zover ik wist zou Erasto best eens andere ideeën kunnen hebben.

Onderweg naar het vliegveld had hij misschien bedacht dat hij van twee walletjes kon eten.

Ik knikte, draaide me om en liep naar de Cargomaster, met Bob Marley op de achtergrond. De man die achter in Erasto's wagen over de 12.7 hing, zong uit volle borst mee.

Joe boog zich opzij om de cockpitdeur open te maken. Hij had zijn AK op zijn schoot.

Ik stapte in. In het zwakke licht zag ik Casanova – die aan het telefoneren was – en Dzjengis in het ruim zitten. Ze waren gekleed op oorlog: groene camouflagepakken en kogelwerende vesten. Casanova droeg een zwart en Dzjengis een groen vest. Ze hadden de beschermplaten er zowel aan de voor- als aan de achterkant in gestoken. Hun M4-geweren hadden een telescopische handgreep, een aparte vuurgreep en een loop van 25 centimeter voor de korte afstand. Franks jongens hadden geen spullen uit het oosten: voor hen was alleen het nieuwste Amerikaanse materieel goed genoeg. Het was veelzeggend dat de magazijnzakken op hun vesten aan slijtage onderhevig waren. Ze hadden dit al vaker gedaan. Ze zagen eruit alsof ze ervoor in de wieg gelegd waren.

Bij hun voeten stonden twee zwarte nylontassen. Daar staken dikke staaldraden uit, met een trekring aan het eind. Casanova en zijn vriend waren op alles voorbereid. Ze hadden sixpacks met tweeliterflessen water, een verbrandtrommel ter grootte van een rugzak, grote plastic ritstassen met extra zoutoplossingen en veldverband. In andere tassen zaten bergen chapati's en bananen en er waren literpakken met melk.

Zoals altijd was Joe de politieke correctheid zelve. 'Die verrekte flipflops, man. Ik zei het toch: je moet ze nooit vertrouwen. Als die twee achterin er niet waren geweest, hadden ze nu het geld gehad. En ons ook. Ze wilden het tegen die kerels opnemen. Jullie zijn allemaal stapelgek, man. Stapelgek.'

Het zag ernaar uit dat Erasto andere plannen had en dat die twee kerels hem in de weg hadden gezeten.

Casanova kwam naar voren om door de perspexruiten naar de technicals te kijken. Hij praatte in het Russisch in zijn mobieltje.

Joe keek me aan. 'Je ziet er beroerd uit, man. Waar zijn je schoenen? Hebben die verrekte flipflops die ook gestolen? Waar zijn de drie anderen? We hoorden dat jij ze hebt. Waar zijn ze? Ik wil hier weg, man. Het is een nachtmerrie.'

'Ze komen eraan, vriend.' Ik keek Casanova in de zwakke cockpitverlichting aan. 'Zeg tegen Frank dat ze het geld willen tellen voordat ze Tracy, Stefan en Justin aan land willen laten komen. Zeg tegen hem dat alles in orde is. En stop daarna je mobieltje weg, we moeten aan de slag.'

Ik keek weer in het ruim. 'Spreek je Engels?' Dzjengis schudde zijn hoofd en strekte langzaam zijn benen. Die jongen lag er zo relaxt bij dat hij bijna letterlijk horizontaal lag.

Casanova knikte me toe. 'We zijn klaar. Ik vertrouw die oude man niet.'

'Ik ook niet, vriend. Ik ga een van hen hierheen brengen. We laten hem het geld tellen en dan wachten we tot iedereen is afgeleverd. Zolang zij ons hier houden, houden wij het geld. Die zakken achterin, kunnen die echt in brand vliegen?'

Casanova praatte met Dzjengis. Die maakte de zakken open en liet de in krimpfolie verpakte bundels honderdjes zien. Daarbovenop stonden twee zwarte plastic dozen van ongeveer twintig bij twintig centimeter. Uit de hoek van elk daarvan stak dik staaldraad. Er zaten er twee in elke zak, voor het geval er een niet tot ontbranding kwam.

Frank gebruikte die dingen waarschijnlijk voortdurend om ervoor te zorgen dat niemand bij informatie kon komen die hij niet met anderen wilde delen. Kennis is immers macht. Als aan de ring werd getrokken, stonden de brandbommen op scherp. Het middel dat werd gebruikt was magnesium, dat brandde ongelooflijk snel. Het probleem was – vooral wanneer er twee in elke zak zaten – dat ze bleven branden en dus ook het vliegtuig zouden verwoesten.

Casanova was beslist niet in de stemming voor compromissen. En al was hij dat wel, dan wekte zijn diepe gromstem een heel andere indruk. Hij was net zo koud en nuchter als zijn baas.

'Als ze ons proberen te belazeren, verbranden we het geld.'

14

Joe was niet onder de indruk. 'Jezus, man. Ik wil gewoon mijn vliegtuig hier weg hebben, met iedereen aan boord.'

Casanova was weer bij Dzjengis gaan zitten. Joe draaide zich om en wees naar de twee mannen. 'Man, er moet toch een andere manier zijn dan wat zij van plan zijn. We moeten erover nadenken.'

Joe besefte niet dat die twee mannen er heel goed over hadden nagedacht. Als ze moesten vechten, kon het hun niet schelen hoe het ging.

Joe draaide zich weer om naar de cockpit. 'Allemachtig, man, haal die flipflop aan boord en laat hem tellen. We moeten opschieten.'

'Ja, straks, vriend. Oké, iedereen luisteren. Het plan is als volgt: die kerel komt aan boord en telt het geld. Zorg ervoor dat hij de brandbommen ziet. Hij gaat naar de oude man terug en geeft hem groen licht. Als het dan nog misgaat en ze het geld willen afpakken, gaan we vechten. We rennen op zijn wagen af en gaan daarmee naar het eind van de startbaan. Daar ligt een boot. We varen de zee op en gaan op zoek naar de andere bootjes. We varen door tot het licht wordt, en we blijven zoeken. Dat is het enige wat we kunnen doen.'

Ik wachtte tot Casanova dat voor Dzjengis had vertaald, en toen deed ik de deur open. 'Heb je dat, Joe?' Ik stak mijn been naar buiten. 'Je bent nu vast wel blij dat ik je AK niet heb meegenomen, hè?'

'Ja, maar hoe moet het dan met mijn vliegtuig, man?'

'Dat brandt tot de grond toe af als die zakken met geld in de fik gaan. Dus je moet maar hopen dat er niets misgaat.'

Hij knikte, maar was niet helemaal overtuigd.

Ik had nu beide voeten op het beton. 'Awaale!' Ik wenkte hem naar me toe. 'Kom hier, vriend. Ga tellen.'

Hij knikte. Iedereen zou graag zoveel geld in handen willen hebben, al was het alleen maar om het te tellen.

'Schiet op, vriend, ga naar binnen.'

Ik maakte de deur open en volgde hem. Hij liep naar links, het ruim in. Ik ging naar de stoel aan de rechterkant en sloot de deur.

De zakken werden opengemaakt en Awaale begon te tellen.

Ik gaf Dzjengis een teken dat hij water en voedsel moest brengen.

Het is verrassend hoe klein een miljoen dollar lijkt als het in honderdjes is opgedeeld. Meestal zijn het bundels in krimpfolie van ongeveer twintig centimeter hoog. Zes pakjes zijn een miljoen en wegen ongeveer tien kilo.

De twee eerste liters vloeistof voelden helemaal niet aan alsof ze naar binnen gingen. Ik propte zo snel mogelijk brood en bananen in mijn mond en kreeg toen zo erg de hik dat ik alles moest wegspoelen met nog een fles.

Awaale dacht dat hij ook iets zou krijgen, maar Casanova gromde naar hem: 'Niet eten. Alleen tellen.'

Awaale had dit vaker gedaan. Hij pakte de bundels op en vergewiste zich ervan dat ze even groot waren. Hij sneed met zijn duimnagel door de krimpfolie om de bankbiljetten van elk pak zichtbaar te maken. Op die manier constateerde hij dat niemand de honderdjes door briefjes van een dollar had vervangen.

Casanova en Dzjengis keken vol minachting toe.

Ik mompelde met mijn mond vol brood: 'Het extra geld, hebben jullie dat ook?'

Casanova praatte tegen Dzjengis. Die viste een pakje geld uit zijn tas en maakte aanstalten het naar mij toe te gooien.

'Nee, nee. Niet voor mij.' Ik wees naar Awaale. 'Het is voor hem.'

Het geld werd met dezelfde minachting naar Awaale toe geworpen. Het trof Awaale hard op zijn schouder. Dat kon hem niet schelen. Het verdween achter zijn broeksband. Hij hield zijn magere buik in om het te camoufleren en trok zijn oude shirt over het pakje heen. Toen draaide hij zich naar me om. 'Dank je, Nick.'

Weer een woord van dank. Ik wou dat ze daarmee ophielden.

Algauw was hij tevreden in twee opzichten: Erasto's geld en het geld voor hemzelf en zijn vader. Hij zat nog op zijn knieën. 'Alles is in orde.'

'Oké, ga het Erasto vertellen. Zeg tegen hem dat die pakjes nog steeds in brand kunnen vliegen. Wat gebeurt er nu?'

'Dat is gemakkelijk. Erasto zal tegen me zeggen dat ik de boten naar de wal moet laten komen. Dan worden jullie herenigd.' Hij keek de twee anderen glimlachend aan. Zo te zien waren ze net zomin onder de indruk als Joe.

'Weet je zeker dat je die verrekte flipflop kunt vertrouwen?' zei Joe. 'Hoor eens, man, er ligt daar veel geld. Als die twee helden achterin eenmaal gaan schieten, zitten we diep in de stront.'

Ik bleef Awaale aankijken. Hij had zijn rug naar me toe gekeerd en zat nog op zijn knieën.

'Awaale, zodra we iedereen hier in het vliegtuig hebben en we naar de startbaan taxiën, geven die twee het geld over. Het wordt door de deuropening naar jullie toe geworpen. Oké?'

Hij knikte. 'Geen probleem, Nick.'

'Maar vergeet niet: als er iets misgaat, schieten die twee kerels op jou en Erasto. Het kan ze geen moer schelen, vriend, en ik kan ze niet tegenhouden. Weet je nog wat ik je over een oorlog heb verteld? Als het misgaat, komen er hier veel meer dan die twee.'

Awaale stond op. Hij moest bukken om niet met zijn hoofd tegen het plafond te stoten. 'Nick, geen probleem. Maar vergeet niet: Erasto wil die twee andere blanke mannen.'

'Ja, maar pas wanneer ik klaar met ze ben.'

Casanova zei iets tegen Dzjengis. Dit was een deel van het afsprakenpakket dat hun wel aanstond.

Dzjengis maakte de deur van het ruim open en Awaale werd min of meer uit het vliegtuig gegooid. Hij controleerde of zijn geld nog veilig op zijn plaats zat.

Ik bleef waar ik was. Casanova en Dzjengis bleven in dekking aan de zijkant van het vliegtuig. Met hun wapens in de aanslag mompelden ze tegen elkaar in het Russisch. Ze wachtten af wat Erasto zou doen nu er echt drie miljoen dollar op maar een paar meter afstand lag te wachten. Drie miljoen dollar die in rook zou opgaan als hij probeerde het af te pakken. Hopelijk dacht hij dat hij zich maar het beste gewoon aan de afspraken kon houden.

Ik hoorde dat er veiligheidspallen van M4's werden overgehaald. Meteen daarop was het klikgeluid te horen waarmee de veiligheidshendel van Joe's wapen op de automatische stand werd gezet.

Buiten gingen mobieltjes over. Bob Marley zong gewoon door. De twee achterin mompelden weer zachtjes.

'Vergeet niet, jongens: jullie houden de zaak onder schot. Ik ga naar de wagen.'

Terwijl ik weer op de plaats aan de rechterkant ging zitten, liep Awaale naar de dubbele cabine van Erasto's technical.

Plotseling veranderde de reggaemuziek in Arabisch gejammer. Ik zag dat Awaale zich druk pratend door het raam naar binnen boog. Ten slotte knikte hij en kwam hij naar me terug. Hij keek niet blij, stak zijn handen omhoog en haalde op een overdreven manier zijn schouders op.

'Wacht... wacht. Niet voordat zij als eersten schieten.'

Ik zette de deur van de cockpit zo ver open dat hij erdoorheen kon praten.

'Nick, we hebben een probleem. Erasto zegt dat het niet genoeg is.'

Ik boog me omlaag. 'Wat? Wat lul je nou? Dat was de afspraak, Awaale. Je weet dat het de afspraak was.'

Casanova vertaalde het voor zijn collega en de twee jongens achterin stoven op.

Het grommen zwol bijna aan tot bulderen. 'We gaan nu, we gaan nú.'

Awaale schudde wild met zijn hoofd. 'Wacht, wacht!' Hij wist wat er zou komen. 'Alles is in orde. Het is alleen de belasting, de luchthavenbelasting. Erasto zegt dat jullie de belasting moeten betalen.'

Joe blies met zijn antwoord bijna de ramen uit hun sponningen. 'Jezus christus, man, willen jullie nog eens driehonderd dollar?'

Awaale keek hem aan alsof het een volkomen redelijk verzoek was. 'Ja. Jullie moeten de belasting betalen.'

Terwijl Casanova dat vertaalde, schoot ik onwillekeurig in de lach. Awaale moest ook lachen, en toen iedereen.

15

Aan het lachen kwam een eind toen Joe de envelop gaf en Awaale de inhoud stond te tellen.

'Laat je nu de bootjes aan wal komen, vriend, of hoe zit dat?'

Awaale draaide zich weer om en zwaaide met de envelop naar de technicals. De koplampen van die van Erasto flitsten. Awaale pakte zijn mobieltje. Er volgde een kort en zakelijk gesprek. Toen zei hij: 'Het is natuurlijk oké, Nick. De boten komen er nu aan. Je ziet het: alles is in orde.' Hij knipte met zijn vingers.

Ik begon uit te stappen.

'Ja, vriend, het is allemaal in orde. Ik wil met je meekomen en die kerels blijven hier met het geld. Goed?'

Hij was al op weg naar de technicals. Zodra ik beide voeten op de grond had, leunde ik tegen het vliegtuig. 'Luister, jongens. De afspraak is: ik krijg tien minuten met de twee Georgiërs, of wat het ook maar zijn. Maar ik wil niet langer aan de grond blijven dan nodig is. Wat vinden jullie ervan?'

Ik keek naar degenen die Engels verstonden. Ze knikten.

'We gaan ervandoor zodra iedereen aan boord is. Ik weet niet wat die klootzakken gaan doen. Misschien proberen ze ons evengoed gevangen te nemen om nog een rondje geld op te halen. Dat idee komt vast wel bij ze op. Maar ik heb nog veel te doen als dit achter de rug is. Ik moet hier zo snel mogelijk weg. Daarom ga ik nu naar de technicals. Ik haal die twee blanke mannen op en grijp ze. In de tussentijd moeten de anderen bij jullie terugkomen. En dan gaan we er gewoon vandoor, akkoord?'

Joe deed er niet lang over om zijn stem uit te brengen. 'Akkoord, man.'

Casanova vertaalde het. Dzjengis en hij knikten allebei. 'En als ze geen Engels spreken? Wat ga je dan met ze doen?'

'Dat zie ik dan wel weer.'

Awaale was weer op de laadruimte geklommen. Hij stond naast de 12.7. 'Nick, kom, kom!' Hij moest schreeuwen om zich boven de muziek uit verstaanbaar te maken.

Ik rende naar hem toe en klom in de wagen. Ik ging aan de andere kant van het geschut staan en hield me eraan vast.

Erasto's wagen bleef op dezelfde plaats staan. Er kwam nog steeds rook uit de achterramen.

We reden met schetterende muziek en met groot licht over de startbaan. De luchtstroom was precies wat ik nodig had. Ik voelde me beroerd. Grijnzend als een psychopaat ging Awaale na of het geld nog wel stevig onder zijn shirt zat. 'We zijn er bijna, Nick. Op een dag kom je naar Minneapolis en dan breng je een bezoek aan mijn vader. Dan kom ik ook. Ik zal je bellen, ja?'

'Ja, dat zou geweldig zijn, vriend.'

Hij was een beste kerel, maar ik was voorlopig niet van plan om aan te pappen met de man die de Black Hawk had neergeschoten. Dat wil zeggen: als dat verhaal waar was, want iedereen in Somalië zou die treffer voor zich op willen eisen.

'Awaale, jongen, breng eerst die twee blanke mannen naar me toe.' Ik moest tegen de wind in schreeuwen. 'Ze zijn hier toch?'

Hij rolde met zijn ogen alsof ik de zoveelste domme vraag had gesteld.

'Goed. Ik wil ze in deze wagen hebben voor de terugrit. De rest kan volgen. Zorg er nou maar voor dat die twee blanke kerels eerst instappen.'

'Geen probleem, Nick. Ik wil ze ook bij ons achterin hebben. Daarna draag ik ze over aan Erasto. Dat wordt een geweldig moment voor mij. Wat denk je? Denk je dat het geweldig voor me wordt?'

'Ik denk dat het schitterend wordt. Per slot van rekening houdt nu iedereen van je, nietwaar?'

'Ja, dat is zo, Nick, dat is zo!'

Hij ging achter de cabine zitten om het telefoongesprek te voeren. Tracy en ik zouden de geslaagde afloop vieren in het vliegtuig naar Malindi, maar voorlopig had ik nog werk te doen.

16

We stopten aan het eind van de startbaan en ik sprong uit de wagen. De muziek schetterde. Awaale riep in zijn mobieltje en gaf luidruchtige high fives aan iedereen binnen bereik. De mannen in de technical schreeuwden nog opgewonden tegen elkaar over de aanval.

Ik strompelde bij hen vandaan tot ik alleen nog de branding hoorde. Ik haalde de iPhone tevoorschijn, draaide het nummer en kreeg die kwaaie Arabische vrouw weer. Ik probeerde Jules en kreeg de voicemail. Maar hij had een boodschap voor me ingesproken.

'Ze maakt het goed. De Britten sturen een oorlogsschip, de *Cumberland*, naar Benghazi om Britse ingezetenen te evacueren. Geen idee wanneer dat schip daar is, maar ik probeer haar zo gauw mogelijk aan boord en de stad uit te krijgen. Als ik meer weet, bel ik je.'

'Nick, ze zijn er, ze zijn er! Nick, ze zijn er!'

Ik draaide me om. Awaale sprong van de wagen. Ant en Dec werden langs de rand van de baan gedirigeerd. Awaale schreeuwde en ze werden naar de achterkant van onze technical geduwd.

Ik liep zo snel als ik kon naar hen toe. God, wat deden mijn voeten pijn. 'Vriend, laten we ze in de wagen zetten en naar de zee brengen.' Als die kerels Engels verstonden, wilde ik ze het ergste laten denken. 'Naast de startbaan, bij de rotsen.'

Ant en Dec zaten tegen de achterkant van de cabine in de laadruimte. Er stond geen angst in hun ogen. Ze hadden zich erbij neergelegd dat ze zouden sterven. Als dat eenmaal is gebeurd, is het of er een enorm gewicht van je schouders wordt genomen. Elke minuut die je nog leeft, wordt iets extra's.

De technical slingerde over de startbaan. Ik zat gehurkt tegenover hen, met mijn arm om de 12.7 om in evenwicht te blijven. Hun hoofden deinden mee met de beweging van het voertuig. De lichten langs de startbaan trokken stroboscopisch aan ons voorbij.

'Jullie twee,' schreeuwde ik boven het motorlawaai uit. 'Spreken jullie Engels?' Ik porde hard tegen hun borst. Ik wilde er zeker van zijn dat ze wisten hoe het zat.

Ze keken me met bloeddoorlopen ogen aan. Allebei hadden ze stoppels op hun kin en na uren op zee stonden hun haren recht overeind. Waarschijnlijk zag ik er precies zo uit.

Ik keek ze een voor een recht aan. Ik wilde er zeker van zijn dat ze me herkenden. Ik wilde zien of ze reageerden.

'Oké, het kan me niet schelen of jullie me verstaan of niet, maar die kerels hier willen jullie te grazen nemen. Die man die jullie in Bristol hebben vermoord, was de broer van hun baas. En jullie hebben ook een vrouw vermoord. Dat was de zus van de vrouw die met jullie bij al-Shabaab was. Jullie hebben het grondig verkloot.'

Er stond nu een sprankje begrip in hun ogen te lezen. Die kerels wisten precies waar ik het over had.

We hobbelden van de startbaan af. Hun hoofden bungelden van links naar rechts, want we reden nu over terrein dat met puin bezaaid lag.

'Dus jongens, jullie moeten me vertellen waar jullie vandaan komen en voor wie jullie werken. Dan zal ik zien wat ik voor jullie kan doen. Zo niet, dan kunnen jullie het wel schudden. En ze nemen er de tijd voor; geloof mij nou maar.'

Ik bleef ze aankijken, een voor een, want ik wilde er zeker van zijn dat elk woord tot ze doordrong.

We kwamen schuddend tot stilstand.

Beneden ons beukte de branding tegen de rotsen.

Ik kreeg van hen alleen de blik waarmee Casanova en Dzjengis achter in Joe's Cessna naar Awaale hadden gekeken.

De andere technical passeerde ons op de startbaan. Die zat vol mensen. Tracy had haar armen om Stefan heen. BB stond achter de cabine, met zijn hand op de 12.7.

Ik moest dit snel afwerken.

Ik stond op.

'Oké, dan moeten jullie het zelf maar weten.'

Ik sprong over de zijkant.

'Awaale, laten we ze uit de wagen halen en uitkleden. Trek hun kleren uit.'

Hij gaf een reeks bevelen. Ik hoorde een paar keer 'Erasto'. De mannen reageerden daarop door de twee Georgiërs uit de wagen te schoppen en te slaan.

Ze vielen in het zand. Zelfs de bestuurder sprong uit de wagen om hun ervan langs te geven. De Somalische jongens trokken de spijkerbroeken en shirts van de Georgiërs uit en trokken aan hun laarzen.

'Ik wil ze helemaal uitgekleed hebben. Alles uit.'

Awaale en zijn vrienden vlogen op hen af als een roedel wilde honden die twee antilopen aanvalt. Ant en Dec probeerden zich zo klein mogelijk te maken in de stofwolk die om hen heen kolkte.

17

Ik liet hen een paar minuten hun gang gaan.

'Oké, laat me eens naar ze kijken.'

Awaale antwoordde niet. Hij zat ergens in die kluwen.

Ik kwam naar voren. Ze gingen gewoon door: ze sloegen en stompten de mannen en bewerkten hen met geweerkolven.

'Awaale, waar zit je toch?'

Geen antwoord.

'Awáále!'

Hij dook op uit de duisternis. Er zat een laag stof op zijn bezwete gezicht.

'Genoeg, vriend. Je moet ze straks overdragen aan Erasto, weet je nog wel?'

Zijn ogen waren glazig, alsof hij dronken of high was.

'Awaale, kom op, vriend, gebruik je verstand.'

Achter hem beukten de mannen op Ant en Dec in. Die kerels hadden duidelijk een heel andere mentaliteit.

Ik greep Awaales armen vast. 'Laat ze ophouden. Ik wil die klootzakken in leven houden. Jij hebt hier de leiding. Je moet je losmaken van dit hier en het totaalbeeld zien. Awaale? Luister je wel naar me?'

Zo te zien kwam hij weer een beetje bij zinnen. Zijn ogen werden helderder. 'Ja, ja, natuurlijk, Nick. Natuurlijk.'

Hij draaide zich om en ging de stofwolk weer in, maar nu luid pratend. Hij duwde en trok zijn mannen bij de gewonde mannen vandaan. Hij moest een paar van de jongens een mep verkopen om ze opzij te laten gaan en schold ze de huid vol alsof hij er zelf niets mee te maken had gehad.

De gehavende en binnenkort bont en blauwe Ant en Dec hadden zich opgerold tot balletjes. Ze zagen eruit alsof iemand ze met een kaasschaaf had bewerkt.

Ze hoestten en sputterden in het zand. Hun tatoeages glansden van bloed en zweet. Het waren voornamelijk de gebruikelijke dingen: slangen die zich om dolken slingerden en wat tribale tatoeages, dat soort onzin. Maar er waren een paar met tekst erbij die mij wel intrigeerden. Die van Ant was een zeemeermin met tieten. Die van Dec was een vos. De tekst leek op een rij verbogen paperclips of een ingewikkeld schrift uit het Verre Oosten. Maar omdat ik weleens in de buurt van Tbilisi had geopereerd, wist ik precies wat het was. Het was Mkhedruli, het Georgische alfabet.

Ik had nog steeds geen schoenen aan. Mijn Timberlands waren op het terrein van al-Shabaab achtergebleven, net als mijn rugzak. Maar ik schopte ze evengoed. Ik wilde hun aandacht.

'Wie heeft jullie gestuurd?'

Niets.

'Als jullie me niet helpen, gaan die kerels met jullie door tot jullie wel helpen.'

Ant spuwde een mengeling van speeksel en bloed in het zand, en misschien ook een paar tanden. 'Val dood. Val dood, vuile schoften!'

Dec had een mondvol van hetzelfde, maar hij richtte het op mij. Het spatte over de pijp van mijn spijkerbroek. Ik draaide me om naar de wagen. Awaale keek langs de startbaan. Ik klopte hem op zijn schouder.

'Gaat het, vriend?'

Hij draaide zich om. 'Ja, Nick. Ik moet me beheersen. Ik ben nu een leider, de grote man, nietwaar?'

'Zo is het, vriend. Je moet die onzin kunnen uitschakelen, je hoofd helder houden als het tijd is om besluiten te nemen.'

Hij knikte. 'Ja, Nick. Dank je. Ja, dat zal ik doen.'

'Goed. Zet die klootzakken maar weer in de wagen. Ik ben klaar met ze.'

Ik was genoeg te weten gekomen. Nu de andere technical bij het vliegtuig stond, werd het tijd dat we in beweging kwamen.

Ik zag hoe Awaale zijn mannen in het gareel bracht. Ze sleepten Ant en Dec naar de laadruimte en gooiden ze aan boord. Wij sprongen achter ze aan. De bestuurder zette de wagen in de versnelling en we reden over de startbaan, op weg naar een snelle aftocht.

18

Bij de terminal gaven Casanova en Dzjengis de oude Erasto geen tijd om na te denken over wat hij nu zou moeten doen. Ze waren allebei met een zak over hun schouders en hun wapens in de aanslag uit de Cargomaster gekomen.

Casanova schreeuwde. Wat het ook was dat hij schreeuwde, het had geen enkele betekenis voor de mannen bij de twee technicals. Ze keken nerveus en zwaaiden alle kanten op met hun wapens. Een van hen richtte zelfs zijn RPG. Een ander liet de 12.7 heen en weer zwaaien op zijn onderstel.

Tracy en Stefan stonden voor Erasto's wagen te wachten, iets naar rechts, ongeveer twintig meter bij het vliegtuig vandaan.

Wanneer ik een klus als deze deed, was dit altijd het onderdeel waaraan ik de grootste hekel had. In alle opwinding hoefde iemand maar een klein beetje te veel druk op de trekker uit te oefenen en alles liep in het honderd.

BB schreeuwde naar Casanova, alsof het een soort *High Noon*-duel was.

We kwamen achter Erasto's technical tot stilstand. BB schreeuwde nog steeds tegen Casanova. Nu kon ik hem horen. 'Ze spreken geen woord Engels, lul! Geef ze nou maar het geld. Geef ze metéén dat verrekte geld.'

Casanova en Dzjengis wisten van geen wijken. Ze hadden hun M4's nog tegen hun schouder. Die kerels waren ijskoud. In alle tijd dat ik ze kende was er nooit verandering gekomen in hun gezichtsuitdrukking.

Nu we dichterbij waren, zag ik de draden die uit de zakken staken. Beide jongens van Frank hadden de onderste drie vingers van hun pistoolhand door de ringen aan de uiteinden van de draden gehaald, zodat hun wijsvinger beschikbaar bleef om de trekker over te halen. Ze konden de zak laten vallen en aan de draad trekken, en daarna slachtoffers maken voordat ze er zelf een werden.

Joe zat nog op de linkerstoel. De motor van de Cessna Cargomaster begon op gang te komen. Hij produceerde een schel gejengel.

Casanova nam zijn blik geen moment van de mannen weg. Zijn ogen keken van man naar man om te zien waar hun handen en wapens waren. Hij schreeuwde hard boven het motorlawaai uit: 'Leg jullie wapens neer!'

De mannen schreeuwden terug en deden niets. Ze waren nog steeds door het dolle heen.

Dzjengis en Casanova hielden voet bij stuk, elk aan een kant van de deur die naar het ruim van het vliegtuig leidde. Casanova zag mij. 'Laat de geldteller tegen ze zeggen dat ze achteruit moeten gaan. We stappen allemaal in het vliegtuig. We gooien het geld naar buiten als we taxiën. Als we de gijzelaars niet krijgen, gaat het niet door. Zeg dat tegen hem.'

BB keek tussen ons heen en weer terwijl hij alles in zich opnam. Pas toen hij mij weer aankeek, zag ik dat hij Stefan nu had. 'We nemen de Georgiërs mee. We kunnen ze niet bij die beesten achterlaten.'

Ik keek naar hem terug. Ik had nu alweer genoeg van die klootzak. 'Hou je bek of ik laat een van die beesten een geweerkolf in je tronie steken. Dus hou je kop. Laat iedereen verdomme... tot rust komen...'

Awaale stond bij Erasto's raam. Ik liep naar hem toe. De baas zat precies op de plaats waar ik hem voor het laatst had gezien. Volstrekt onbekommerd stak hij zijn tweehonderdste Marlboro van die dag op.

'Awaale, zeg tegen Erasto dat we de twee blanke mannen voor hem hebben. Zeg tegen hem dat we nu gaan ruilen. Hij krijgt het geld als wij de gijzelaars krijgen, oké? En dan mag hij de twee mannen achterin hebben en met ze doen wat hij wil. Zeg dat tegen hem.'

'Geen probleem, Nick. We hebben dit al vaak gedaan. Maar je moet tegen je jongens zeggen dat ze zich niet zo moeten opwinden.'

'Het zijn niet mijn jongens, dus dat gaat niet gebeuren. Zeg tegen Erasto dat hij met zijn mannen weg moet gaan zodra hij het geld krijgt. Zeg tegen hem dat hij twee technicals moet meenemen, dan blijven alleen jouw wagen en de twee blanke mannen over, en jouw mannen die ze bewaken. Oké? Dat betekent dat alles tot rust komt, dat alles in orde komt. We kunnen ons allemaal ontspannen en jij kunt ervoor zorgen dat we weg komen. Maar laten we voorlopig allemaal onze vingers bij de trekker vandaan houden.'

Awaale wendde zich af van het raam. 'Oké, Nick.' Hij keek zo stoer als John Wayne. 'We doen het!'

Toen ik hem naar de Cessna volgde, praatte Awaale alsof we een biertje gingen drinken in het café. 'Dus ik geef je het nummer van mijn vader. We komen in Minneapolis allemaal bij elkaar.' Hij boog zich naar me toe en ging samenzweerderig verder: 'Zodra ik de clan heb overgenomen, ga ik naar mijn vader en zeg ik tegen hem dat hij naar huis moet komen. Maar eerst bezoek jij ons in Minneapolis, nietwaar?'

'Ja, geen probleem, vriend. Maar we moeten hier nu weg, oké?'

Ik keek naar Joe en haalde mijn wijsvinger over mijn keel om te kennen te geven dat hij de motor moest uitzetten.

We hadden behoefte aan kalmte. Geen harde geluiden; geen draaiende propellers; geen vingers op trekkers. We zouden de uitwisseling snel afwerken en er daarna vandoor gaan. Als we lawaai moesten maken, zouden we dat tenminste vanuit een rustiger situatie moeten doen.

Joe begreep het. Het motorgeluid zwakte af.

Awaale praatte door: 'Nick, alsjeblieft, alles is in orde.' Hij draaide zich om en begon terug te lopen om kalm tegen zijn mannen te praten en hen met gebaren te laten weten dat ze hun wapens moesten laten zakken.

'Dat is goed, vriend. Het wordt hoog tijd dat je jongens hun valium slikken.'

Ik hoorde nog een keer het afnemende geluid van een vliegtuigmotor, maar nu in de verte. Ik tuurde in de schemering naar het baksteenachtige silhouet van de Skyvan.

'Awaale, wie zijn dat nou weer?'

'Gewoon een paar mannen om iemand op te halen, denk ik. Zoals jij ook doet, Nick. Dat gebeurt de hele tijd.'

We stonden nu precies tussen de Cessna en de technicals in. 'Oké, iedereen luisteren!' Ik had het gevoel dat ik een stel kinderen op een schoolreisje aan het dirigeren was. 'Omdat iedereen een beetje te opgewonden wordt, moeten we van plan veranderen. We gaan het volgende doen. Ik ga de zakken halen en breng ze hierheen, dus naar de plaats waar we nu staan. Is het tot nu toe duidelijk?'

Awaale vertaalde het voor zijn mannen en Casanova mompelde tegen Dzjengis. Franks jongens hielden hun wapen nog steeds tegen hun schouder, ongeacht wat de andere kerels deden. De mannen hadden die van hen nu laten zakken. Ze hielden ze vast aan het magazijn of hingen ze aan hun schouder. Twee van hen staken een sigaret op. Twee anderen haalden hun mobieltjes weer tevoorschijn.

'Oké, zodra ik met de zakken begin te lopen, komen BB, Stefan en Tracy deze kant op. Ze komen me hier tegen. Heeft iedereen dat? Awaale, maak die mensen goed duidelijk wat er aan de hand is. Schreeuw tegen ze, vriend. Er mag geen enkele twijfel over bestaan.'

Ik draaide me snel om naar Casanova. 'Heeft je vriend dit begrepen?'

Hij mompelde iets tegen Dzjengis en knikte.

Awaale speelde nu voor Alexander de Grote en bracht zijn troepen in het gareel. Intussen kwam er weer een wolk sigarettenrook uit de achterkant van Erasto's technical.

BB kon zich niet inhouden. 'Nick, je moet die jongens meenemen. We...'

'BB! Hou... je... kop!'

De mannen werden onrustig. Het geschreeuw werkte op hun zenuwen. Awaale bleef bevelen aan hen geven, maar het liep uit op een heftige woordenwisseling.

Ik bracht mijn handen weer omhoog en langzaam omlaag, alsof ik de gemoederen daarmee tot bedaren kon brengen, zoals Awaale ook had geprobeerd. 'Iedereen kalm blijven! Doe je wapens omlaag!'

Ik draaide me om en wees naar Casanova en Dzjengis. 'Dat geldt ook voor jullie. Vingers van de trekker, jongens.'

Er hoefde maar één fout te worden gemaakt en er was geen houden meer aan.

19

Nadat Awaale was blijven staan, iedereen enigszins was gekalmeerd en ze hun AK's hadden laten zakken, wachtte ik ongeveer vijftien seconden. Toen zei ik: 'Oké, ik ga lopen... nu.'

Ik liep naar het geld toe en pakte de zakken een voor een op. Ik hing er een over mijn rechterschouder en een over mijn linker, en stak toen met veel vertoon een vinger door elk van de trekringen. Ik keek Awaale aan, en toen alle anderen, om er zeker van te zijn dat iedereen op dezelfde golflengte zat. 'Oké, laten we gaan lopen.'

Ik zette de eerste stappen in de richting van Awaale, waarbij ik er goed op lette dat de drie anderen naar me toe kwamen lopen.

We kwamen naast Awaale bij elkaar. Ik boog door mijn knieën en legde de zakken op de grond. Mijn vingers hield ik in de ringen.

Awaale maakte de zakken een voor een open en controleerde de inhoud.

'Er is niets veranderd, vriend. Kijk maar naar de folie, kijk naar waar je die met je duimnagel hebt doorgesneden.'

'Het is er allemaal, Nick. We vertrouwen jou. Het is er allemaal.'

Ik liet de ringen los en stopte ze in de zakken.

'Oké, vriend, nu loop je langzaam naar Erasto toe, langzaam en beheerst, en dan roep je je mannen hier weg.'

'Geen probleem, Nick, geen probleem.' Hij tilde de zakken op en we gingen ieder onze eigen kant op.

'Tracy, BB, loop langzaam naar het vliegtuig als ik het zeg. Tracy, loop niet voor die kerels langs. Blijf een heel eind rechts van ze.'

Als het misging, wilde ik niet dat ze zich in hun schootsveld bevond.

Ik wees naar Casanova en Dzjengis. 'We komen naar jullie toe.'

Toen ik vijf of zes stappen bij de Cessna vandaan was, draaide ik me om en zag ik dat het achterportier van Erasto's technical opening en Awaale de zakken overdroeg. De eerste technical begon te rijden op het moment dat het portier dichtsloeg. Bob Marley schalde weer door de lucht.

Erasto's wagen volgde, maar bleef ter hoogte van die van Awaale staan. Erasto wilde eens goed naar de twee Georgiërs kijken. Ze zaten nog in de laadruimte, spiernaakt, met hun rug tegen de cabine. De twee mannen die hen bewaakten, lachten en wezen. Erasto's voertuig reed weg.

Casanova schreeuwde tegen Joe: 'De motor. Laten we gaan, laten we gaan!' Hij boog zich door de deur van het ruim, legde zijn M4 op de vloer en stak zijn hand uit om Tracy te helpen.

Tracy negeerde hem en rende recht op mij af.

'Nick, dank je, dank je, dank je.' Terwijl de motor weer toeren ging maken, sloeg ze haar armen om mijn hals en drukte ze kussen op mijn hele gezicht. Haar eigen gezicht was één grote grijns vol schrammen.

'Nick, dank je, dank je...' De propeller begon te draaien. Haar woorden gingen nu bijna verloren in het motorgeluid.

Ze drukte me dichter tegen zich aan en trok me omlaag, zodat haar kin op mijn rechterschouder kwam te rusten.

Awaale stond te wachten om contactgegevens uit te wisselen en afscheid te nemen, maar hij ging een stap terug om Tracy de kans te geven haar liefde en waardering te tonen. Misschien dacht hij dat het straks zijn beurt zou zijn. Iedereen hield zo veel van hem.

Haar toon veranderde zodra haar lippen bij mijn oor kwamen. 'BB werkt samen met die twee Georgiërs. Dat vliegtuig is van hen, Nick. Ze willen Stefan, en hij zegt dat hij hem vermoordt als ik het je vertel. Ze willen mijn kind. Alsjeblieft, help ons... Alsjeblíéft...'

Onder de romp van het toestel gingen de navigatielichten aan. Alles gebeurde om me heen als snel achter elkaar gemonteerde stills van een film.

De propellers van de Skyvan draaiden.

Stefans kleine beentjes bewogen vliegensvlug. Hij deed verwoede pogingen om bij zijn moeder terug te komen.

BB's ogen waren strak op de Skyvan gericht.

'Nick, alsjeblieft, doe iets...'

Dzjengis keek in het ruim van de Cargomaster.

Nu kwam BB in beweging.

Terwijl hij Stefan voor zich geklemd hield, rende hij hard tegen de rug van Dzjengis op, waarbij hij de jongen als stormram gebruikte. Dzjengis struikelde en viel.

BB greep de M4 van Casanova uit de deuropening en drukte de korte loop tegen Stefans achterhoofd. Zijn kreten gingen bijna verloren in het propellergeluid, maar de betekenis was duidelijk: 'Iedereen blijven staan. Geen beweging!'

Door de kracht van de propeller werden de kleren van de jongen plat tegen BB aan gedrukt.

De loop van de M4 drukte onverbiddelijk tegen de onderkant van Stefans schedel.

20

Dzjengis herstelde zich snel. Hij had zijn wapen alweer omhoog, maar BB bleef bij het vliegtuig vandaan lopen, waardoor het voor Dzjengis steeds moeilijker werd een schot op hem te lossen.

Tracy gilde en wilde op haar zoon af vliegen. 'Mijn jongetje! Mijn jongetje!'

Ik greep haar vast. Boven het lawaai van de turbopropeller uit schreeuwde ik naar Dzjengis: 'Niet schieten! Niet schieten!'

Misschien zou hij hem kunnen raken, maar het was heel goed mogelijk dat BB zoveel druk op de trekker uitoefende dat hij de jongen automatisch zou meenemen in de dood. Ik twijfelde er niet aan dat het zo was. BB mocht dan een klootzak zijn, hij wist precies wat hij deed. Als hij in het nauw gedreven werd en evengoed zou sterven, zou het hem geen moer kunnen schelen.

Als ik dit verknoeide en de jongen kwam om, zouden Franks jongens zich niets aan ons gelegen laten liggen, of aan ieder ander op wie ze het vuur openden terwijl ze vertrokken.

Casanova sprong uit het vliegtuig en ik duwde Tracy naar hem toe. 'Neem haar mee. En zeg tegen je vriend dat hij niet moet schieten!'

Ik zag geen andere oplossing. Het zou nog meer tumult veroorzaken, maar de jongen zou tenminste in leven blijven. Tumult kon ik wel aan. Dode kinderen... die kon ik alleen maar in een zak stoppen en terugbrengen naar waar ze vandaan kwamen.

Ik zette een stap in de richting van BB. Nu ik dichterbij was, kon ik zijn geschreeuw verstaan. 'Haal die beesten nu meteen uit die technical. Haal ze eruit. Ik wil ze eruit hebben. Nu!'

Ik besloot te doen wat hij zei en draaide me om. Awaale bemande de 12.7. Die was op ons gericht.

Ik stak mijn handen omhoog. 'Nee, Awaale. Nee!'

Zijn hand ging naar de hendel van het geweer.

'Nee! Niet schieten, verdomme!'

De Skyvan reed met zijn klep omlaag naar de startbaan. De rode binnenverlichting glansde op het asfalt. De twee propellers wervelden. Ik bleef als een gek met mijn armen zwaaien naar iedereen met een wapen. 'Niet schieten! Niet schieten!'

Overal waar ik keek, zaten te veel vingers op trekkers.

BB bleef langzaam naar de technicals lopen. 'Haal ze eruit. Haal ze eruit!'

Ik schreeuwde en gebaarde naar Awaale om te kennen te geven dat hij van de wagen af moest komen, maar hij vertikte het. Hij had het grootste geschut en dat zou hij gebruiken ook. Ik ging een stap naar voren om tussen hen in te gaan staan, wees naar BB en brulde: 'Wacht daar, wacht daar, verdomme. Ik regel dit.'

BB schuimbekte bijna. 'Nou, doe dat dan! Haal die technical. Ik schiet die jongen zo overhoop. Dat weet je.'

Hij zou gek zijn als hij het deed, maar toch twijfelde ik er niet aan. Ik stak beide handen uit alsof ik twee verkeersstromen wilde tegenhouden. Toen zette ik het op een lopen naar de technical. De mannen op de twee wagens die de Georgiërs onder schot moesten houden richtten hun AK's alle kanten op. Ze schreeuwden tegen Awaale, want ze wilden weten wat ze moesten doen.

Awaale, die nog steeds de 12.7 bemande, begreep niets van dit alles. Hij had er geen zin meer in. Ik kwam bij de zijkant van de wagen en hij keek op me neer.

'Vergeet het maar. Laat hem ze maar meenemen.'

'Maar dat zou heel slecht overkomen, Nick... Mijn mannen... Ik word hun leider...'

'Dat klopt, vriend, maar ik zal smeken en ervoor zorgen dat jij er goed uit naar voren komt. Later kun je zeggen dat je omwille van de jongen hebt besloten ze te laten gaan. Alle goede leiders moeten blijk geven van wijsheid en goedheid, vriend. De jongen...'

Ik ging op mijn knieën zitten, met mijn handen bij elkaar.

'Alsjeblieft, Awaale, alsjeblieft.'

De reactie van de twee mannen naast hem beviel hem wel.

'Maar waarom wil hij dat kind?'

'Omdat het allemaal om de jongen gaat, Awaale. De man met het geld, de machtige man, is de vader van de jongen. Ga nou maar van die wagen af, Awaale. We moeten ervoor zorgen dat de jongen niets overkomt. Geloof me: we willen de vader niet kwaad maken. Zoals ik al zei, kan hij overal bij je komen...'

BB was nog steeds in alle staten, maar hij bewoog nu niet meer. Hij wist dat dit voorlopig het beste was.

De twee Georgiërs, nog naakt en tegen de achterkant van de cabine, proefden de vrijheid. Ze grijnsden me toe. Dec spuugde naar me toen ik opstond. Het speeksel trof me op mijn rechterschouder. Ik wilde mijn hand uitsteken om de klootzak te wurgen, maar dat zou moeten wachten. 'Awaale, ga daar weg. Laat ze gaan.'

De Skyvan had het eind van de startbaan bereikt.

'En wat kan jou Erasto schelen? Je zult het gewoon vannacht van hem moeten overnemen, nietwaar?'

Hij had er nog moeite mee om het allemaal te volgen. Om tot hem door te dringen moest ik schreeuwen als een sergeant-majoor: 'Geef... ze... de... wagen!'

Zijn gezicht verschrompelde. Hij keek bijna gekwetst. Ik haalde diep adem en dwong mezelf kalm te blijven. 'Alsjeblieft, Awaale... alsjeblieft...'

Hij dacht erover na.

Ten slotte zwaaide hij pijnlijk langzaam met zijn arm naar de twee mannen om ze te laten uitstappen. De jongens sprongen van de wagen, en hij volgde.

Ant en Dec stonden op. De bestuurder was weg. Ant sprong over de zijkant en ging achter het stuur zitten. BB liep achteruit naar de wagen, met de loop van zijn wapen nog tegen Stefans hoofd.

Wij schuifelden achteruit naar de Cargomaster. Casanova schreeuwde: 'Tracy, nee! Nééé!'

Tracy vloog me als een speer voorbij.

Onder het rennen schokte haar lichaam van de snikken. 'Neem mij mee, neem mij mee! Niet mijn jongetje, alsjeblíéft!'

Ik brulde: 'Tracy, blijf staan! Blijf staan!'

Maar dat deed ze niet. Natuurlijk niet.

BB gooide de jongen bij Dec in de laadruimte en draaide zich om naar de nieuwe bedreiging. Tracy vloog hem aan. Hij gebruikte haar eigen vaart om haar op de grond te gooien. Toen hij in de wagen klom, viel ze hem opnieuw aan. Hij probeerde haar weg te schoppen, maar ze klampte zich vast. De wagen zette zich in beweging. Ze gleed uit en een ogenblik leek het erop dat ze zou vallen, maar met een wanhopige uitval zag ze kans de drempel van de laadruimte vast te grijpen. Haar voeten sleepten over het asfalt.

Ze hield zich uit alle macht vast en probeerde haar benen in de wagen te trekken.

Dec gaf de jongen aan BB terug en pakte de M4. Hij liep naar de rand en stampte op Tracy's vingers.

Ant stuurde wild heen en weer.

Het lukte Tracy een knie over de rand van de laadruimte te krijgen. Ze hield grimmig vast, maar haar greep verslapte. De kracht van de zigzaggende technical werd te veel voor haar. Dec richtte met de M4 en schoot een kogel op haar af. Met wild spartelende ledematen buitelde ze van de wagen af.

De technical denderde in de richting van de Skyvan. BB hield Stefan in een greep als een bankschroef, met het gezicht van de jongen tegen zijn schouder. Dec sloeg op het dak van de cabine om Ant harder te laten rijden, draaide zich toen om en schoot met de M4 in onze richting. Iedereen dook weg. Ik bleef Dzjengis recht aankijken. 'Nee. We willen niet dat de jongen wordt geraakt.'

Hij begreep het. Eindelijk.

Tracy lag erg stil. De wond in haar buik glansde. Ze hapte naar adem. Ik ondersteunde haar nek om haar zachtjes op te tillen en boog me achterover om haar gewicht te dragen. Haar been bungelde over mijn rechteronderarm.

'Nick... mijn jongetje... mijn jongetje...' Elk woord deed pijn.

'Het komt goed,' mompelde ik. 'Het komt allemaal goed...'

Tracy probeerde nog meer te zeggen.

'Laat maar... Het komt goed,' zei ik. 'We halen hem terug. Dat beloof ik. We halen hem terug...'

Haar hoofd viel over mijn arm. 'Ik ben zo dom geweest, Nick... Ik ben zo... dom geweest... Mijn jongetje...'

Casanova hielp me haar voorzichtig in het ruim van de Cargomaster te tillen. Dzjengis en hij maakten vlug de verbandkist open.

Awaale stond met uitgestoken hand bij de deur. Ik pakte die hand vast.

'Vriend, ik wens je clan veel succes. We moeten nu gaan. Maar weet je wat? Wij zijn vrienden. Wij zijn echt vrienden.'

Zijn gezicht vormde een enorme grijns. 'Ja, natuurlijk, Nick,' schreeuwde hij in mijn oor, boven het bulderen van de motor uit. 'Natuurlijk, dat weet ik. Amerika. We zien elkaar in het huis van mijn vader terug.'

'Geef me je mobieltje. Dan haal ik je nummer eruit.'

Hij gooide het telefoontje naar me omhoog en wees toen langs de startbaan. 'Nick, ze ontkomen.'

De Skyvan verliet de startbaan en steeg op boven zee.

'Nee, ze ontkomen niet, vriend. Absoluut niet!'

21

Terwijl ik het luik sloot, schreeuwde ik tegen Joe: 'Opstijgen! De lucht in. Volg dat verrekte ding!'

De Cessna Cargomaster rommelde naar de startbaan. Ik klom over de rugleuning van de stoel om mijn koptelefoon te pakken. Toen keek ik de duisternis in. 'Ben jij sneller?'

Joe deed zijn uiterste best, drukte op knoppen en deed allerlei piloten-dingen, terwijl hij voortdurend naar links en rechts keek. 'Met gemak. Die Skyvan is een vliegende schuur, man. Maar ze hebben hun lichten gedoofd. Ze weten dat we komen. Waar zouden ze heen gaan?'

'Het moet wel naar het zuiden zijn. Kenia. Of misschien nog verder. Alles in het noorden zou een nachtmerrie worden. Daar heb je de Arabi-sche Lente, burgeroorlog, en Jemen dat de pest heeft aan iedereen. Waar-om zouden ze die ellende tegemoet gaan? Maak je maar geen zorgen, Joe. Stijg maar op en ga naar het zuiden. Dan probeer ik erachter te komen.'

Ik keek op zijn horloge. We hadden nog ongeveer een halfuur tot het licht werd. Ik keek hem aan. 'Maak je geen zorgen. We vinden die schoften wel.'

We kwamen aan het begin van de startbaan. De motor ronkte. Ik trok de kabel van de koptelefoon uit het deurvak en sloot hem aan.

Met mijn koptelefoon op liep ik het ruim weer in. Franks jongens waren verwoed bezig Tracy aan een infuus te leggen. Dat betekende dat ze even-tuele lekken al hadden dichtgestopt.

Dzjengis haalde de plasmafles uit de verbandkist, een halveliterfles van doorzichtig plastic in de vorm van een afwasmiddelflesje. Hij scheurde het ding uit zijn plastic verpakking en gooide die op de vloer. Hij beet het dopje eraf dat de hals van de fles steriel hield. Hygiëne deed er nu niet toe, infecties konden in het ziekenhuis wel worden bestreden. Hij wist wat hij deed. Hij moest haar in leven houden om haar in een ziekenhuis te krijgen.

Casanova had zijn infuussetje ook uit de beschermende plasticlaag gehaald. Hij kauwde het dopje van het verbindingsstuk eraf en stak dat in de automatisch sluitende hals van de fles. Hij trok de plug eruit, maakte de schroefklem open en zag hoe de vloeistof door de slang liep. Hij maakte zich niet druk om luchtbellen in de slang; een kleine hoeveelheid was niet erg, zeker niet onder deze omstandigheden. Ik spoorde hem in gedachten aan. *Zorg dat die vloeistof naar binnen gaat!*

Hij hing de lus in zijn mond om de fles omhoog te houden, zodat de levensreddende inhoud daarvan vrijelijk kon stromen.

Casanova schudde zijn kogelwerende vest van zich af. Dzjengis rolde de zachte *kevlar* tot een kussen op en legde het onder haar hoofd. Ik keek omlaag. Hij had een noodverband op haar buik geplakt, onder haar bebloede T-shirt.

Ik boog me naar haar toe terwijl Stefans twee peetvaders met haar aan het werk bleven. Ik zorgde ervoor dat ze me zou kunnen zien en probeerde haar toen pas zo ver te krijgen dat ze haar ogen opendeed. Haar hele gezicht was samengetrokken van pijn. Ik streelde haar voorhoofd, streek met mijn ene hand het haar weg en schoof met mijn andere hand de koptelefoon van een van mijn oren af. Ik moest hard praten om boven het lawaai van de propeller en de motor uit te komen.

'Tracy? Tracy?'

Niets. Ik boog me dichter naar haar toe, met mijn mond bij haar oor. 'Tracy?'

Haar ogen gingen open. Intussen schoot het vliegtuig naar voren en het denderde over de startbaan. Ze keek aandachtig naar mijn gezicht. Om haar mondhoeken speelde een glimlach, die bijna meteen overging in een grimas.

'Nick, het spijt me zo... Ik heb zoveel... fouten... gemaakt... Stefan, mijn jongetje...' Haar onderlip trilde. De tranen welden in haar ogen op en liepen over haar wangen. Door haar snikken leed ze nog meer pijn.

Dzjengis oefende meer druk op haar buik uit om de vloeistoffen in haar te houden. Ze spande haar spieren tegen de pijn.

'Tracy, het komt goed. Ik haal Stefan terug. Maar ik heb jouw hulp nodig...'

Ze deed haar best om te luisteren, ondanks de tranen, de pijn, de herrie en de trillingen van het vliegtuig. Intussen kregen we meer vaart op de startbaan.

Ze knikte me even toe. Haar ogen gingen dicht. Ze probeerde adem te halen door haar neus vol snot.

'Weet je waar ze heen gaan? Weet je naar welk land ze gaan?'

Ze draaide haar hoofd opzij en hoestte om haar keel vrij te maken. Haar neus was verstopt. Haar hele gezicht was verwrongen.

De Cessna maakte zich van de startbaan los. Het motorgeluid veranderde. De medische spullen gleden naar de achterkant van het vliegtuig, maar Casanova hield Tracy stabiel. Hij pakte een fles met water toen die voorbij rolde en maakte hem met zijn tanden open. Hij wilde nagaan of ze iets door haar gebarsten en gezwollen lippen naar binnen kon krijgen.

'Tracy, weet je waar ze Stefan heen brengen?'

Ze deed haar best om haar neus vrij te krijgen. Ze probeerde iets te drinken. Dat ging niet. Ze moest er nog meer van hoesten.

'Kenia... Ze gaan naar Kenia... Ze gaan naar... brengen hem naar Georgië... Nick... Mijn jongetje... Weer gegijzeld... Nick, wat heb ik gedaan? Mijn jongetje...'

Ik streek nog wat over haar voorhoofd, terwijl Casanova haar hoofd recht hield op het kogelwerende vest. Zelf kon ze haar hoofd niet meer beheersen. Mijn vingers vonden de microfoon en ik vertelde het aan Joe: 'Het wordt Kenia.'

Hij antwoordde meteen in mijn koptelefoon. 'Dat dacht ik al, man.'

Ik streek weer over haar voorhoofd. Toen het vliegtuig horizontaal ging vliegen, kwam er een hand omhoog die mijn pols vastpakte.

Haar greep was verschrikkelijk zwak. Haar lippen trilden. De tranen vielen. Ze probeerde zich op mij te concentreren. 'Het spijt me zo, Nick... Ik maak er altijd... een puinhoop van... Waarom maak ik altijd zo'n puinhoop van alles?'

Ze vocht tegen de pijn. De lichaamsvloeistoffen lekten sneller uit haar weg dan het infuus ze naar binnen kon krijgen.

'Nee, dat doe je niet. Jij en Mong, daar hebben jullie toch geen puinhoop van gemaakt? Je hebt hem zo gelukkig gemaakt, Tracy. Hij had het altijd over jou. Hij vertelde iedereen hoeveel hij van je hield.'

Ze glimlachte zwakjes en probeerde haar keel weer vrij te krijgen, maar de pijn was te erg.

Casanova controleerde het infuus en het verband. Dzjengis en hij mompelden tegen elkaar.

'Ik doe het altijd verkeerd... De enige goede dingen... die ik heb... zijn Mong... en Stefan...' Ze kon zich niet goed meer houden bij de gedachte aan wat er met hem zou kunnen gebeuren.

'Het komt goed.' Ik maakte haar hand van mijn pols los en hield hem in de mijne. Ik schommelde met het vliegtuig mee. 'We halen hem terug. Hij is niet zo ver weg. Als het straks licht is, kunnen we het vliegtuig zien. Ik zal je niet teleurstellen, Tracy. Ik heb Mong beloofd dat ik altijd voor je zou zorgen. En Stefan is een deel van jou. Dus die belofte geldt nu ook voor hem.'

Ze knikte een paar keer vaag alvorens te hoesten en te snotteren. Haar hand kneep iets harder in de mijne.

'Nick... Je moet het begrijpen. Ik voelde me zo... alléén in Franks wereld. Hij is een goed mens... maar zijn werk, zijn familie... We konden nooit bij elkaar zijn... Niet echt... samen... Stefan en ik... werden altijd... in een doos bewaard... Ik moest... Ik moest weg...'

Ze hoestte een mondvol bloed op. Ik maakte een gebaar dat ze moest zwijgen. Ze vocht om lucht. 'Ik hoef het niet te weten,' zei ik. 'Rust nou maar. Laat de jongens je behandelen. We halen Stefan terug.'

'Nee, Nick... alsjeblieft... Ik wil dat je het weet... BB wist wat ik voelde...'

'Hij was op het idee van die ontvoering gekomen, nietwaar?'

Ze kon nog net knikken. 'Ik wist dat er geen... gelukkig leven... voor ons... Maar toen hij het had geregeld... had hij me... precies waar hij me wilde hebben... Ik wilde terugkrabbelen...'

'Maar toen dreigde hij jou aan Frank te verraden.'

'Frank... zou Stefan hebben genomen... zou me eruit hebben geschopt.'

'Heeft BB de kaping georganiseerd?'

'Hij wilde geld... Hij kende de clan... van vroeger... Hij zei... Frank zou het geld geven... en dan te horen krijgen dat we allemaal dood waren...'

Ik vertelde haar niet dat BB altijd had geweten dat Franks geld, als het al zou komen, alleen maar een extraatje was. Het grote geld zou uit Georgië komen.

Ze deed erg haar best om te glimlachen.

'Stefan en ik... We wilden Franks... geld... niet... We zouden... naar India gaan...'

Plotseling ontspanden de spieren van haar gezicht, en ik voelde de spanning in haar hand niet meer. Aan de wazige blik in haar ogen te zien was ze al voor een deel vertrokken.

'Op het strand... Misschien... een restaurantje... Gewoon gelukkig zijn...'

Een hoestbui haalde haar uit haar droom. Ik zag Dzjengis kijken. Een ogenblik dacht ik dat hij ook zou instorten, maar toen zat zijn ondoorgrondelijke masker weer op zijn plaats.

'Frank... heeft... zoveel... vijanden...'

BB had daar ten volle gebruik van gemaakt. Zijn plan moest nagenoeg perfect zijn geweest. Toch had hij het verprutst. Hij had geen rekening gehouden met al-Shabaab. Hij had geen rekening gehouden met mensen die niets om geld, neuken en glanzende rode sportwagens gaven.

Ik pakte haar hand vast en streelde haar wang. Ik probeerde de tranen weg te vegen, maar die vielen nu te snel.

'Tracy, het is goed. Je bent nu veilig. Laat je door deze jongens verzorgen.'

Ik duwde de microfoon opzij en boog me voorover om haar zachtjes op haar voorhoofd te kussen. 'Ik moet nu gaan. Ik moet Stefan terughalen. Het komt allemaal goed. Hij is bij je voor je er erg in hebt.'

Ze probeerde mijn hand naar haar lippen te brengen. 'Dat weet ik... Ik vertrouw je... Nick... Ik... heb altijd...'

Ik glimlachte naar haar.

'Jij... en Mong... de enige mannen... die ik ooit... heb vertrouwd...'

Ze probeerde mijn glimlach te beantwoorden.

Ik liet haar hand los en legde hem in die van Dzjengis. Hij gaf er een heel zacht kneepje in.

22

Links van ons gluurde het eerste licht van de dageraad over de horizon. De zon en felblauwe lucht van India zouden weer een bezoek brengen aan Afrika.

Joe was ver de zee op. Toen ik naast hem kwam zitten, kon ik rechts van ons nog net de kustlijn zien.

Hij keek me aan. 'Hoe gaat het met haar?'

'Niet goed, vriend.'

Hij knikte langzaam en liet mijn woorden op zich inwerken. Toen zette hij zijn zonnebril op. 'We kunnen het best naar die klootzakken uitkijken als we de zon achter ons hebben. Het is net een luchtgevecht, man.'

'Dat is precies wat het gaat worden.'

Ik meende een lichte twinkeling in de ogen achter zijn zonnebril te zien.

Hij bleef naar de omgeving turen. Ik deed dat ook, op zoek naar een stipje in honderden kilometers lege hemel.

'Nog één ding, Nick. Wat gebeurt er als mijn vliegtuig schade oploopt? Wat ga je daaraan doen?'

Ik keek hem aan. Hij had een grote glimlach op zijn verweerde gezicht. 'Ga je me dan betalen, man? Zo'n kist kost meer dan een miljoen. Niet te geloven, hè? Ik heb een verdomd grote lening moeten afsluiten, man.'

Ik glimlachte terug. 'Daar hoef je je geen zorgen over te maken.'

Hij ging verder met vliegen en naar de lucht turen.

'Waar zitten de brandstoftanks op die Skyvans?'

Beide handen kwamen weer van de besturing los, want hij antwoordde niet alleen met zijn mond maar ook met zijn handen. Het was net of ik de encyclopedie had opengeslagen bij de 'S':

'Op dat verrekte ding? Twee Garrett turbopropmotoren, elk met een driebladige, variabele propeller. Brandstof in vier tanks, twee aan twee op de romp van het vliegtuig, onder het begin van de vleugels. Elk tweetal bestaat uit een tank van 182 liter en een moedertank van 484 liter. Totale brandstofcapaciteit 1332 liter. Dat is verdomd veel brandstof, man.'

'Wat is zijn bereik?'

'Met maximale belading ongeveer elfhonderd kilometer. Maar dié kist heeft absoluut geen maximale belading, man.'

'Hun tanks zullen niet vol zijn, tenzij ze hebben getankt in Mogadishu...'

'Nee, man, maar dat hebben wij ook niet gedaan, en misschien hebben ze extra tanks...' Hij bracht zijn handen omlaag om er zeker van te zijn dat ik dit alles aandachtig volgde. '... in de ruimten tussen het frame van de romp aan weerskanten, onder de hoofdtanks. Er is daar een mogelijkheid voor nog eens vierhonderd liter. Maar verdomme, man...' Hij bracht zijn armen omhoog alsof hij met een geweer schoot. 'Als je daar een kogel in schiet, raak je tanks. Meer hoef je niet te weten, man.'

Ik pakte de AK op en tikte op het magazijn. 'Heb je hier lichtspoorkogels in zitten?'

'Nee, maar je kunt beter even kijken.'

Ik pakte het magazijn met mijn rechterhand vast en drukte met mijn duim de pal naar voren om het eruit te halen. De veiligheidspal bevond zich in de bovenste veilige positie. Ik drukte hem omlaag naar de volledig automatische positie, alvorens de hendel over te halen om de haan te spannen en me ervan te vergewissen dat er geen patroon in de kamer zat. Ik liet de hendel los, drukte even op de trekker om het doorladen compleet te maken en zette de pal weer op veilig.

Lichtspoorkogels hebben een holle onderkant met een pyrotechnisch brandmateriaal, meestal fosfor. In standaardmunitie van de Verenigde Staten en de NAVO is het meestal een mix van strontiumverbindingen en magnesium. Die mix levert een knalrood licht op. Russische en Chinese lichtspoorkogels hebben een rood of groen licht, want daarvoor wordt gebruik gemaakt van bariumzouten. In alle gevallen zat er spul in dat fel brandde.

Ik duwde de eerste patroon eruit en gooide toen de rest er aan de onderkant uit. De patronen werden eruit gedrukt door de springveer en ik gooide ze op de stoel aan de rechterkant.

Ik wist niet meer wat het vlampunt of de aanvangstemperatuur van Jet A1-brandstof was, maar ik wilde geen risico's nemen en Joe wilde dat ook niet. Hij keek steeds weer naar de patronen die op de stoelzitting vielen. Ik wilde geen groot vuurwerk. Ik wilde gaten. En de AK 7.62mm patronen zouden veel grotere gaten maken dan de M4 5.56mm van Dzjengis.

Ik kwam bij de laatste patroon. Het waren allemaal standaardpatronen geweest, dus geen lichtspoorkogels.

Joe ging rechtop zitten. Opeens was hij klaar voor een gevecht. Heel kalm. Heel exact. Geen vloeken. 'Ik zie hem. Half rechts van de neus. Ongeveer een kilometer voor ons. Tweehonderd meter onder ons. Hij volgt de kustlijn.'

Ik klopte Joe op zijn schouder. 'Nou, laten we hem grijpen dan.'

'Nou en of, man.' Ditmaal glimlachte hij niet.

Ik liep naar achteren en hoorde Joe in mijn koptelefoon: 'Weet je zeker dat die grote baas van jou voor mijn vliegtuig betaalt als het schade oploopt? Als hij dat niet doet, herlaad ik dat magazijn en ga ik op zoek naar hem.'

Terwijl er gelach in mijn koptelefoon klonk, veranderde de hoogte van het propellergeluid: het vliegtuig helde naar rechts en we begonnen te dalen.

23

Ik schopte alles verder naar achteren om ruimte vrij te maken en opende het luik. De wind gierde naar binnen. Het was of ik op een station stond terwijl er een sneltrein voorbij denderde. Ik probeerde mijn hoofd naar buiten te steken. De wind sloeg tegen mijn gezicht alsof ik een vrije val maakte. Mijn ogen traanden meteen zo erg dat ik niets meer zag.

Ik trok mijn hoofd weer naar binnen. Alle verpakkingen van het verband en alle andere stukjes afval vlogen om me heen in het rond.

Casanova had mijn plaats tussen de cockpitstoelen ingenomen. Hij schreeuwde tegen Joe: hij wilde weten wat er aan de hand was. Hij volgde Joe's wijzende vinger naar de Skyvan rechts van ons. Toen keek hij om naar Dzjengis, die met Tracy bezig was.

Ik ruimde nog meer rommel op. Ik wilde een goed, stabiel platform voor het wapen.

Casanova hield zijn hoofd schuin om het niet tegen de bovenkant van het vliegtuig te stoten. Hij stormde op me af. Joe stelde me via de koptelefoon op de hoogte. 'Hij is kwaad op je, man. Hij is stapelgek. Die handen zijn kolossaal. Wees voorzichtig.'

Ik ging Casanova tegemoet. Ik wilde dat er zich een vliegtuigwand tussen mij en de lucht bevond, voor het geval hij door het lint ging en mij eruit probeerde te gooien.

Ik haalde een van de doppen van de koptelefoon weg. 'Luister: dit is de enige manier om ze tegen te houden. We weten niet hoeveel brandstof ze hebben. We weten niet of we het langer volhouden dan zij. Misschien hebben ze extra tanks. We weten niet wat ze in hun schild voeren. We weten niet wat ze gaan doen als we daar zijn. En dus moeten we ze tegenhouden zolang het nog kan.'

Hij porde met een grote vinger in mijn borst. 'Als jij Stefan doodt...' Hij drukte nog harder en zijn gezicht kwam dichterbij. '... dood ik jóú.'

Ik liet hem uitpraten. Dit was niet het moment om hem tegen te spreken. Als hij wilde dreigen, moest hij dat maar doen. Als ik het verknoeide, zouden we wel verder zien. Ik knikte en draaide me om naar de open deur. Hij was er goed in om met die vinger te porren en me te bedreigen, maar hij duwde me niet opzij om zelf te gaan schieten.

Ik zette de koptelefoon weer helemaal op toen ik bij het bulderende luikgat kwam. 'Dat is geregeld. Waar zijn ze?'

Ik keek zo goed als ik kon, rekte mijn hals voorbij de opening, maar ik zag alleen de helderblauwe hemel en de oceaan daaronder.

'Ze zijn nog rechts van ons. Ze zijn ongeveer een halve kilometer voor ons en vliegen hoger.'

'Oké.'

Ik trok me weer naar binnen. Ik drukte mijn rug tegen de vliegtuigwand tegenover de opening en hield mijn knieën omhoog en mijn ellebogen net binnen de vouwen van de knieën, zodat bot niet op bot drukte. Het was de bedoeling dat mijn wapen goed werd ondersteund. Ik drukte mijn benen tegen elkaar en zette de kolf van de AK tegen mijn schouder. Terwijl het vliegtuig zich stotend door de lucht bewoog, zette ik de veiligheidspal op de eerste klik.

Ik zou heel goed moeten schieten. De AK was ontworpen om een immense vuurkracht te geven aan honderdduizenden Russen die over de vlakten van West-Europa oprukten en alles overhoop schoten wat hun in de weg stond. De AK was op zijn best als je hem in de automatische stand zette en er korte salvo's mee afvuurde, op ongeveer vijftig meter afstand. Werd de afstand groter, dan kon je er niet zuiver mee schieten.

Het kaliber van de patroon werkte in mijn voordeel. De 7.62 was ontworpen om een vijand meteen definitief neer te leggen. Als Joe me binnen bereik kon krijgen, zou alles wat ik afvuurde gaten ter grootte van een vuist in de Skyvan slaan.

Ik spande de haan van het wapen en drukte de pal omlaag om telkens één schot te lossen. Toen sprak ik weer in de microfoon: 'Joe, vriend, je moet dichtbij zien te komen en op gelijke hoogte.'

'Geen probleem, man. Hebben ze geen andere wapens dan die M4?'

'Daar komen we gauw genoeg achter. Je moet het doen voorkomen alsof we ze naar het land proberen te drijven of zoiets. Ik moet er precies achter komen waar de jongen in dat ding zit.'

Het toerental van de motor nam een beetje in toonhoogte toe en ik voelde dat we meer snelheid maakten. Even later zag ik de Skyvan door de opening van het luik. Hij vloog rechts voor ons, en hoger in de helderblauwe hemel. We waren ongeveer honderd meter bij hem vandaan.

'Ga meer omhoog, Joe. We moeten op gelijke hoogte komen. We moeten door die cockpitramen kunnen kijken.'

'Ze hebben ons gezien, Nick.' De toon van Joe's stem was ook een beetje hoger geworden. 'Hun luik gaat open.'

24

'Ik zie hem.'

Ik zag hoofden verschijnen toen het luik naar beneden kwam. Ik tuurde in mijn vizier om na te gaan of ik de linkerkant van de opening kon zien. Het luik was al bijna halfopen. Ik zag de schouders van Ant en Dec. Ze stonden rechtop, en ze hielden machinegeweren tegen hun schouder.

Ik schreeuwde in de microfoon: 'Joe! Duiken! Duiken!'

Meteen helden we met gierende motor naar rechts. De horizon verdween en ik verzette me tegen de G-krachten. Toen gleed ik naar de deur. De oceaan vulde het hele gat op. De zee vloog me tegemoet.

Ik spreidde mijn benen om me met mijn in sokken gestoken voeten schrap te zetten en zo mijn vaart te minderen. Beide hakken kwamen tegelijk tegen de drempel van het luik. Ik begon verticaal van de vloer omhoog te komen.

Joe ging horizontaal vliegen. Ik viel terug. De lucht stonk naar verbrande olie. Hij moest wel het uiterste van de motor hebben gevergd. We zaten onder de Skyvan, buiten het schootsveld van Ant en Dec.

Ik keek het vliegtuig door. Casanova en Dzjengis hielden Tracy vast. Dzjengis lag over haar voeten en Casanova hield zijn schouder vast. Het moest een hele toer voor ze zijn geweest om haar intact te houden terwijl Joe aan het stunten was.

Ik keek weer door het luikgat naar buiten. We waren laag genoeg om de zee te zien. De zon scheen fel op het water en werd erdoor weerkaatst. Het was bijna verblindend.

Casanova schreeuwde. Hij keek woedend naar mij.

Ik maakte het kalmerende gebaar naar hem dat ik de laatste tijd zo vaak maakte. 'Niets aan de hand, vriend.'

Joe was niet onder de indruk. 'Ze hebben meer dan alleen die M4, man. Ik ga het volgende doen: ik ga proberen boven die klootzak te komen en dan langs de opening te vliegen, zodat we een goede blik in de cockpit kunnen werpen. Als dat luik openblijft, kunnen we nog steeds naar binnen kijken. Oké?'

'Lijkt me een goed idee.'

'Ze zullen nu naar ons uitkijken. Ik ben niet van plan daar lang te blijven rondhangen, man. Geen denken aan. Dus let goed op.'

'Ik ben klaar.'

'Ik kan in de cockpit kijken als ik boven ze ben. Die vliegende mesthoop zou het nog niet van een kruiwagen kunnen winnen.'

De Cargomaster helde naar rechts, en toen gingen we opeens met vijfenveertig graden omhoog. De motor gierde ervan. Joe liet het toestel een strakke draai maken. Door die blauwe hemel en blauwe zee zou ik niet meer hebben geweten wat boven of onder was, als mijn maag me geen signalen had gegeven. Ik moest de stijlen aan de zijkant van de vliegtuigwand vastgrijpen. Ik liep naar het luikgat en greep met mijn linkerhand de achterkant van het kozijn vast, waarbij ik het wapen met mijn rechterhand op de vloer gericht hield.

Ik zag de horizon. Toen ving ik een zilverachtige glinstering op. Joe had zijn manoeuvre voltooid en de Skyvan bevond zich zestig meter recht onder ons. We doken omlaag. Ik voelde de versterkte zwaartekracht. De motor werd helemaal gek. Alle losse dingen in het ruim vlogen als vertraagde granaatscherven in het rond. Sommige dingen kwamen in de luchtstroom van het luikgat terecht en werden naar buiten gezogen.

Toen ik naar buiten probeerde te kijken, voelde ik dat de zijkant van mijn wang helemaal opbolde.

De Skyvan sprong op ons af. Mijn ogen voelden aan alsof ze elk moment uit hun kassen konden springen. Het leek wel of we een kamikazeduikvlucht maakten, totdat we op vijftien meter afstand waren en Joe naar links zwenkte, naar de achterkant van het doel toe.

Hij schreeuwde in mijn koptelefoon: 'De cockpit! Hij zit in de cockpit!'

We bulderden langs het luikgat van het andere toestel. Ant en Dec, nog steeds spiernaakt, zaten geknield op de drempel van het laadruim. Het halfopen luik vormde hun enige bescherming.

Een dunne straal lichtspoorkogels kwam met een boog op ons af. De kogels troffen doel. Heet metaal scheurde door de vloer van de Cargomaster.

Joe dook nog lager.

Plotseling keek ik naar hen op. Ze probeerden op het neergelaten luik naar voren te komen om naar beneden te schieten.

Door hun lichtspoorkogels leek het echt net of we in een luchtgevecht uit de Tweede Wereldoorlog verzeild waren geraakt. Toen gingen we weer horizontaal vliegen, ver buiten hun bereik.

Joe riep: 'De jongen zit absoluut in de cockpit. Hij is bij die kerel die hem heeft meegenomen. Ze zitten op de rechterplaats. Zie je ze, Nick?'

'Nee.'

'Hij zit daar absoluut. Maar dat is verdomd dicht bij de brandstoftanks, man. Het betekent dat je verdomd goed moet schieten. Kun je dat?'

'Het zal wel moeten.'

Hij lachte veel harder dan nodig was. 'Je zei dat je niet wist hoe je dat ding moest gebruiken. Maar ik wist al wat ik aan je had zodra ik je zag, man.'

'Joe, kun je wat hoger gaan, en een klein beetje naar links, boven zijn linkervleugel? Ik wil een rechte lijn naar de tanks, en door de bodem naar buiten, zonder dat ik de jongen raak. Kun je dat?'

'Zoals je zegt, man: het zal wel moeten.'

Het vliegtuig begon te stijgen. Hij liet de Cargomaster strak overhellen. Ik probeerde naar buiten te kijken. Ik had geen idee waar de Skyvan was. De motor gierde. Er vloog nog meer troep naar buiten. We hielden ons allemaal uit alle macht vast.

Opeens sprong het zonlicht op me af, en toen werd ik omringd door blauwe hemel. Plotseling zag ik de Skyvan: vierhonderd meter bij ons vandaan en veel lager.

Joe zei in mijn koptelefoon: 'Zodra ze ons zien, gaan ze een manoeuvre proberen, maar ze doen hun best maar. Jij schiet gewoon raak, man. Ja?'

'Ik zeg je wanneer het zover is.'

Ik trok de microfoon opzij en schreeuwde naar Casanova: 'Kom hier! Ik heb je nodig!'

Hij kroop naar me toe. De Skyvan was nog beneden ons.

'Ik heb je als platform nodig. Op het luik.'

Casanova knielde met gespreide armen neer en pakte de zijkanten van het luik vast.

25

Ik knielde bij zijn linkerarm neer en liet het wapen op die arm rusten. Zelf steunde ik op het kozijn.

Ik duwde de microfoon weer voor mijn mond. 'Joe, ik ben er klaar voor.'

'Daar gaan we dan.'

Joe zwenkte netjes opzij tot hij recht boven de Skyvan was. Ik boog me naar de arm van Casanova toe en richtte het wapen omlaag, vechtend tegen de wind.

De Skyvan was tweehonderd meter bij ons vandaan.

De wind sloeg keihard in ons gezicht, maar de uitdrukking op Casanova's gezicht was niet veranderd. De boodschap van dat gezicht was duidelijk: *Als je hem doodt, dood ik jou.*

De Skyvan vloog nu ongeveer honderd meter onder ons. Casanova zette al zijn kracht in om zijn lichaam zo stijf mogelijk te houden. De inspanning was nu op zijn gezicht te zien. Hij wist hoe belangrijk dat platform was.

Joe's stem kwam weer uit de koptelefoon: 'Ik ga omlaag en iets boven zijn linkervleugel vliegen. Dan zien ze ons gauw genoeg, dus je moet schieten zodra het kan.'

'Ik ben er klaar voor.'

We kwamen zo dichtbij dat ik gezichten in de cockpit kon onderscheiden. Stefan zat op de rechterplaats tussen BB's benen. BB bewoog voortdurend. Hij schoof en draaide, keek steeds naar het luchtruim om hen heen. Toen keek hij omhoog. De M4 drukte in de buik van de jongen en diens mond ging open voor een geluidloze schreeuw.

Ik voelde dat de ogen van Casanova zich in me boorden, maar ik wist dat het niet zou gebeuren. Tenminste nog niet. Stefan was op dit moment te waardevol voor BB, en ook het enige machtsmiddel dat hij bezat. Als het kind op dat moment werd doodgeschoten, dan was het door een verdwaalde 7.62-kogel van mij.

Het toestel helde naar links. Ik kon nu recht in de tank schieten, met een hoek van ongeveer veertig graden.

Ik vuurde.

Ik vuurde opnieuw.

Joe sprak in mijn koptelefoon: 'Je oude vrienden zijn bij het luik.'

Ik keek naar de achterkant. Ant en Dec manoeuvreerden zich in een zodanige positie dat ze konden schieten zonder hun eigen vleugel te raken. De wapens die ze tegen hun schouders gedrukt hielden, schudden in de hevige luchtstroom.

Een 5.56-kogel scheurde een gat van vele malen zijn diameter uit in de aluminiumvloer. Het projectiel ging rakelings langs Casanova's voeten en verliet het vliegtuig door het dak.

Casanova bewoog geen millimeter.

Ik schoot opnieuw.

Ik zette me schrap voor het volgende schot. Er was daarbeneden iets veranderd. Op de romp tussen de vleugelinplantingen waren vlekken ontstaan, veroorzaakt door ontsnapte brandstof.

Ik schoot nog meer kogels af op het andere vliegtuig, totdat de bewegende onderdelen van mijn geweer alleen maar een harde tik voortbrachten, gevolgd door niets. Het magazijn was leeg. Ant en Dec gingen gewoon door.

Joe schreeuwde: 'Weg! Wég!'

Hij begon aan een wijde bocht.

De Cargomaster helde scherp naar links over. Ik zag alleen nog hemel. Toen ving ik weer een glimp op van de cockpit. BB deed nu ook mee. Hij schoot door het zijraam.

Casanova en ik vielen achteruit tegen de romp. Gierend vlogen we buiten bereik.

Stefan was nergens te zien.

Joe's stem kwam weer uit de koptelefoon: 'Verdomme, we mogen niet geraakt worden. Anders storten wij nog eerder neer dan zij.'

Ik keek naar het daglicht dat door de gaten om me heen kwam. Ik was blij dat hij ze nog niet had gezien.

Casanova keek me aan, wachtend op een antwoord.

Ik haalde mijn schouders op.

'Ze gaan naar de kust!' riep Joe opgewonden uit. 'Je hebt het voor elkaar gekregen!'

Ik stak mijn duimen op naar Casanova.

Hij knikte langzaam. Ik ging opzij om hem de gelegenheid te geven het ruim weer in te gaan.

Maar voordat Casanova een spier kon bewegen, schreeuwde Dzjengis door het ruim naar ons.

26

Ze zag er bijna vredig uit. Ik dacht dat ze zelfs een glimlach op haar gezicht had. Ik hoopte dat ze, toen ze om haar laatste adem vocht, had geweten dat ik haar jongetje zou redden.

Ik liet me achterover zakken en probeerde het allemaal te verwerken. Geen Mong. Geen Tracy. Stefan die in de loop van een wapen keek. En Anna ook nog. Vroeger kon ik me losmaken van dit soort dingen, maar nu niet meer.

Joe, die niet wist wat er was gebeurd, sprong bijna van pure blijdschap op en neer. 'Absoluut, man! Die kist gaat landen. Je hebt hem te pakken.'

De Cargomaster helde naar rechts om laag naar de kust te vliegen. 'Laten we gaan kijken wat er van ze over is als ze zijn geland.'

Casanova keek of zijn mobieltje bereik had, en Dzjengis liep naar het luik om het te sluiten. Ik ging op de stoel aan de rechterkant zitten. Op dat moment kon ik helemaal niets doen. Niemand kon iets doen.

Tracy was dood. Maar wij hadden nog steeds werk te doen. Daar moesten we ons op concentreren. Tenminste, ik wel.

Ik had nog geen tijd om te rouwen. We hadden in het vliegtuig niets meer voor haar kunnen doen, en in Mogadishu had ze ook niet gered kunnen worden. Op dat moment gingen mijn gevoelens uit naar Stefan. Die had geen moeder meer, en als de kaarten verkeerd geschud werden, stond hem een ellendig, getraumatiseerd leven te wachten. Of helemaal geen leven.

Toen Joe hoorde wat er was gebeurd, schudde hij langzaam zijn hoofd. 'Verrekte jammer, man. Maar we krijgen die klootzakken wel te pakken. Nou en of.' Hij haalde een paar hendels over en de vleugels van de Cargomaster reageerden meteen. Ze maakten schommelende bewegingen alsof ze er hard tegenaan wilden gaan.

De Skyvan was alleen nog maar een vlek in de verte die naar het westen ging. Hij vloog over de branding en volgde zijn schaduw over de struiken en het rode zand waar maar geen eind aan leek te komen.

Joe riep: 'Hij zoekt een plek om te landen.'

Algauw vlogen we zelf ook over de woestenij. Joe tikte op het schermpje van zijn satellietnavigatie. 'Ongeveer 130 kilometer naar het westen ligt Jilib, een stadje van niks. Waarschijnlijk proberen ze daar te landen. In Jilib kunnen ze aan een auto komen.' Hij sloeg met de rug van zijn hand op mijn arm. 'Als we landen, moeten jullie vlug zijn.'

Ik keek achter me. Casanova praatte druk in zijn mobieltje. Hij zag dat ik me omdraaide, praatte nog wat meer en stond toen op.

Blijkbaar wilde hij mij de telefoon geven. Ik duwde mijn microfoon opzij. 'Zeg tegen hem dat ik nu niet kan praten. Dit is het moment niet. Verbreek de verbinding. We hebben werk te doen.'

Casanova's gezicht betrok. Hij hield er niet van dat zijn baas werd afgewezen.

Ik duwde de microfoon terug en wees naar de vlek voor ons. 'Kun je landen zonder dat die klootzakken ons aan flarden schieten?' vroeg ik aan Joe.

Hij knikte. 'Als ze die kist op de grond zetten, komt er zo'n stofwolk omhoog dat ze geen hand voor ogen kunnen zien. Maar het wordt voor ons ook geen makkelijke landing. Misschien verlies ik mijn landingsgestel.'

Ik knikte. 'Dan moeten we maar hopen dat we niet te ver hoeven te lopen.'

Joe keek opeens weer nors. 'Als die verrekte baas van jou maar voor een nieuw toestel betaalt, man! Als dit afgelopen is, heb ik nog meer werk te doen.'

27

Terwijl we dwars door de thermiek over kilometers woestijn vlogen, bleef ik strak door het cockpitraam naar de Skyvan kijken.

Joe had om een schaderapport gevraagd. Hij mompelde duister in zichzelf toen hij het nieuws kreeg. 'Godskolere, man. Als hij maar betaalt!'

Ik zocht vergeefs naar nog een AK-magazijn en maakte toen de noodkist tussen de stoelen los. Daarin zaten onder andere twee gele rechthoekige plastic dozen met Pains Wessex-minivuurpijlen. Elk daarvan bevatte negen patronen en een penuitwerper, een zogeheten penjector, die voorzien was van een roestvrijstalen veer en een slagpin. De pijlen zouden rood licht geven. Dit was reddingsmateriaal. Het leger gebruikte vuurpijlen met andere kleuren om seinen te geven. Meestal gingen ze omhoog tot minimaal 45 meter, afhankelijk van de pijl, en brandden dan zes seconden. De kleine magnesiumlading vlamde zo intens op dat de vuurpijl overdag op negen en 's nachts op zestien kilometer afstand te zien was.

Ik nam beide dozen en stopte ze achter de band van mijn spijkerbroek. Ik vergewiste me er ook van dat mijn iPhone nog te gebruiken was.

De vuurpijlen waren gemakkelijk af te schieten. Je moest ze kunnen gebruiken als je handen nat en koud waren en trilden. Je nam de penjector en draaide hem in de schroefdraad die uit de cilinder van de vuurpijl stak. Je trok hem naar achteren. Er volgde een zuigend geluid wanneer de cilinder uit zijn huls kwam. Dan trok je de spanner terug, waardoor de veer werd samengedrukt. Als je losliet, klapte de slagpin tegen de achterkant van de vuurpijl, en dan ging die er met een harde knal vandoor. Hij begon meteen te branden.

Tussen ons in verscheen een grote hand die de noodbijl uit de kist pakte. Casanova had ook een wapen nodig.

Hij staarde me aan alsof hij dwars door me heen keek. Die blik vertelde me dat die bijl voor mij bestemd zou zijn als alles mislukte. Ik duwde de microfoon weer opzij. 'Laat je vriend hier komen.'

Toen Dzjengis verscheen, ging ik achter de stoelen staan, zodat ik dicht bij hen beiden was. Ik wees naar de Skyvan. Het luikgat daarvan was nog open, maar we waren te ver weg om te kunnen zien wat er binnen gebeurde. In elk geval waren we nu allebei veel dichter bij de grond.

'Luister. Zodra ze landen, doet Joe dat ook; dicht bij ze, als het stof nog niet is gaan liggen. We moeten heel snel zijn. We moeten er snel op af en die klootzakken te grazen nemen. Hopelijk is het luikgat dan nog open. Ik weet niet of ze met een open luik kunnen landen, en eigenlijk kan het me ook niet schelen. Daar komen we wel achter als we er zijn.'

Casanova vertaalde het. Toen keek hij mij aan. 'We doden ze allemaal. Meneer Timis wil ze dood hebben. Allemaal.'

Ik begreep het. Als ik Stefan had geraakt, zou het ook voor mij hebben gegolden.

'Ik zorg voor Stefan. Dat is nog steeds mijn taak: die jongen ophalen. Oké?'

Deze keer begrepen ze allebei wat ik zei.

'Justin zal Stefan niet vermoorden, tenzij hij weet dat hij verloren is. Op dat moment kan het hem geen moer meer schelen. We moeten hem dus laten denken dat hij een kans maakt. We laten hem uit het vliegtuig ontsnappen. Als we naar binnen gaan en hem in een hoek drijven, is Stefan dood. Laat hem lopen. Ik ken hem. Ik weet hoe hij denkt. Ik krijg die klootzak wel te pakken.'

Casanova was er helemaal niet blij mee, maar dat liet me koud. 'Wil jij ervoor verantwoordelijk zijn dat we het verkeerd aanpakken en de jongen daardoor omkomt? Wil je dat?' Ik porde tegen zijn borst. 'Ik neem die verantwoordelijkheid. Zoals ik ook deed toen ik op die brandstoftanks schoot. We laten Justin uit dat vliegtuig ontsnappen. Dan denkt hij dat hij een kans maakt. Ik krijg hem wel te pakken. We moeten hem niet in het nauw drijven.'

Joe mengde zich in ons gesprek. 'Het is zover, man. De klootzak gaat landen. Hij haalt het stadje niet. We komen ongeveer twintig kilometer tekort. Zodra ik jullie gedropt heb, ga ik ervandoor zolang er kogels door de lucht vliegen. Dat wil zeggen, als jullie nog een vliegtuig willen hebben om thuis te komen.' Hij speelde met zijn instrumenten en keek daarbij voortdurend op naar de Skyvan en het terrein beneden. 'Vooropgesteld dat ik over vijf minuten nog een landingsgestel heb.'

Ik zette de koptelefoon af en ging naar het luik om het open te trekken. De Cessna daalde. Casanova trok zijn kogelwerende vest weer aan en Dzjengis controleerde zijn M4.

Hij zag me ernaar kijken en gaf me met een norse blik te kennen dat het ding bleef waar het was.

321

28

De wind gierde naar binnen, zij het niet meer zo krachtig als tevoren. We vlogen lager en langzamer. De struiken waren niet meer dan zestig meter onder ons.

Ik stak mijn hoofd in de luchtstroom. Verderop raakte de Skyvan de grond.

De motor van de Cargomaster maakte meer toeren toen Joe bijstuurde. Casanova en Dzjengis keken van achter de stoelen naar de gang van zaken.

Minder gas. Het vliegtuig ging langzamer vliegen. Nog vijftien meter.

Franks jongens kwamen bij me in het ruim en posteerden zich bij het luik. Er stoof een gigantische stofwolk op die de Skyvan helemaal opslokte. Zandkorrels sloegen tegen mijn gezicht.

Ik zag de wielafdrukken van de Skyvan in de harde rode aardkorst recht onder ons. Joe zorgde ervoor dat hij landde op grond die zijn deugdelijkheid had bewezen.

Onze wielen raakten de grond. Joe remde en de Cargomaster hotste op de stofwolk af.

Casanova sprong uit het vliegtuig. Hij rolde zijn lichaam op om de klap met zijn kogelwerende vest op te vangen. Dzjengis volgde hem. De Cargomaster had nog een snelheid van vijftig kilometer per uur. We waren nog maar twee seconden aan de grond.

Ach, waarom ook niet? Ik haalde de minivuurpijlen tevoorschijn, nam er een in elke hand en sprong.

De dreun waarmee ik neerkwam, pompte de lucht uit mijn longen. Ik rolde een struik in en liet een van de dozen met vuurpijlen vallen. Vlijmscherpe doorns van twee centimeter lang staken in mijn huid, maar ik rolde door.

Ten slotte stond ik op, zand en gruis uitspuwend.

Dzjengis rende me voorbij. Met zijn wapen in de aanslag verdween hij in de stofwolk. Casanova, met de bijl, kwam niet meer dan een meter achter hem aan.

Ik pakte de doos met vuurpijlen op en begon achter ze aan te rennen.

29

Joe liet de motor weer veel toeren maken en steeg links van de Skyvan op. De Skyvan stond stil, maar zijn motoren draaiden nog en wierpen een maalstroom van rood stof op. Binnen werd geschreeuwd. Ik hoorde het geluid van een 5.56 waarmee werd geschoten.

Ik rende rechts om de wolk heen om ervoor te komen en liet me in een kuil vallen, hijgend van ademnood. Ik voelde dat er ook doorns in mijn voeten zaten.

In de Skyvan werd opnieuw geschoten. De propellers begonnen langzamer te draaien. Een ervan kwam kuchend tot stilstand.

BB strompelde uit de voorkant van de stofwolk. Hij had zijn M4 in zijn hand, maar hij had Stefan niet bij zich. Verdomme.

Ik drukte mijn lichaam dieper in het zand.

BB draaide zich om en rende terug om bijna meteen weer tevoorschijn te komen. Ditmaal sleepte hij de jongen mee. Hij gooide hem over zijn linkerschouder. Met zijn wapen in zijn rechterhand liep hij naar het westen. Hij liep met zijn rug naar de zon en zijn voeten trapten stofwolken omhoog. Hij wist waar hij heen ging. Zelfs in deze hitte en met het gewicht van de jongen kon BB de twintig kilometer naar Jilib met gemak afleggen.

Hij keek niet achterom. Hij wist dat het niet nodig was. Hij moest kilometers maken.

Er vielen nog twee schoten. De tweede propeller kuchte en viel stil. De stofwolk ging geleidelijk liggen.

Ik rende achter hen aan. Ik bleef rechts van hen en gebruikte de struiken zo goed mogelijk als dekking. De Skyvan was algauw achter me verdwenen.

Ik maakte een van de dozen met minivuurpijlen open om bij de penjector te komen. Ik haalde hem eruit, schroefde hem op een pijl en trok hem er met een zacht plopgeluid uit. Intussen rende ik door. Het was van het grootste belang dat BB me niet zag. Zijn M4 was accuraat tot op ongeveer driehonderd meter afstand. Die vuurpijlen waren helemaal niet accuraat.

BB verdween in een hittewaas in een bosje struiken en kwam niet meer tevoorschijn. Mijn voeten gleden door het zand. Nog steeds met de struiken als dekking probeerde ik snel vooruit te komen.

Misschien bleef BB wel waar hij was. Hij zou zich kunnen verstoppen en verborgen blijven, wij zouden hem gaan zoeken en hem kwijtraken, en tegen de avond zou hij weer verder trekken.

Zo had hij het op zijn training geleerd en hij zou er het lef voor hebben. Misschien wist hij zelfs dat ik achter hem aan zat en wachtte hij tot hij mij in het vizier van zijn wapen kreeg. Wat heeft het voor zin om weg te rennen als er mensen achter je aan zitten die je toch niet kunt afschudden? Hij kon ook op één punt blijven, op me wachten, me doodschieten en dan verdergaan.

Ik zat niet achter een angstig prooidier aan. BB was een uiterst goed getrainde ex-SAS-man die een rekening te vereffenen had en een grote buit kon binnenhalen.

Ik ging naar rechts van het punt waar hij uit het zicht was verdwenen.

Ik liep nu langzamer. Mijn keel brandde. Mijn hoofd brandde. De hitte was genadeloos.

Ik liep voorovergebogen maar snel, want ik durfde geen terrein te verliezen. Binnen een paar seconden kwam ik bij een opgedroogde waterloop. Eeuwen van hevige regenval hadden hem uitgesleten tot een diepte van drie en een breedte van twee meter. Ik ging aan de rand van de wadi liggen en tuurde naar links en rechts langs de bedding. Er was geen spoor te zien. Helemaal niets. Er had daar niemand gelopen. BB moest nog ergens links van me zijn.

Met mijn voeten vooruit en de penjector in mijn hand liet ik me langzaam van de helling af glijden. Toen ik beneden was, ondersteunde mijn linkerhand mijn rechter, alsof ik mijn Glock had. Mijn lichaam werd een vuurplatform. Mijn benen stonden tot schouderbreedte uit elkaar met mijn linkervoet iets naar voren, zodat mijn lichaam 45 graden gedraaid was ten opzichte van de richting die ik uit ging. Toen ik in alle opzichten in balans was, begon ik door de wadi te lopen.

Alleen de duim waarmee ik de vuurpijl zou afschieten, was vrij. Het was het enige wat ik liet bewegen. Ik hield de vuurpijl voor me, midden in mijn gezichtsveld.

30

Langzaam, met grote stappen, alsof ik aan het patrouilleren was, liep ik door, met de wadi als dekking. Ik kwam bij een bocht. Ik bleef staan luisteren voordat ik doorliep, mijn wapen omhoog, gericht op het dorre terrein.

De droge waterloop ging in oostelijke richting naar de zee en maakte daarbij veel bochten, met veel schaduw. Ik had de zon nu recht voor me. Hij brandde in mijn gezicht en maakte het me moeilijk iets te zien. Ik bleef voor een volgende bocht staan, luisterde weer en liep toen door, mijn handen omhoog om de vuurpijl te kunnen afschieten.

Ik nam een bocht naar links en hoorde gefluister voor me. Ik bleef staan. Toen ik me naar het geluid toe boog, met mijn linkeroor aan die kant, hield ik mijn adem in om te kunnen horen wat er op drie – misschien zelfs zes of zeven – meter afstand van me gebeurde.

Het gefluister werd zachter. Ik kon het nog maar net horen.

Ik droogde mijn rechterhand aan het zand in de zijkant van de wadi en legde mijn duim weer op het afschietmechanisme. Ik hield de vuurpijl weer in de lanceerpositie. Het zweet droop van mijn voorhoofd en prikte in mijn ogen. Ik schudde mijn hoofd. De zon scheen nog feller in mijn gezicht.

Ik begon de hoek om te schuifelen. Ik kon BB net zien. Hij zat onder een overhangende wand van de wadi, in een stukje schaduw, zijn knieën opgetrokken, zijn gezicht in de richting vanwaar hij gekomen was. Hij had de kolf van de M4 tegen zijn schouder en zijn rechterhand op de pistoolgreep. De voorste handgreep had hij tussen zijn knieën zitten om ervoor te zorgen dat de loop op de rand van de wadi gericht bleef. Zijn andere hand had hij om Stefan heen. Hij hield hem op de mond van de kleine jongen en drukte diens hoofd dicht tegen zich aan om hem stil te houden.

Ik ging nog een stap naar voren. Ik moest zo dicht mogelijk bij hem komen voordat de poppen aan het dansen gingen. Ik drukte met mijn duim op het lanceermechanisme. Omdat Stefan zich tussen ons in bevond, zou ik niet goed op BB kunnen schieten. Hij zou mij eerst zien. Maar dat was niet erg. Ik wilde juist dat hij me zag. Ik wilde dat hij schrok en dat BB daardoor in beweging kwam en het wapen niet meer naar boven richtte, maar op mij. Maar nu nog niet.

Ik hield het wapen gericht op het doel, mijn ondersteunende hand nog om mijn schiethand heen, mijn schouder naar voren, zodat mijn neus dichter bij het doel was dan mijn tenen. Mijn rechterarm duwde het wapen naar BB en mijn linkerhand oefende achterwaartse druk uit, zodat het platform volkomen stabiel was.

Ik bleef naar voren gaan, steeds dichterbij.

Stefan zag me, hij zag mijn wapen. Hij schreeuwde in BB's hand en spartelde om los te komen. Zoals na de gebeurtenissen van de afgelopen twaalf uur te verwachten was, scheen hij niet meer te weten wie vriend en wie vijand was.

Ik hield beide ogen op het doel gericht, het midden van de massa van de twee lichamen. De pijl aan het eind van de buis verscheen in mijn gezichtsveld en ik concentreerde me erop. Het doel en het afschietmechanisme waren nu alleen nog maar een waas. Ik concentreerde me met beide ogen op de pijl.

BB keek vlug om en probeerde zijn greep op de jongen te verstrakken. Hij keek me recht in de ogen. Niet met verbazing; niet met woede. Alleen met zelfvertrouwen. Hij wist wat hij moest doen. Zijn strakke blik bleef op mij gericht. De rest van zijn lichaam volgde de draaibeweging van zijn hoofd, met het wapen. De M4 zwaaide naar me toe.

Hij liet de jongen los. Hij had zijn linkerhand nodig om het wapen aan de voorkant te ondersteunen. Terwijl Stefan struikelde en viel, tuurde BB door zijn vizier naar de korrel aan het eind van de loop.

Ik bleef waar ik was. Ik wilde een stabiel platform blijven vormen voor de vuurpijl.

Ik liet het lanceermechanisme los en de pijl ging er met een harde knal vandoor. Een fractie van een seconde later brandde een verblindend felle bal van vuur zich als gesmolten lava in zijn dij. Hij strompelde achterover en loste een kort salvo, dat in de zijkant van de wadi terechtkwam.

De kogels boorden zich meters bij me vandaan in de droge modder.

31

BB's kreten galmden door de smalle wadi. Het magnesium zou het vlees verteren totdat alle zuurstof daarin was opgebruikt. Hij lag in het stof en maakte krampachtige bewegingen, nog steeds niet bekomen van de schok en de pijn. Zijn vlees siste en er kwam dichte witte rook uit het grote gat in zijn been.

Stefan stond er als aan de grond genageld naar te kijken.

Ik greep de bevende jongen met beide handen vast en duwde hem naar de kant van de wadi. 'Lopen! Loop naar je peetvaders. Nu!'

De geluiden die uit hem kwamen, spraken van een zuiver dierlijke angst. 'Waar? Wáár?'

'Die kant op. Waar je vandaan gekomen bent. Ga daarheen en je ziet ze. Nu! Ze wachten op je!'

Hij kwam bij de rand van de wadi, maar bleef daar staan en keek op me neer. Ik gooide een steentje naar hem. 'Ga weg! Nu!'

Hij draaide zich om, schreeuwend in het Russisch. Ik draaide me vlug weer om naar BB. De werkende delen van de M4 lagen achter hem. Het magazijn was leeg. Hij had gehoopt mij met die laatste paar kogels te kunnen uitschakelen voordat hij verderging.

De vuurpijl brandde niet meer. Zijn vreselijke pijn was duidelijk te zien. Toch probeerde hij te glimlachen. 'Het ging alleen maar om het geld,' zei hij. 'Dat was alles.'

Ik schroefde de lege cilinder van de penjector los en schroefde er een nieuwe op. Er volgde weer een zacht plopgeluid toen hij uit de huls gleed.

BB hoorde het ook. Zijn hoofd viel in het zand terug. Zijn hele gezicht was verwrongen van pijn. De zon brandde. Hij hijgde en deed pogingen zijn ademhaling te beheersen. Hij zou het laatste woord willen hebben. Dat had hij altijd.

Mijn schaduw viel over hem heen. Hij keek op om er zeker van te zijn dat we elkaar in de ogen keken. 'Je weet dat ik nooit iets om Tracy heb gegeven. Ik heb ook nooit iets om die slet van een zus van haar gegeven. Of om Frank. Om niemand. Zelfs niet om de jongen. Ze kunnen allemaal doodvallen.'

Ik knielde neer en hield de vuurpijl op enkele centimeters afstand van zijn voorhoofd. Toch zou hij niet gaan smeken. Hij zou ook niet proberen het met me op een akkoordje te gooien. Dat wist ik.

Ondanks zijn pijn kon hij uiteindelijk glimlachen. 'Weet je wat? Ik gaf niet eens iets om Mong. Ik heb hem laten doodgaan. Dacht je dat ik mijn leven op het spel ging zetten voor een stelletje spleetogen? Mooi niet. Hij wilde vechten, dus ik liet hem zijn gang gaan. Wat kon hij me schelen?'

Hij keek naar me op. 'En jij mag ook doodvallen.'

Hij ging vlugger ademhalen. Er zat een laagje zand op zijn gezicht.

Ik ging op mijn knieën zitten. Ik wilde zo dicht mogelijk bij hem komen. Ik wilde niet dat hem iets ontging van wat ik nu ging zeggen en doen.

'Mong wilde vechten om mij in de gelegenheid te stellen het werk te doen waarvoor we daar waren. Hij beschermde mij. Dat doen maten als ze samen nat, koud en hongerig zijn geweest. Echte maten zetten hun leven op het spel voor elkaar. We behoren tot dezelfde stam. Dat heb jij nooit begrepen.'

Ik drukte de vuurpijl tegen zijn slaap. Hij gaf geen krimp.

'Je zult me niet horen smeken. Dat verdom ik.'

Ik knikte langzaam. 'Ja, dat weet ik.'

Hij lachte. 'Beter in één keer opbranden dan langzaam uitdoven, hè?'

'Daar kom jij nu gauw genoeg achter.'

Ik trok het lanceermechanisme achteruit en liet het los.

De penjector sprong een beetje in mijn hand. Ik rolde weg en zag dat zijn hoofd al in brand stond. Zijn lichaam schokte alsof hij in een elektrische stoel zat.

Ik ging in de wadi zitten, nam niet eens de moeite de schaduw op te zoeken. Ik keek naar de verkoolde resten van BB's hoofd. De rook kringelde op uit de wond, waarin het laatste magnesium alles wegvrat tot op het bot. De rook kwam ook uit zijn dichte ogen. De wond in zijn dij glansde in het felle zonlicht.

Ik schoot de ene na de andere vuurpijl de lucht in. Binnen enkele minuten verschenen Franks jongens op de oever boven me. Stefan had zijn armen stevig om Casanova heen geslagen. Die kuste de jongen zachtjes, mompelde tegen hem, streek over zijn haar en schermde hem af tegen de aanblik beneden hen.

Dzjengis had een blauw dekzeil meegenomen zoals je in goedkope winkels kunt vinden. Ik besefte wat hij erin had toen hij met de bebloede bijl in de wadi afzakte. Hij moest drie keer hakken om BB's hoofd eraf te krijgen. Het ging bij de hoofden van Ant, Dec en nog iemand, waarschijnlijk dat van de piloot. Hij draaide het dekzeil dicht en hing het over zijn schouder.

Hij gaf me met een gebaar te kennen dat ik nog meer vuurpijlen moest afschieten. Ik lanceerde er nog een en volgde hem de wadi uit.

Ik hoorde dat de Cargomaster ergens boven ons was, maar de zon stond nu zo hoog aan de hemel dat ik hem niet kon zien. Ik ging in het zand zitten en schoot de laatste twee vuurpijlen af. Casanova bleef Stefan troosten. Dzjengis gooide de bijl in het zand. We wachtten alleen nog maar af, wilden niet praten, wilden de overwinning niet vieren, wilden helemaal niets meer. Ik was volkomen uitgeput. Mentaal en fysiek.

De Cargomaster gierde over ons heen, helde opzij en veranderde van richting. Ik begon de doornen uit mijn voeten te trekken.

32

Het motorgeluid hing als een constant gezoem in het ruim. Laag vliegend volgden we de kustlijn. Het weelderige groen rechts van ons was Kenia. Ik zat tussen twee bundels in. Tracy was als een Egyptische mummie in een dekzeil gewikkeld. De hoofden zaten in een ander dekzeil. Ze waren rechts achter in het ruim gelegd, waar Stefan ze niet kon zien.

Dzjengis lag tussen mij en de cockpit. Hij sliep of lag daar alleen maar, dat kon ik niet nagaan. Zijn hoofd bungelde heen en weer op het kogelwerende vest dat hij als kussen gebruikte. De jongen zat naast Joe op de schoot van Casanova. Hij werd geknuffeld en getroost.

Stefan had een bijna lege fles water in zijn handen. Casanova deed van alles om hem die fles te laten leegdrinken. Hij moest wat vocht in zich krijgen. Er kwamen nog niet veel reacties uit de jongen.

Ik keek naar de bundels. Mong dood. Tracy dood. Nu zelfs BB. Het was of er ook een eind was gekomen aan een deel van mijn leven. Misschien was dat ook de bedoeling. Niemand was nu zo belangrijk voor mij als Anna. Ik wist hoe het hier was gegaan, maar niet hoe het met haar ging. Ik hoopte alleen dat we konden verdergaan waar we gebleven waren.

Ik haalde de iPhone uit mijn zak. De batterij was bijna leeg, maar ik had nog drie streepjes bereik. Om minder last van het lawaai te hebben ging ik naast Tracy liggen. Het hielp niet erg. Ten slotte stak ik mijn vinger in mijn andere oor en belde Anna. Deze keer kreeg ik geen gekke Arabische vrouwen aan de lijn, maar alleen een lange, ononderbroken toon. Misschien hadden de Fransen en Britten de infrastructuur platgebombardeerd.

Ik verbrak de verbinding. Toen belde ik Jules en kreeg meteen de voicemail. 'Vriend, ik ben in Kenia en ga vandaag naar Anna toe. Ik bel je als ik de batterij van dit ding heb opgeladen.'

Casanova draaide zich om en schreeuwde naar Dzjengis. Plotseling heerste er een en al activiteit in de cockpit. Ze tuurden beiden door de pokdalige voorruit en Joe praatte druk met de verkeersleiding.

Ik stond op en liep naar voren. Casanova wees Stefan aan waar zijn vader was. Het Gulfstream G6-zakenvliegtuig kon je niet over het hoofd zien, zelfs niet op deze afstand. Het vliegveld was niet meer dan twee banen;

grote zwarte littekens in de grond die met een hoek van negentig graden naar elkaar toe stonden. Er waren een paar kleine gebouwen en hangars, en er stonden wat lichte vliegtuigen. Toen we kwamen aanvliegen om te landen, schitterde de zon op de linkerbovenhoek van de voorruit.

De jongen keek over Casanova's schouder naar me. Hij leek met de minuut meer op Frank. Ik glimlachte en knipoogde naar hem, maar kreeg geen reactie. De jongen draaide zich om, de waterfles nog in zijn hand, en drukte zich tegen de borst van zijn peetvader. Zijn haar was aangekoekt met zand.

Ik keek naar hem en besefte dat het wel goed met hem zou komen. Zijn vader hield van hem; zijn peetvaders hielden van hem. Kinderen hebben oorlog, hongersnood, zelfs de Holocaust overleefd en zijn toch goede, stabiele mensen geworden. En trouwens, Stefan had iets wat andere kinderen niet hadden. Het Frank-gen. Ongetwijfeld zou zelfs deze ervaring hem later in zijn leven tot voordeel strekken.

Ik was een beetje jaloers op hem. Zijn beide ouders hadden zo veel van hem gehouden, en Casanova had Stefan onderweg meer kussen en knuffels gegeven dan ik in mijn hele kindertijd had gehad.

Zo soepel als zijde raakten de wielen de grond. Joe taxiede naar de G6, die bij het punt stond waar de twee banen elkaar raakten.

De jongen keek reikhalzend naar het straalvliegtuig. Casanova maakte van de gelegenheid gebruik om zich naar mij om te draaien. In de uitdrukking op zijn gezicht was geen verandering gekomen. Ook goed. Waarom zou hij iets om mij geven? Werk was werk. De jongen was veilig. Dat was het enige dat telde.

Als einde van een film stelde het niet veel voor, maar Frank en de jongens hadden wat ze het allerliefste wilden hebben. Het ging allemaal om de jongen.

We stopten achter de G6 en de propeller kwam sputterend tot stilstand. Het was nogal een anticlimax. Geen orkest; geen ontvangstcomité. Geen burgemeester die ons de sleutels van Malindi kwam aanbieden.

Joe gooide de cockpitdeur open en klom uit het toestel om aan zijn inspectie te beginnen. 'Jezus christus, man. Moet je kijken.' Het perspex was deerlijk gehavend. De romp had veel nieuwe tochtgaten.

Casanova verliet het vliegtuig met Stefan in zijn armen. Ik volgde Dzjengis door het luik naar buiten. Ik liet hen alleen en liep naar Joe toe. Het was volkomen duidelijk dat mijn rol in de Frank-show was uitgespeeld. Ik liet het nu maar aan hen over.

Joe stak zijn vuist in een gat in het aluminium en trok nog wat losse stukken weg. Hij keek in het ruim. 'Wat gebeurt er nu, man? Hoe moet het nu verder?'

'Ik weet het niet, vriend. Ik weet alleen dat ik naar Benghazi moet.'

Zijn hand schoot naar zijn zij alsof hij een elektrische schok had gekregen. 'Wat? Je bent knettergek, man. Heb je nog niet genoeg van die rottigheid?' Hij knikte naar het ruim. 'Wie zijn dat?'

'Een paar Georgiërs en een man die vroeger een maat van me was. Ze wilden de jongen. Zijn vader stond niet op hun kerstkaartjeslijst, als je begrijpt wat ik bedoel.'

Hij drukte zijn handen over zijn oren. 'Ik wil niet meer van die onzin horen, man. Als je er maar voor zorgt dat die vader me de schade vergoedt. Ik ga straks naar het strand om bier te drinken en verder helemaal niks te doen. Terwijl dat gebeurt, kan mijn nieuwe machine in orde worden gebracht. Dan is het wat mij betreft geregeld. Wat jullie idioten verder doen, moeten jullie zelf weten.'

Ik hoorde voetstappen achter me. Ik draaide me om en zag Casanova met Stefan nog op zijn arm, en Dzjengis.

Casanova kuste de jongen op zijn wang en mompelde in het Russisch tegen hem. Stefan knikte langzaam. Casanova keek mij aan, nog steeds met dezelfde uitdrukking op zijn gezicht. Hij zag er nog steeds uit alsof hij die bijl in mijn schedel wilde slaan.

'Je hebt ons Stefan teruggegeven. Nu moet je meneer Timis zijn zoon geven.'

Hij gaf Stefan aan mij over en ik kreeg nu eindelijk een glimlach. 'Dank je, Nick.' Hij knikte en ging een stap opzij om Dzjengis zijn hand te laten uitsteken. Ook die zei 'Dank oe' met een zwaar accent.

Ik schudde hem de hand en liep naar de G6. Stefan liet zijn kin op mijn schouder rusten en keek naar de grond.

Toen ik onder aan de trap kwam, verscheen Frank in de deuropening. Hij droeg nog steeds een spijkerbroek met een onberispelijke vouw en een kraakhelder wit overhemd met korte mouwen en een pen in het borstzakje. Zijn gezicht daarentegen verkeerde niet in ongerepte conditie. Hij huilde.

33

Toen ik de trap op liep, fluisterde ik in het oor van de kleine jongen: 'Papa is er, Stefan! Kijk!'

Hij keek schuin omhoog. Nu kwam er tenminste ook op het gezicht van de jongen een glimlach. Hij spartelde om bij me vandaan te komen. 'Papa! Papa!'

We kwamen bij de deur.

Frank stak zijn armen uit en nam hem van me over. Ze omhelsden elkaar innig. De tranen liepen over Franks wangen toen hij het gezicht van zijn zoon kuste. 'O, mijn Stefan...'

Frank droeg hem het vliegtuig in. Het interieur was schitterend: witte stoelen die in alle standen gezet konden worden, banken en hoogpolig tapijt. Ik bleef bij de deur staan. Frank liep verder het vliegtuig in. Hij ging met zijn zoon op een gebogen bank zitten. Ze omhelsden en kusten elkaar.

Stefan praatte in het Russisch. Ik wist niet wat hij zei, maar hij struikelde over zijn woorden toen hij alles wilde vertellen wat er was gebeurd. Ik hoorde een paar keer 'mama, mama'.

Frank streek Stefans tranen van zijn wangen. Zijn eigen wangen waren drijfnat. Hij kon zich niet beheersen.

Algauw praatte Frank zachtjes in het Russisch tegen hem en streelde hij zijn gezicht. Hij maakte grappige opmerkingen, zoals je bij kinderen doet. Het werkte niet.

Een oudere vrouw kwam uit de deuropening bij de cockpit. Die deur bevond zich in een wand van glanzend walnootfineer. Ze zei de jongen zachtjes maar opgewekt gedag en streek door zijn haar.

Stefan kende haar. Ze leidde hem aan zijn hand weg, maar niet voordat hij van zijn vader nog een kus op zijn voorhoofd had gekregen.

Frank volgde hem met zijn ogen tot aan de slaapkamer, waar zijn zoon zich omdraaide en zwaaide.

Zijn Zenith-horlogeband rammelde toen hij me naar zich toe wenkte. 'Nick, alsjeblieft. Kom binnen. Ga zitten.'

Mijn aandacht was nog even op de slaapkamerdeur gevestigd, en toen liep ik naar hem toe.

'Stefans wonden moeten worden schoongemaakt, Nick. En dan geeft ze hem iets om hem te laten slapen tot we in Moskou terug zijn.'

Ik liet me op de gebogen bank tegenover hem zakken. Hij streek over zijn ogen en boog zich naar voren. Zijn hand kwam omhoog en schudde de mijne. 'Nick, dank je. Dank je.'

Hij bood me een echt glazen fles water aan. De dop siste toen ik hem opendraaide. Terwijl ik met enorme dorst een paar grote slokken nam, keek ik uit het raam. Casanova en Dzjengis brachten de zeildoeken bundels naar het ruim.

'Wat gebeurt er met de hoofden?'

'Die worden naar bepaalde mensen in Tbilisi gestuurd. Als geschenk.'

'Mooi geschenk.'

'Ik zal het regime in Tbilisi laten instorten en dan is mijn land vrij. Georgië is een vijand van Rusland. Een vijand van Zuid-Ossetië. Binnenkort breekt er geweld uit in de straten van Tbilisi. De mensen die ik steun en financier, zullen daarvoor zorgen. Die hoofden zijn een geschenk voor degenen die mijn zoon als wapen tegen mij wilden gebruiken. Ik zie ze als een voorteken van hun toekomst, want binnenkort heb ik hun hoofden ook. Mijn ouders waren in de zeventig toen de Georgiërs in mijn land kwamen. Het waren oude, zachtmoedige mensen die geen vlieg kwaad deden.'

Toen Georgië in 2008 een militair offensief inzette om het afgescheiden Zuid-Ossetië opnieuw te bezetten, werden er ongeveer 1.400 inwoners gedood. Franks ouders moesten tot die 1.400 hebben behoord.

We werden allebei stil toen Tracy's lichaam werd ingeladen.

Er had woede in zijn stem doorgeklonken toen hij over zijn ouders sprak, maar nu maakte de Terminator-blik die ik van hem gewend was plaats voor droefheid.

'We begraven haar in Moskou. Stefan moet altijd dicht bij haar zijn.'

Frank kon me plotseling niet meer aankijken.

'Wat ga je hem vertellen?'

Hij haalde zijn schouders op.

'Als het helpt, Frank: toen ik Tracy voor het eerst in Marka zag, streelde ze zijn hoofd en zong ze een liedje voor hem. Als je nou eens tegen hem zegt dat zijn moeder naar de hemel is gegaan om de engelen *Drie blinde muizen* te leren zingen?'

De tranen welden weer op in Franks ogen. Ik geloofde niet dat hij alleen om Stefan huilde. Zijn hand kwam omhoog, niet zozeer om ze weg te vegen als wel om ze in zijn hoofd terug te duwen.

'Ja, dat is een heel goed idee. Dank je, Nick.'

Mijn werk zat erop, maar ik had plotseling het gevoel dat dit misschien een nieuw begin was, niet het einde der tijden. Misschien was het waar wat ik tegen Tracy had gezegd. Stefan maakte deel uit van haar. En zij maakte deel uit van Mong. En Mong? Nou, Mong maakte altijd deel uit van mij.

Ik gaf Frank even de tijd om zijn gezicht weer in de plooi te krijgen. 'En wat gaat er nu met Stefan gebeuren? Blijf je hem bij je gezin vandaan houden?' Ik knikte naar de slaapkamer. 'Wil je hem de rest van zijn jeugd met een kindermeisje in een doosje bewaren? Dat zou toch niet goed zijn, Frank?'

De tranen waren weg, en de oude Frank, misschien niet de echte Frank, kwam terug. 'Je hebt echt heel veel moeite gedaan om meer over mij te weten te komen.'

Ik knikte. 'Dat hoort bij mijn werk, vriend.'

Hij boog zich naar me toe en kon me nu weer recht aankijken. 'Stefan zal deel uitmaken van mijn gezin. Mijn vrouw heet Ljoebova. Dat betekent "liefde". Ze heeft ook veel liefde. Dat moest wel, Nick, want ik ben niet altijd een goede echtgenoot geweest. Van sommige vrouwen wist Ljoebova af, maar ze heeft altijd van me gehouden.'

Hij wees met zijn vinger naar me. 'Ze weet niets van Stefan, maar ze zal heel gauw van hem weten. Ik zal haar alles vertellen. Ik denk dat ze mijn zoon als haar eigen kind zal beschouwen. Ik hoop dat ze me vergeeft. Dus misschien is er toch nog iets goeds uit dit alles voortgekomen.' Hij leunde achterover. 'Maar genoeg daarover, Nick. Hoe zit het met jou, wat wil jij? Wat heb je nodig?'

Ik leunde ook achterover en goot het laatste water uit de fles door mijn keel. 'Ik denk dat Joe de piloot een nieuw vliegtuig nodig heeft. Hij heeft er meer gaten in zitten dan ik in mijn sokken.'

Frank keek omlaag en zag hoe mijn voeten eraan toe waren. Hij lachte.

Hij stak zijn handen omhoog. 'Natuurlijk, dat wordt allemaal geregeld. Maar jij, Nick, wat wil je meer dan alles op de wereld?'

Dat was een gemakkelijke vraag.

'Frank, ik wil een lift naar Benghazi.'

Zijn ogen werden groot. Hij lachte weer. Het was een diepe, warme, sonore lach. Dit was de echte Frank, en ik mocht hem graag.

Deel VIII

1

Vrijdag 25 maart
01.17 uur

Het konvooi van Moslims Zonder Grenzen, dat uit zes witte Mercedes Sprinters bestond, passeerde de zoveelste controlepost van Vrij Benghazi aan de rand van de door oorlog geteisterde stad. Met alle bewapende technicals, AK's en RPG's leek het bijna Mogadishu, alleen waren de Afrikanen hier Arabieren.

Toen hij was uitgelachen, had Frank de G6 opdracht gegeven naar Sallun, de Egyptische grensovergang, te vliegen. Dat lag bij de Middellandse Zee, ongeveer 150 kilometer bij Tobroek vandaan. Het kleine vliegveld waar we landden, leek precies op Camp Hope in de provincie Atjeh, zes jaar geleden, met het verschil dat transportvliegtuigen hier veel dichterbij konden landen.

24 uur per dag, 7 dagen per week, braakten vliegtuigen hun humanitaire ladingen uit. Er liepen veel mensen rond die er heel bedrijvig uitzagen. Ze droegen kaki jasjes en broeken met een heleboel zakken vol uiterst belangrijke dingen. De witte Toyota 4x4's waren ook al opgedoken, met hun grote antennes en NGO- en MONGO-stickers.

Toen de G6 naar zijn plaats taxiede, leek hij daar beslist niet op zijn plaats. Zelfs de hallelujaroepers die net waren aangekomen om de Libiërs en Egyptenaren tot het christendom te bekeren, bleven staan kijken. Alsof Obama naar het land was gekomen om persoonlijk een kijkje te nemen. De plaatselijke bevolking keek alleen maar argwanend. Ze vroegen zich af of dat vliegtuig Gaddafi's familie in veiligheid kwam brengen.

Toen ik in een gestreken spijkerbroek en een groen-geelgeruit overhemd van Frank naar buiten kwam, keken ze allemaal erg teleurgesteld. Frank wist niet alleen hoe hij een miljard of tien moest vergaren; hij wist ook hoe hij zich belachelijk moest kleden.

Het was een fluitje van een cent geweest om Libië binnen te komen, voornamelijk omdat niemand anders het wilde. Er stonden geen officials aan de Libische kant van de grens. Eruit komen zou een veel groter probleem worden: er stond veel politie aan de Egyptische kant. Migranten van beneden de Sahara wachtten dagenlang in geïmproviseerde kampen tot ze de grens over konden. Ze dronken flessenwater en aten brood dat door de hulporganisaties werd uitgedeeld. Ze hadden allemaal minstens één grote geruite markttas met een rijgkoord bij zich. Sommigen hadden zelfs een tv in een kartonnen doos meegenomen. Die kerels hadden hard gewerkt om die spullen te kopen, en dus namen ze alles mee.

En zelfs wanneer ze eindelijk de grens over waren, kwamen ze alleen maar in het volgende kamp terecht. Waar kon je heen? Tot kilometers in de omtrek was er helemaal niets, behalve een paar Romeinse putten en een Commonwealth-begraafplaats uit de Tweede Wereldoorlog.

Degenen die zo ver waren gekomen, kregen tenminste te eten totdat iemand, ergens, hen op de een of andere manier naar huis bracht. Niet dat de Egyptenaren zelf geen problemen hadden. Ze hadden net hun eigen Arabische Lente gehad en waren nog druk bezig orde op zaken te stellen.

De Bengalen waren er het slechtst aan toe. Het waren er duizenden, en ze waren duizenden kilometers van huis.

Milities beheersten de hoofdweg langs de kust en ook het oostelijke deel van het land, tenminste, dat werd gezegd. In elk geval vonden ze het blijkbaar prachtig om ons konvooi door te laten. Ze wisten dat we op weg waren om hun broeders te helpen.

Wahid Kandawalla, de jonge Pakistaan die het bevel over de rij Sprinters voerde, reed voor de vijfde keer in tien dagen door de oorlogszone om voorraden naar het ziekenhuis te brengen. Met zijn hartelijke, frisse gezicht zat hij op de rechterplaats. Hij probeerde al een hele tijd een baard te laten groeien als een echte moslim.

Van tijd tot tijd keek hij achter in het busje om er zeker van te zijn dat alles daar in orde was. Ik had het me redelijk comfortabel gemaakt door op de dozen met verband en steriliseermiddelen te gaan liggen. Ik was ook volkomen uitgeput. Door het schommelen van de wagen, de duisternis en de warmte was ik binnen de kortste keren in slaap gevallen.

En nu lag ik me daar alleen maar te ontspannen. Ik had geen invloed op wat er gebeurde. Ik kon er niets aan doen. Als het even rustig is in een gevecht, ga je slapen. Je weet nooit wanneer je daar weer de kans voor krijgt.

Ik had Awaales mobieltje weggegooid in Sallun. Niet dat ik hem liet barsten, maar van die afspraken in de trant van 'we zien elkaar terug' komt bijna nooit iets terecht. De gebeurtenissen hadden ons korte tijd samengebracht, maar dat was dan ook alles. Trouwens, Awaale ging voorlopig niet naar Minneapolis terug. Hij had het te druk. Hij moest de clan overnemen, zich Lucky Justice van het lijf houden en zijn terrein verdedigen tegen al-Shabaab-strijders die uit het zuiden kwamen. Dat wil zeggen, als hij lang genoeg in leven bleef. Piraterij was een gevaarlijke business, aan welke kant je ook stond.

Alles wat 'Kandy' over de gebeurtenissen in Benghazi wist, was gebaseerd op geruchten. Ze zeiden dat overlopende Gaddafi-troepen de voornaamste politiekazerne van Benghazi hadden geplunderd en massa's wapens en munitie hadden buitgemaakt. Dat betekende dat de plaatselijke militieleden van nieuwe wapens en voorraden waren voorzien en het konden opnemen tegen alles wat Gaddafi vanuit het westen op ze af stuurde.

Er gingen ook geruchten dat Turkije binnenkort zijn marine zou sturen om de scheepvaartroute tussen Benghazi en Kreta te verdedigen, en dat hun troepen het vliegveld zouden overnemen om de zee- en luchtcorridors voor humanitaire hulp te beveiligen.

Eén ding wist Kandy zeker. Turkije had al vijf marineschepen en een onderzeeboot voor de kust liggen. Die voorkwamen dat Gaddafi's marine mijnen legde om de haven ontoegankelijk te maken.

Bij elke controlepost kreeg Kandy weer nieuwe geruchten te horen. De milities hadden zojuist gehoord dat de Franse en Britse straaljagers aanvallen hadden gedaan op de oliestad Ajdabiya. Gaddafi's troepen waren in de pan gehakt. De stad was heroverd. Maar meer naar het westen gingen de gevechten door.

Een ander gerucht hield in dat Gaddafi honderdduizend dollar had geboden aan eenieder die bereid was voor hem te vechten. Dat geld zou worden uitgekeerd in geval van een overwinning. In reactie op dat gerucht had de top van de militie aan alle rebellen laten weten dat overlopers als verraders werden beschouwd en zouden worden geëxecuteerd zodra de vijandelijkheden voorbij waren. Dat was het probleem met dit soort oorlog. Het ging allemaal heel snel en de communicatie was slecht. Ik had nog steeds geen bereik met mijn iPhone, en eigenlijk wist niemand wat er aan de hand was.

2

De donkere straten van Vrij Benghazi lagen bezaaid met de wrakken van tanks die door de Franse en Britse straaljagers total loss waren geschoten. Ze zaten al onder de graffiti. De teksten waren voor een groot deel in het Engels en dus voor buitenlandse consumptie bestemd. Een van de boodschappen luidde: BEDANKT, OBAMA, BEDANKT, CAMERON. Als Sarkozy dat op ontbijt-tv zag, zaten we met een woedende Fransman.

Aan een half kapotgeschoten muur hing een aanplakbiljet waarop Gaddafi uitdagend de wereld in keek, maar zonder pet en met bloed over zijn hele hoofd. Er waren woorden als 'Moordenaar', 'Terrorist' en 'Dictator' overheen geschreven. Op een ander aanplakbiljet was het gezicht van de president vervangen door een grote gele smiley. Binnen enkele uren nadat de Amerikaanse tanks Bagdad waren binnengerold, had ik honderden aanplakbiljetten gezien waarop Saddam dezelfde behandeling kreeg.

Toen we door de verduisterde stad reden, wees veel erop dat Gaddafi daar inderdaad niet meer aan de macht was. Alle afbeeldingen van de dictator, voor zover niet bedekt met graffiti, waren weggehaald en kapotgeschoten of in brand gestoken. De groene vlag wapperde niet meer boven de vervallen en geplunderde overheidsgebouwen die door Gaddafi's troepen waren vernield toen ze zich terugtrokken. Nu hing daar de oude koninklijke standaard: rood, zwart en groen met een halvemaan en een ster in het midden.

Er woedde storm op de Middellandse Zee. Ik zag een stuk of wat veerboten allemaal fel verlicht op het water liggen. Ze hadden dagenlang gewacht tot ze buitenlanders konden komen halen.

Er ging ook het gerucht dat de Turken, die het op een na grootste leger van de NAVO hadden, zo'n groot marinecontingent hadden gestuurd dat de Britten zich daardoor gedwongen hadden gezien eindelijk hun inzet te vergroten. Ze stuurden een fregat. Dat zou binnen een paar dagen in de haven voor anker gaan en de Britten meenemen, alsmede ieder ander waar het nog ruimte voor had. Kandy moest erom lachen. De Turken, Italianen en Russen waren al weg. Zelfs de Fransen zaten alweer thuis koffie te drinken en naar de oorlog op het nieuws te kijken. Niettemin was de late komst van de *Cumberland* goed nieuws voor Anna. Jules had voor haar een plaatsje aan boord geboekt.

De Sprinter ging langzamer rijden. Kandy draaide zich naar me om. 'Nick, we zijn er.' Hij keek me met een grote vriendelijke glimlach aan. 'Nick?'

Ik was ingedut.

'Het ziekenhuis, we zijn er.'

Ik strekte me uit in het fleece jasje dat ik bij de grensovergang had gekocht. Zelfs in tijden van oorlog en wanhoop zijn er altijd mensen die een kraampje opzetten.

'Dat is prachtig, Kandy.' Ik gaf hem het pakje van duizend Amerikaanse dollars. 'Bedankt, vriend.' Twee dollar per kilometer, zoals beloofd. Hij zwaaide met het geld voordat hij het ongeteld in zijn zak stopte. 'Hiermee kunnen we benzine kopen om terug te gaan en overmorgen nog eens hierheen te rijden. Dank je.'

Ik twijfelde er niet aan dat hij het daarvoor zou gebruiken.

We stapten uit de wagen, terwijl de jongens met de wachtende militie gingen praten. We gaven elkaar allemaal een hand. 'Veel succes, Nick. Ik hoop dat je haar vindt.'

Ik knikte. 'En jij ook veel succes, vriend. Ik hoop dat je heelhuids thuiskomt.'

Aan de buitenkant zag het grootste ziekenhuis, het Al-Jalaa, er net zo uit als de rest van de stad: rechthoekig en onopgesmukt beton. Op de binnenplaats en het parkeerterrein wemelde het van de journalisten, ambulances, technicals met 12.7's en gewonden van de gevechten in het westen.

Twee snelle straaljagers gierden ergens boven ons door de duisternis. Niemand keek op. Het konden alleen Franse of Britse toestellen zijn. Al had iemand gezegd dat de Italianen ook gauw zouden meedoen.

De media zagen oorlog als business. Ze bivakkeerden bij ziekenhuizen om dicht bij de actie te zijn, en ook omdat het daar betrekkelijk veilig was. Gaddafi zou toch geen ziekenhuis bombarderen? Hmm. Misschien niet.

Ik strompelde naar de dichtstbijzijnde journalisten. 'Weten jullie waar de buitenlanders worden verpleegd? Ik zoek een Russische verslaggeefster, Anna Loedmilova.' Ik knikte naar drie jongens die op blauwe nylon klapstoelen zaten. 'Kennen jullie haar?'

Ook midden in een oorlogsgebied zagen de Duitsers er altijd onberispelijk uit. Zelfs de particuliere bewakingsdiensten die hen beschermden, zagen er perfect uit, tot en met hun nationale vlag op de voorflap van hun kogelwerende vest. Ik daarentegen had me nog steeds niet gewassen of geschoren sinds ik in Mogadishu was geland. Franks kleren en sportschoenen zouden straks waarschijnlijk oplossen.

Een van de koffiedrinkers wees naar de hoofdingang. 'Dat weten ze binnen wel. Er zijn een paar journalisten die nog niet verplaatst mogen worden.' Hij gooide me een fles water toe. 'Veel succes.'

3

Het interieur van het ziekenhuis was schoner en lichter dan dat van veel Britse ziekenhuizen die ik van binnen had gezien. Het was er ook veel drukker.

Medische teams met groene schorten en maskers liepen haastig voorbij met brancards waarop militieleden, kinderen en oude mensen lagen; allemaal getroffen door Gaddafi's artillerie- en mortiervuur. Ik liep over de pas geboende vloer en schaamde me bijna toen ik voor de receptie in de rij stond achter een groep militieleden die met een ernstig gewonde kameraad waren binnengekomen. Ze wees in een richting, vermoedelijk naar de spoedgevallenafdeling, en vroeg toen iets in het Arabisch aan hen. Ik nam aan dat ze vroeg of ze de patronen uit hun wapens wilden halen, want dat deden ze.

Het meisje achter de balie was nog maar een tiener. De telefoon ging. Ze nam efficiënt op en knikte me toe. Dit was de toekomst van de Arabische Lente. Een hoofd dat met een purperen doek was bedekt, maar ook poeder op het gezicht, en oogschaduw en lipgloss. Ik geloofde niet dat de jihadisten veel greep op dit land zouden krijgen.

'Spreekt u Engels?'

Ze glimlachte. 'Natuurlijk. Wat kan ik voor u doen?' Ze was verrassend kalm en sympathiek. Daardoor voelde ik me nog beroerder. 'Ik zoek een Russische verslaggeefster, Anna Loedmilova,' zei ik. 'Ze is een paar dagen geleden neergeschoten in Misrata.'

'Oké. Alle buitenlanders zijn op de tweede verdieping, afdeling 17. Als u gewapend bent, wilt u uw wapen dan ontladen?'

'Ik ben niet gewapend.'

'Mag ik dat zien?'

Ik maakte de rits van mijn fleece jasje los, tilde het op en draaide me om, zodat ze de vouwen in mijn spijkerbroek kon bewonderen.

'Dank u. Ik hoop dat u haar vindt.'

Er kwamen weer twee militieleden binnen. Ze hadden hun armen in elkaar gehaakt om een zitplaats te maken voor een jongen die niet ouder kon zijn dan de receptioniste. Zijn rechterbeen was onder de knie weggeschoten. Zijn bloed vormde een spoor tot aan de ingang.

4

De gang op de eerste verdieping had een vloer van grijs linoleum, schoon en glanzend. Ik kwam op het punt waar de gangen samenkwamen. Er gingen telefoons. Personeelsleden vroegen om assistentie. De gewonden kreunden. Maar ze lagen tenminste in bedden en hun verband was schoon. Het ziekenhuis functioneerde. Er heerste een sfeer van efficiency.

Ik wist niet wat ik moest zeggen of doen als ik bij haar was. Als mensen die ik kende werden neergeschoten, waren het meestal maten van me en dan dolde ik wat met ze. Maar dit lag anders. Ze was meer dan een maat van me. Ze was de belangrijkste persoon in mijn leven.

Ja, ze was misschien wat hoog gegrepen voor mij. Ja, misschien zou ze op een dag genoeg van me krijgen. Maar ik wist dat ik de beste tijd van mijn leven zou hebben zolang het duurde. Ik verheugde me er zelfs op haar te verzorgen tot ze fit genoeg was om weer voor verslaggeefster te spelen, zodat ik haar weer bij Gunslingers op tv kon zien.

Afdeling 17 was ellenlang. Het was een ouderwetse afdeling met vijftien of twintig bedden aan weerskanten. Sommige waren met een scherm omgeven. Om sommige was een wand heen gebouwd. Ik liep door het midden en keek naar de bedden die ik kon zien. In de meeste lagen militieleden. Twee blanke mannen lagen in het verband. Misschien waren het oliewerkers of militairen, misschien journalisten. Het kon me niet schelen. Ik wilde alleen maar Anna vinden.

Ik liep door. De twee laatste bedden aan het eind waren afgescheiden als hokjes. Misschien lagen daar de vrouwen.

Het hokje aan de rechterkant was open. Daar lag een oude vrouw met haar familie om haar heen. Ze was in de buik getroffen. Het bloed sijpelde door haar verband en op haar lakens. Haar gezicht zat onder de rode wondkorsten. Waarschijnlijk was ze het slachtoffer van een mortiergranaat.

Ik liep naar de linkerdeur en klopte zachtjes aan. Ik wachtte niet op een antwoord.

Ze zat overeind, half slapend, ondersteund door kussens. Ze droeg een groen chirurgenhemd.

'Nicholas?'

5

Haar blonde haar was een ravage. Haar gezicht zag er doodmoe, afgepeigerd uit. Toch vond ik dat ze er nog geweldig uitzag.

'Ik heb gebeld. Ik heb het geprobeerd, maar...' Ik boog me naar haar toe en kuste haar op de wang. 'Gaat het?'

Ze bekeek me van top tot teen. 'Ik kan misschien beter vragen hoe het met jou gaat.'

'Goed. Ik vertel het je later wel.'

Ik ging op de stalen stoel naast haar zitten en nam haar hand in de mijne. De sfeer was gespannen. Of misschien lag het alleen aan mij.

'Waar ben je geraakt?'

'Aan de linkerkant. Onderbuik. Het kwam uit het niets. Er waren explosies in de verte. Er was een luchtaanval, maar niet dichtbij. Toen ging ik opeens neer. Mijn mensen waren fantastisch. Ze brachten me hierheen en ik ben geopereerd. Er zijn geen organen getroffen, maar het doet pijn en ik mag nog niet worden verplaatst.'

De familie aan de andere kant begon te jammeren en te huilen. Er kwam meteen medisch personeel aangesneld.

'Wat is er mis, Anna? Waarom mag je niet worden verplaatst? Zijn er zenuwen op je wervelkolom geraakt of zoiets? Je benen? Kun je ze niet bewegen?'

Ze schoot vol. Ze beet op haar onderlip en probeerde zich te beheersen.

'Het is het wondkanaal, zeiden ze, Nicholas. De kogel ging erdoorheen, maar... erg dicht bij mijn baarmoeder.'

Ik keek haar aan, wachtend op meer.

Haar handen grepen de mijne nu vast.

'Ze moeten eerst zeker weten dat de baby geen letsel heeft opgelopen.' De tranen liepen over haar wangen. 'Ik ben drie maanden zwanger, Nicholas...'

Het was of ik tien G-krachten te verduren kreeg in een snelle straaljager. Mijn achterste drukte zwaar op de stoel. Mijn hele lichaam voelde aan alsof ik door de vloer werd geramd.

'Alles komt goed, Nicholas. Ik moet alleen rusten. Over een paar dagen onderzoeken ze me opnieuw. Pas wanneer is gebleken dat er niets aan de hand is, mag ik worden verplaatst.'

De familie aan de andere kant van de scheidingswand werd de zaal uit geleid. Ik hoorde een brancard die kwam binnenrijden.

'Dat is goed. Dat is goed...'

Ze kuste mijn wang. Haar adem was vies. Ze had ongetwijfeld hetzelfde gedacht toen ik haar had gekust. Haar handen trokken mijn hoofd op haar borst. 'Ik maakte me zoveel zorgen over jou.' Ze streek door mijn haar.

Uiteindelijk verzamelde ik de moed om mijn hand op haar buik te leggen, zo zacht dat ik haar nauwelijks aanraakte. Ik bewoog hem voorzichtig, alsof ik verwachtte dat daar nog iets anders was dan het verband. Wat wist ik daarvan?

'Nicholas, ik maakte me grote zorgen over de manier waarop jij op het nieuws zou reageren. Ik wist niet wat je ervan zou vinden. We zijn een hele tijd niet bij elkaar geweest en...'

'Waarom ben je hier gebleven terwijl je zwanger was?'

'Mijn oma heeft al haar kinderen ter wereld gebracht terwijl ze in de tarwevelden werkte.' Ze probeerde te lachen. 'Dat is stom. Ik weet het. Maar ik denk dat ik het deed omdat ik wist dat dit mijn laatste buitenlandse karwei moest zijn.' Ze glimlachte een beetje zuur. 'Ik heb nu verantwoordelijkheden...'

Ik grijnsde terug. 'Zo te horen heb ik ze ook...'

Ik dacht aan Mong, Tracy en Stefan. Misschien was dit toch het einde van een tijdperk. Er was een nieuwe tijd aangebroken.

Ze hield mijn gezicht in haar handen en ik bleef haar glimlachend aankijken.

Toen keek ze me ernstiger aan. 'Heb je *Misdaad en straf* uitgelezen?'

Ik trok een schuldig gezicht. 'Ik moet je bekennen... Die klassieken zijn me een beetje te veel. Tegen iedereen die ernaar vraagt zeg ik dat ik ze lees, maar weet je? Ik heb zelfs al moeite met de spiekbriefjes.'

Ze kuste mijn hoofd en gaf er toen een klap tegen.

Ik stond op en hield haar dicht tegen me aan, tot lang nadat de oude vrouw op de brancard was weggebracht en een andere gewonde was binnengebracht om haar plaats in te nemen.